HISTORIA SZTUKI

Michał W. Ałpatow

4

Sztuka XVIII i XIX wieku

Wydawnictwo Arkady
Warszawa

Tytuł wydania oryginału:

М. В. Алпатов, Всеобщая история искусств,
Изд. Искусство, Москва-Ленинград 1948

Tłumaczenie wykonano wg autoryzowanego wydania niemieckiego:
M. W. Ałpatow, Geschichte der Kunst,
VEB Verlag der Kunst, Drezno 1964

ISBN 83-213-3192-0 całość
ISBN 83-213-3196-3 tom 4

SPIS TREŚCI

I. Sztuka XVIII wieku we Francji i innych krajach Europy . . .   6

II. Sztuka w epoce rewolucji francuskiej   37

III. Sztuka epoki romantyzmu i początki realizmu   59

IV. Realizm w sztuce XIX wieku   93

V. Impresjonizm 120

Spis ilustracji 148

Indeks 152

I. SZTUKA XVIII WIEKU
WE FRANCJI I INNYCH KRAJACH EUROPY

„Wczoraj" od dawna już umknęło,
„Jutro" nie przyjdzie nigdy może,
I tylko „Dziś" o szczęście swe spokojny
Jest człowiek w każdej porze.

Rousseau,
„Z ody na początek nowego roku"

Doprawdy, lepiej byłoby
nie wiedzieć nic,
niż wiedzieć tak mało i źle.

Diderot, *„Kuzynek mistrza Rameau"*

Z początkiem XVIII wieku kontynuowano jeszcze budowę wielkiego królewskiego pałacu w Wersalu, uzupełniając równocześnie urządzenie jego wnętrz; w pałacowych salach odbywały się uroczyste, wspaniałe przyjęcia. Po śmierci Ludwika XIV w 1715 roku etykieta dworska nieco się wprawdzie rozluźniła, przy czym luksus i rozrzutność nawet jeszcze wzrosły, lecz cały sposób życia i gust pozostały nie zmienione. Sztuką rządziła Akademia, przestrzegająca tradycji Lebruna. Tylko umiłowanie Rubensa, jakie żywiła w tej epoce pewna grupa francuskich artystów, świadczyło, że przygotowuje się nowy przewrót w sztuce.

W tym czasie działa we Francji malarz o subtelnym i wielkim talencie — Antoine Watteau (1684—1721). Pochodził z Valenciennes, małego miasteczka na granicy francusko-belgijskiej, i stamtąd przybył do Paryża. W stolicy obracał się w niewielkim kręgu znawców malarstwa, takich jak kolekcjoner Crozat, sprzedawca dzieł sztuki Gersaint i inni. Za namową przyjaciół, choć niechętnie, przedstawił jeden ze swych obrazów Akademii i uzyskał tytuł jej członka, mimo iż własna jego sztuka nie miała nic wspólnego z akademizmem. Był to człowiek nietowarzyski, niespokojny i skłonny do melancholii — opowiadano, że do swoich prac odnosił się bardzo krytycznie, a w nagłych napadach niezadowolenia niekiedy nawet je niszczył. Ciężka choroba wcześnie położyła kres jego życiu.

Od czasów Poussina nie było we Francji malarza tak wybitnego jak Watteau. Arystokracja niezbyt go ceniła, mimo iż w najlepszych swych dziełach odtwarzał właśnie jej obyczaje. Rozpoczął wprawdzie od malowania obrazków z życia ludu, na wzór Flamandów, później jednak ukazywał najczęściej strojnych elegantów i damy na tle cienistych parków lub jasnych łąk. Swoje frywolne sceny (fêtes galantes) budował zdumiewająco konsekwentnie i głęboko. Tematycznie na jego obrazach nie dzieje się zazwyczaj nic godnego uwagi. Damy w niedbałych pozach siedzą na trawie; obok nich kawalerowie, którzy zrzuciwszy jedwabne płaszcze, szepczą damom miłosne słówka, zabawiają je wesołą rozmową lub muzyką. Niekiedy pary wstają i wdzięcznie obracają się w tańcu. Czasem któryś z panów pozwala sobie na gest zbyt natarczywy, wtedy spotyka się z energiczną odprawą. Jeśli zaś kawalerowi uda się uwieść damę, oboje starają się uciec od reszty towarzystwa w zaciszny zakątek parku. W świecie opiewanym przez Watteau miłość jest wszechobecna; nawet marmurowe boginie schylają głowy i z wyrozumiałym uśmiechem słuchają zwierzeń zakochanych.

Podobną tematykę znaleźć już można było u Giorgiona, zwłaszcza w jego *Wiejskim koncercie* (Luwr), w obrazach o szczęśliwym złotym wieku, który od czasów renesansu tak często był przedmiotem marzeń. W okresie późnego średniowiecza znajdziemy lepsze jeszcze przykłady w tzw. ogródkach miłosnych, gdzie kawalerowie i damy pośród ukwieconych łąk zaznają niebiańskich uciech. Ów stary, tradycyjny motyw zachodnioeuropejskiego malarstwa ujęty został przez osiemnastowiecznego malarza na wskroś oryginalnie. Miłosne scenki służyły mu za pretekst do charakteryzowania wnikliwie zaobserwowanych ówczesnych światowych rozrywek, afektowanych, a w istocie pustych konwersacji. Dzieła jego zapowiadają upadek kultury wersalskiej, kres ,,wielkiego stulecia''.

Obrazy Watteau nigdy nie ukazują szczęścia niczym nie zmąconego, jak *Wiejski koncert* Giorgiona czy *Ogród miłości* Rubensa. Nad pracami tego malarza unosi się nieokreślona, a dawnym malarzom nie znana melancholia, jakby stałe poczucie niedosytu. To właśnie uczucie wiedzie artystę z otwartych placów ku ocienionym zakątkom, pod gęsty, ściśle sklepiony dach zieleni drzew, skąd z trudem już tylko dostrzega się zamgloną dal, a smugi świateł na niebie wydają się osobliwie piękne. U Watteau beztroska radość przyćmiona jest zawsze nieuświadomioną tęsknotą, przez co obrazy jego tchną powagą zmieszaną z ledwo uchwytną a gorzką ironią. Nie przypadkiem też w wesołym tym towarzystwie tak często pojawia się postać samotnego młodzieńca. Pogrążony w myślach, stoi on zazwyczaj z dala od innych, niczym nieproszony gość na wesołej uczcie. A nawet gdy jego mroczna sylwetka się nie pojawia, łatwo się domyślić, że sam twórca obrazu ogarnia swe pogodne scenki melancholijnym spojrzeniem. Dotychczas arystokracja budziła jedynie podziw artystów, lecz syn ubogiego dekarza bystrym swym okiem dojrzał w niej pustkę, marność i pośpiech przemijania.

Najbardziej znanym obrazem Watteau jest *Odjazd na wyspę Cyterę* (1717, dwie wersje w Luwrze i Berlinie). Temat zaczerpnął malarz ze sztuki teatralnej, lecz ujął go według własnej koncepcji. Strojni panowie i panie siedzą na wzgórzu, w cieniu rozłożystych drzew, przy posągu ozdobionej girlandami Wenery. Inni schodzą ze wzgórza na brzeg, gdzie czeka na nich złocisty statek, nad którym unoszą się wesołe amorki. W oddali, w oparach mgły, widać skaliste, wysokie brzegi wyspy, ku której dążą zakochane parki, aby tam zakosztować prawdziwego szczęścia w miłości. W obrazie tym, przeznaczonym dla Akademii, ów łańcuch postaci wydaje się nieco sztuczny.

Wiele mniejszych obrazów, między innymi *Święto miłości* (Drezno), wystawia IV, 1 najpiękniejsze świadectwo obserwacyjnym talentom i wyobraźni Watteau. Mamy tu niezwykłe bogactwo ostro uchwyconych motywów, cały świat owych beztroskich ludzi, pośród przyrody, w krajobrazie, który daje się ogarnąć wzrokiem aż po skraj błękitnego horyzontu. Interesujące to sceny, szczególnie dlatego, iż wszystko w nich przekształca się w poetyckie marzenie. Każda postać zarysowana jest czytelnie, lecz kształty jej ciała przesłaniają wzorzyste tkaniny, aksamity i jedwabie, a materiały te z kolei rozpływają się w lśnieniach i błyskach barw. Zieleń drzew w świetle wieczoru przetwarza się w złocistą i barwną bajkę, marmurowy posąg bogini różowieje i zdaje się oddychać, jak żywy: podobnie jak u Velazqueza rzeczywistość zbliża się do fantazji, nieomal stapia się z nią w jedno. U Velazqueza wszelako dominuje świat realny, podczas gdy u Watteau — marzenie. „Jedynie fantazja daje szczęście", powiedział później Rousseau.

Nieprzypadkowo też miłosne scenki Watteau przypominają przedstawienia teatralne: artysta malował obrazy zarówno z włoskich, jak i z francuskich komedii. Ulubieni jego bohaterowie to pierrot i kolombina, przybrani w barwne kostiumy, składający sobie miłosne wyznania, zakłamani w swej elegancji, afektowani w swym wiarołomstwie. Pośród teatralnych obrazów Watteau najwybitniejszy jest *Gilles* (Luwr). Aktor w białym atłasowym kostiumie, na zewnątrz spokojny, dziwnie zamyślony i skupiony, stoi na samym skraju sceny, jakby niczym nie związany z wesołym towarzystwem tuż za jego plecami.

Watteau był urodzonym malarzem, odznaczał się doskonałym wyczuciem kolorów. Zainteresowanie problematyką barwy wzbudziła we Francji walka zwolenników Poussina ze zwolennikami Rubensa, opowiadających się bądź za rysunkiem, bądź za kolorem. Podziw, jaki żywił Watteau dla Rubensa, wpłynął na rozwój jego malarskiego talentu. Nasycone barwami ciepłymi, nawet płomiennymi, obrazy jego mówią o inspiracji mistrzów flamandzkich (*Sąd Parysa,* 1719—1721, Luwr). W świetlistych, drobnych postaciach, na tle ciemnych drzew, dostrzec można ślady światłocienia Rembrandta (*Wesele wiejskie,* Madryt). Lecz w gruncie rzeczy koloryt Watteau jest na wskroś oryginalny. Malował delikatnymi, często przejrzystymi farbami, a szczególną predylekcją darzył rozmigotane półtony różowe, jasnobłękitne, złote lub w odcieniu fioletowego bzu. Zarzucano mu, że nigdy nie czyści swej palety, że dlatego nie można się u niego doszukać barw czystych i zdecydowanych. Jednakże urok prac Watteau polega właśnie na działaniu najsubtelniejszych niuansów. Zresztą obok nikłych półtonów kładł nieraz akcenty barwne bardziej energicznie lub rzucając kilka czarnych czy granatowych plam, nadawał swojej gamie więcej siły i głębi. Nigdy też nie unikniemy wrażenia, że barwy Watteau już to powstają jedne z drugich, już to zestawione są kontrastowo, już to łączą się w jedną melodię i napełniają całą płaszczyznę pulsującym życiem. Malarstwo Watteau opiera się wyraźnie na muzycznym podłożu.

IV, 3   Mały obrazek *Nadąsana* pomyślany został niby fragment scenki miłosnej. Dar obserwacji artysty, jego prawdomówność są tu szczególnie widoczne. W czarnej, jedwabnej sukni siedzi kapryśnica z zadartym noskiem, pyzatą buzią, nieco wytrzeszczonymi oczami i odętymi ustami. Mocno zacisnęła piąstki, a minkę ma pełną uporu, nie przejawiającą nawet cienia życzliwości. Za nią kawaler, na pół leżący na płaszczu, usilnie stara się ją przekonać, czy też w milczeniu słucha jej wyrzutów. Dopiero gdy tę rodzajową scenkę Watteau porównamy z obrazami holenderpor. III, 158 skimi o podobnej treści, w pełni zdołamy docenić specyfikę francuskiego artysty. „Mali mistrzowie" zwracali przede wszystkim uwagę na piękno przedmiotów codziennego użytku, zabiegali również o staranne odtwarzanie tkaniny sukni tak, jakby malowali martwą naturę. W każdej scenie chodziło im nie tyle o akcję, ile o wyrażenie klimatu życia mieszczańskiego: zamożności, bogactwa, domowego nastroju. Watteau przeciwnie: interesuje go głównie charakter człowieka i międzyludzkie stosunki, szczegóły zaś mają dlań tylko podrzędne znaczenie. Sposób w jaki odkrywa cechy charakteru, porównać można jedynie z literackimi portretami La Bruyère'a.

Także i w scenkach intymnych zrywał Watteau z kanonami „wielkiej sztuki". W Leningradzie znajduje się obecnie obraz, na którym artysta namalował niski horyzont i na jego tle wyraziście zarysowane wielkie sylwetki. Drzewa w głębi obrazu nadają całej kompozycji poczucie umiaru i klarowność. W jednym z ostatnich swych obrazów — w *Szyldzie antykwariatu Gersainta* (1721, Berlin) — stworzył Watteau ze sceny rodzajowej (sklep z dziełami sztuki, eleganckie postacie śmiało naszkicowanych światowców, amatorów sztuki) dzieło monumentalne, przypominające nieomal *Las Meninas* Velazqueza. Lecz i tu wszystko wskazuje na kres „wielkiego stulecia": oto pakują do skrzyni portret Ludwika XIV.

Dar obserwacji Watteau, jego typowo francuskie, szybkie spojrzenie ujawnia się szczególnie wyraźnie w rysunkach. Tu jest on już prawdziwym realistą. Współcześni chwalili jego ołówek za „l'esprit et la vérité" (dowcip i prawdę). Wiele szkiców, sporządzonych przez Watteau z natury, przeszło w nie zmienionej niemal postaci do jego obrazów, a zgadzają się z nimi tak doskonale, jak gdyby artysta już przy pracy nad studium z natury wyobrażał sobie przyszły obraz do najdrobniejszych szczegółów. Na rysunkach Watteau spotykamy wiele typowych dla XVIII wieku, dokładnie scharakteryzowanych postaci. Widzimy tam chłopów, pasterzy, żołnierzy, rzemieślników i księży, a przede wszystkim oczywiście kawalerów i damy w takich samych pozach, w jakich odnajdziemy ich na jego obrazach. Jeden z rysunków szczególnie trafnie prezentuje postać, ubiór i energiczny krok służącego — Turka, niosącego tacę. Również i w literaturze francuskiej IV, 2 powstaje zainteresowanie egzotyką (wymowny przykład: „Listy perskie" Monteskiusza). Rysunki Watteau są prawdziwe, ale jego postacie tchną zawsze elegancją, niemal przypominającą lekkie porcelanowe figurki. Za pomocą sangwiny, węgla i kredki osiąga Watteau znakomite efekty barwne.

Studia z natury Watteau nie zdradzają ani śladu chorobliwej słabości i znużenia, które tak często cechują jego obrazy. Wyrazistość kreski i plastyczność form wykazują pokrewieństwo z tak klasycznymi rysownikami, jak Rafael lub Rubens. III, 45 i 14(

Watteau był przede wszystkim wielką artystyczną indywidualnością, ale i u niego daje się odczytać owa zmiana gustów, jaka nastąpiła we Francji w początkach XVIII wieku, owo poszukiwanie nadmiernie już wysubtelnionej elegancji, które pojawia się po śmierci Ludwika XIV w okresie regencji (1715—1723). Pod koniec pierwszej połowy XVIII stulecia nowy kierunek artystyczny całkowicie już się był we Francji ukształtował, by przetrwać niemal pół wieku. I podobnie jak łatwo rozpoznajemy zabytki gotyku po kształtach wyostrzonych i smukłych, tak dzieła reprezentujące omawiany nurt charakteryzują się wyginającą się linią ornamentów stroju, mebli i rysunku. Nazywano ów kierunek „style rocaille" (muszelkowy — skąd wywodzi się termin „rokoko") lub też „stylem Ludwika XV". Nie można tu jednak mówić o stylu w takim samym sensie, co o gotyku czy baroku. Cechy rokoka występują wprawdzie konsekwentnie we wszystkich nieomal dziedzinach plastyki, zespół ich jednak nie wyraża jakiegoś potężnego prądu opartego na określonym światopoglądzie. Była to tylko moda, która przez pewien czas fascynowała ludzi w ich nieustannym poszukiwaniu nowości. Niektórzy traktują rokoko jako swoistą odmianę baroku.

or. III, 103 Tak ulubionym przez rokoko motywem dekoracyjnym muszli posługiwali się już Bernini i Borromini. Amorki igrające przed ażurową kratą, podobne do rokokowych, istniały już w XVII wieku w jednej z sal pałacu wersalskiego — tam, gdzie dwór oczekiwał na pojawienie się króla. Ludwik XIV, którego najwidoczniej znużyło już na każdym kroku obowiązujące w Wersalu dostojeństwo, zażądał w jednym ze swych zleceń budowlanych, aby któryś z parkowych pawilonów budził wrażenie nie tyle poważnej, ile pogodnej młodzieńczości. Rokoko rozwinęło się z pewnych siedemnastowiecznych tendencji sztuki francuskiej i później dopiero uzyskało dominację. Majestatyczna powaga (gravité) ustąpiła miejsca zamiłowaniu do wdzięku (grâce).

Rozpowszechnienie się tego stylu związane było z dziejami francuskiej szlachty. W XVII wieku, gdy rząd ujął mocno władzę w ręce, arystokraci, powołani do służby państwowej, mieli jeszcze dość dużo zajęć. W miarę jednak rozwoju gospodarki mieszczańskiej, arystokracji, przed którą droga do handlu i rzemiosła była zamknięta, pozostały dwie tylko możliwości: służba wojskowa lub „prezencja" u dworu, czyli uczestnictwo w orszaku królewskim. Tu też należy szukać źródeł degeneracji arystokratycznych rodów. Już na długo przed rewolucją markiz d'Argenson porównywał utytułowanych ludzi nie posiadających żadnych zasług do przerasowanych psów myśliwskich, na nic nieprzydatnych, które by należało potopić.

W jednej tylko dziedzinie arystokracja francuska odnosiła w XVIII wieku sukcesy, mianowicie w umiejętnym organizowaniu sobie szczęśliwego i beztroskiego życia. Celowi temu podporządkowywano wszelkie dobra kulturalne, nagromadzone w ciągu stuleci. Nawet umysł tak niezależny jak Wolter nie zdołał oprzeć się urokom wyrafinowanego luksusu. W wierszu „Le Mondain" opisał gnuśny a zniewieściały żywot przedstawiciela XVIII wieku. Komnaty jego pełne są kosztownych dzieł sztuki, odbijających się w licznych zwierciadłach. Przed oknami rozpościera się park z połyskliwymi fontannami. Podróżuje w „toczącym się pozłocistym domu". Cały jego dzień składa się z nieustannych rozrywek: składa wizyty pięknym aktorkom, wieczorem jeździ do teatru, a noce spędza w gronie przyjaciół na wesołym ucztowaniu. Obraz ten dopełniają pamiętniki z epoki — na przykład lekkomyślnego księcia Richelieu lub awanturnika Casanovy albo listy Madame du Deffand, która prowadziła świetny salon.

Zadanie sztuki polegało przede wszystkim na upiększaniu życia bezczynnej arystokracji i to różni ją od majestatycznie reprezentacyjnej sztuki z czasów Ludwika XIV. Miała być pogodna i przynosić rozrywkę, nie darmo też Wolter uznał, że piękne są wszystkie rodzaje sztuki poza nudnymi. Nietrudno zrozumieć, dlaczego w XVIII wieku zdobnictwo uzyskało tak wielkie znaczenie — nawet kunszt kulinarny uznano za wielką twórczość. Mistrzem w tej dziedzinie był Grimod de la Reynière, autor wielotomowego zbioru wskazówek dla smakoszów. Hedonistyczne poglądy przenikały do plastyki, zwłaszcza zaś do malarstwa. Krytycy w XVIII wieku zajmowali się nie tyle artystyczną ideą i formą dzieł, ile przede wszystkim malarską materią (pâte), przyprawami (ragoût), smakiem i soczystością barw. Wielu poetów XVIII wieku, zwłaszcza Chaulieu, przypomina swym przywiązaniem do zmysłowych uciech zwolenników Anakreonta i epikurejczyków. Przy tym osiemnastowieczni ludzie łączyli beztroską radość z chłodem, bezwzględnością i brakiem serca.

Charakter sztuki staje się w XVIII wieku coraz bardziej uniwersalny i bynajmniej nie jest kwestią przypadku, że wnętrza wielu ówczesnych kościołów wyglądają jak bankietowe sale. Sztuka przekształca się w luksus — zadaniem dzieł sztuki było podobanie się. Analizując poszczególne dzieła nie mówiono o ich koncepcji ani o ich pięknie: dobry smak stał się najważniejszym kryterium wartości. W ,,Rozprawie o dobrym smaku'' Monteskiusz zdefiniował ów dobry smak jako umiejętność dokonania należycie subtelnej i szybkiej oceny dotyczącej miary rozkoszy, której dany przedmiot dostarcza. Według Batteux, teoretyka sztuki w XVIII wieku, dobry smak stanowił klucz do zrozumienia sztuki i bynajmniej nie wszyscy ludzie nim dysponowali. Uważano, że sam talent i natchnienie twórcy nie wystarczą, że musi on nadto posiadać dobry i wyrobiony gust. Wolter szczególnie cenił trudną do uchwycenia szybkość i żywość tego rodzaju doznań.

Sztukę XVIII wieku cechuje nade wszystko kokieteria i ironia. Pisano w tym stuleciu wiele wierszy, lecz niewielu tylko było prawdziwych poetów. W poematach ceniono nie tyle uczucia i wrażliwość, ile bystrość i dowcip. Gdy pewien osiemnastowieczny kawaler żegnał się z damą, a ona rączką przesłała mu całusa — natychmiast skomponował okolicznościowy czterowiersz:

> Dar taki chłodem mnie tylko owiewa
> Skoro słodyczą nie spływa na usta.
> Słodkim, jak owoc, nazwę jej całuska
> Z chwilą gdy sam go zdołam zerwać z drzewa.

Komedia francuska, zaczynając od Marivaux aż po Beaumarchais, jest zawsze splotem zabawnych perypetii i przypadków — więcej w niej szelmostwa i uwodzicielskich sztuczek niż autentycznej miłości i namiętności. Prawdziwym mistrzem w tym sarkastyczno-kokieteryjnym rzemiośle był Wolter. W swych epigramach i opowiastkach filozoficznych żartobliwym tonem powątpiewał o wszelkich ludzkich wartościach i wszelkiej nagromadzonej przez wieki mądrości. W ,,Kubusiu fataliście'' Diderot igrał z czytelnikiem, jak doświadczona zalotnica: Kubuś usiłuje opowiedzieć swemu panu niezmiernie ciekawą historię własnej miłosnej przygody, lecz za każdym razem autor mu przerywa w momencie najbardziej interesującym. W wyższych sferach społeczeństwa francuskiego stała się w XVIII wieku modna lekkomyślność, a także wolnomyślicielstwo — choć to ostatnie łączyło się u arystokratów z wiarą w zabobony. Hrabia de Ségur pisał później, że ludzie ówcześni ,,łączyli przestrzeganie przywilejów patrycjatu z sympatią dla słodkiej duchowej wolności nowej filozofii''. Diderot w powieści ,,Kuzynek mistrza Rameau'' wyraźnie ukazuje zmącenie świadomości, upadek poglądów i szyderczą postawę życiową zdegenerowanych od wewnątrz ludzi XVIII stulecia.

Na zewnątrz pałace francuskie w połowie XVIII wieku bardzo były jeszcze podobne do budowli z ubiegłego stulecia: odznaczały się reprezentacyjną powagą, charakterystyczną dla lat minionych. Ta powściągliwość architektury wywodziła się, być może, z praktycznych pojęć klasy panującej. „Nie należy wykładać wszystkich swych bogactw na ladę" — twierdził Blondel, osiemnastowieczny teoretyk architektury. Nowe formy dekoracji architektonicznej, motywy muszli i kręte linie ornamentu nie były we Francji niemal wcale stosowane na elewacjach. Próba przełamania tej reguły przez architekta Meissoniera w przypadku fasady Saint-Sulpice natrafiła na zaciekły opór. Jedynie w Niemczech stosowano niekiedy w XVIII wieku te same motywy na fasadzie, co we wnętrzu budynku. We Francji nowy styl dawał o sobie znać jedynie w niezwykle szerokim rozstawieniu smukłych kolumn w niektórych pawilonach Palais Royal w Paryżu, w drobnych prostokątach z ciosanego kamienia, czyniących nieco lżejszą płaszczyznę murów stajennych w Chantilly (1719—1735), i w miękkim zaokrągleniu zwieńczonych girlandami otworów okiennych paru rezydencji prywatnych „hôtels". Zamiłowanie do form lekkich, do gracji i wykwintu przejawiało się w proporcjach, które w XVIII wieku dobrze wyczuwano.

Pompatyczne fasady pałaców osiemnastowiecznych nie pozostawały w żadnym niemal stosunku do ich planu. Wyraźnym przykładem będą tu Hôtel de Soubise, Hôtel de Rohan i Hôtel de Matignon. Architekci ówcześni nie przejmowali się, że osie fasad od strony dziedzińca i ogrodu nie przebiegały zgodnie ze sobą. Budynek nie był traktowany jak zwarta całość: nie można go było obchodząc wokół ogarnąć jednym spojrzeniem, jak w przypadku włoskich pałaców barokowych. Na wrażenie ogólne składał się niejako szereg poszczególnych kulis architektonicznych. Odpowiednio więc także we wnętrzach zanikały ciągi wspaniałych, połączonych komnat, mimo iż drzwi często jeszcze umieszczano wzdłuż jednej osi. Poszczególne pokoje oddzielano od siebie, a i formą coraz bardziej się różniły: jedne bowiem były okrągłe, inne owalne, jeszcze inne kwadratowe. Budowniczym z XVIII wieku nie chodziło jedynie o wspaniałość i reprezentację tych komnat, lecz także o wygodę. W tych intymnych a luksusowych pałacykach po raz pierw-

s. 12

III, s. 144

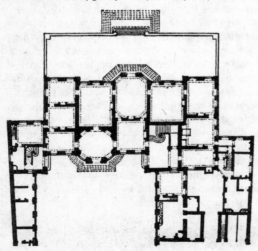

Jean Courtonne, Hôtel de Matignon, 1721, Paryż; plan

szy zaczęto stosować ogrzewane łazienki. Wprowadzano też pomysłowe konstruk-
cje, umożliwiające podawanie potraw wprost z kuchni do sali jadalnej, bez uciążli-
wej pomocy służby.

Hôtel de Soubise w Paryżu stanowił własność księcia znanego z rozrzutności,
szczycącego się wspaniałymi ekwipażami. Architekt tego pałacyku, Boffrand
(1667—1754), był wrogiem rokoka, ale budynek ów urządził luksusowo. Owalny
salon przypomina lekką i pełną wdzięku latarnię. W wystroju wnętrza posłużono   IV, 4
się tradycyjnym porządkiem architektonicznym i podziałem ściany na trzy części.
Ściany te pokrywa jednak lekka boazeria (gdzie indziej znowu drewniane płyty
obciągano materiałem), tuszująca masywność murów. Dolne prostokątne płyciny
tworzą spokojną część statyczną. Pionowe środkowe pola są od góry zamknięte
krzywiznami łuków, a znajdująca się nad nimi faseta, stanowiąca odpowiednik
gzymsu, ujęta została w osobliwe w kształcie obramowanie. Pokrywają ją malowidła Natoire'a na temat dziejów Amora i Psyche. Linia graniczna pomiędzy
sufitem i ścianą ginie pod mnóstwem ornamentów. Połyskliwa pozłota jeszcze
bardziej osłabia masywność ścian (jedna z sal w Hôtel de Toulouse jest całkowicie pokryta złotem).

W owych pałacach złoto nie oznacza wyłącznie bogactwa, oddziałuje nie tyle
swym ciężarem i masywnością, ile raczej migotliwym połyskiem. W XVIII wieku
szczególnie chętnie używano do ozdoby ścian zwierciadeł. Często umieszczano
je naprzeciw siebie, co dawało nieskończoną ilość odbić, kokieteryjnie naśladu-
jących się nawzajem. Przestrzeń niewielkiego, intymnego saloniku rozszerzała
się tym sposobem w nieskończoność, bardziej jeszcze zwodniczo niż na późnych
freskach pompejańskich.   por. I, 161

Płonące świece i barwne szaty wytwornych pań i panów powracały w wielo-
krotnych odbiciach lustrzanych, dźwięki orkiestry wypełniały sale: trzeba umieć
sobie wyobrazić uroczyste przyjęcia w tych pałacach, aby zrozumieć, że bezczynne
życie ówczesnych ludzi upodobniało się do baśni, a rzeczywistość przekształcała
się w sen. W osiemnastowiecznych wnętrzach konkret zrastał się ze złudą zwierciadeł, prawda ustępowała przed pozorem, co zresztą odpowiadało rozpowszech-
nionemu podówczas światopoglądowi. Nie darmo ulubione w XVIII wieku powieści w formie listów zamiast opisu wydarzeń zawierały często opis doznań
jednostki („Niebezpieczne związki" Choderlos de Lac los).

Wyposażenie wnętrz budynków francuskich z XVIII wieku pozwala jeszcze dostrzec ślady dyscypliny formalnej. Tymczasem, gdy we Francji arystokracja zubo-
żała i musiała zrezygnować z wielkich planów budowlanych, francuscy architekci,
wśród nich także i Cuvilliés (1695—1768), przenieśli się do Niemiec. W parku
Nymphenburg w Monachium rozrzucono urocze, niewielkie pawilony: Amalien-
burg, Badenburg o Sali Zwierciadlanej jakby utkanej ze złocistych nici i Pagoden-
burg, którego lekkie ścianki utrzymane są w stylu chińskim.

W okresie gdy w Paryżu już się odwracano od rokoka, w Nancy, rezydencji   s. 14
Stanisława Leszczyńskiego, usiłowano przenieść zasady rokokowych wnętrz
na planowanie miasta. Całość składa się z trzech oddzielnych, lecz ściśle ze sobą
połączonych części: wielkiego, czworokątnego placu z pomnikiem pośrodku,
wysadzanej lipami promenady oraz mniejszego placu owalnego otoczonego
kolumnami, które stapiają się w jedno z parterem książęcego pałacu. Rytmiczna

logika i różnorodne potraktowanie poszczególnych partii nadają całości pogodny i elegancki wygląd. Główny plac jest dobry w proporcjach, naprzeciw ratusza wznosi się dekoracyjny łuk triumfalny, a ozdobionym posągami kratom na narożach placu odpowiadają na rogach przeciwległych otwarte kraty ogrodzenia. Różnorodne formy wiążą się motywem arkady na dolnych piętrach domów.

IV, 7 Okratowania w Nancy są tak ażurowe i filigranowe, że wyglądają niemal jak ściany jakiegoś wnętrza. Nie zamykają one właściwie placu na podobieństwo ciężkich
por. III, 110 krat sprzed rzymskich palazzi, lecz tylko symbolicznie zaznaczają jego granice. Zamiast kolumny występują tu splecione ażury żelaznych wsporników. Surowe linie pionu przechodzą w płynny rytm pozłacanych ornamentów roślinnych i muszelkowych. W porównaniu z kratami rzymskimi i ciężkimi ich kolumnami widać szczególnie wyraźnie, że w sztuce francuskiego rokoka, w jej kruchej delikatności, przetrwały jeszcze tradycje późnego gotyku: tyle tylko, że wzniosłe uduchowienie form gotyckich przekształciło się w pełną polotu elegancję.

Znaczenie rzemiosła artystycznego wzrosło w XVIII wieku niebywale, nawet w porównaniu z epoką Ludwika XIV. Sztuka znalazła wreszcie bezpośredni dostęp do życia, towarzyszyła wszelkim wydarzeniom dnia codziennego, stała się źródłem nieustannej uciechy. Jednakże arystokraci, którym sztuka owa miała służyć, już do niej nie dorastali: z chwilą gdy utracili sporo swych sił witalnych, musiało to oczywiście odbić się także na artystycznych wyrobach. Zapotrzebowanie na przedmioty luksusowe wpłynęło w XVIII wieku na powstanie we Francji tak szeroko rozgałęzionego przemysłu zdobniczego, jakiego w tej mierze nie posiadał żaden inny kraj. Pracowało tam mnóstwo stolarzy, odlewników, jubilerów, tkaczy, hafciarek i sztukatorów, z pokolenia na pokolenie przekazujących tajemnice swego kunsztu. Twory ich rąk są prawdziwymi dziełami sztuki i świadczą o subtelnym smaku: nie bez powodu poszczególne egzemplarze mebli noszą sygnatury swych twórców.

s. 15 Do najbardziej ulubionych motywów dekoracyjnych rokoka należały muszle, łodygi i kwiaty. W elementach tych wyraził się cały kapryśny rytm ówczesnej sztuki. Uderza nas przede wszystkim niezwykła swoboda, a nawet samowola w traktowaniu form zapożyczonych z natury. Muszle, oplecione pędami roślin, obsypane kwiatami, piętrzą się na wzór spienionych fal. Masa ozdób znacznie osłabia efekt działania samego przedmiotu. Żaden inny ornament nie zdradza tylu wykroczeń przeciwko symetrii, co rokokowy. Ruch linii biegnie niespokojnie: łodygi kwiatów, pochylone w jednym kierunku, nagle a niespodziewanie wyginają się w stronę przeciwną; rytm raz się przyspiesza, raz znowu zwalnia. Przez swą nieobliczalność ornament rokokowy nabiera charakteru ludycznego, kojarzy się

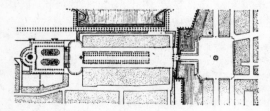

Emmanuel Héré de Corny,
Plan pałacu i placu
pałacowego w Nancy, 1753–1755

Ornament stiukowy nad oknem pałacu
w Rambouillet, poł. XVIII w.

z tak bardzo w XVIII wieku lubianym menuetem, owym afektowanym tańcem, gdzie pary nagle się od siebie oddalały lub ku sobie zmierzały, gdzie wdzięczne ruchy danserów opisywały figuralne układy w powietrzu i na parkiecie. por. III, s. 248 s. 15 W przeciwieństwie do uroczystych, dostojnych kandelabrów z XVII wieku, ścienny kinkiet osiemnastowieczny przeniknięty jest w każdym wygięciu wyrafinowaną elegancją i gracją. Świecznik taki składa się z drobniutkich listków, a lichtarzyki mają kształt kwiatów. Martwy przedmiot przekształca się tu niejako w roślinę, nie sprawia jednak złudnych efektów, gdyż całość wykonano z połyskliwego brązu: to raczej igraszka, zabawka, dowcipny żart, podobnie jak gdakanie kury niespodzianie dające się słyszeć w muzycznym utworze Rameau. Oczywiście wszystkie te listki i łodygi podporządkowane są roztańczonemu rytmowi rokoka. Mogłoby się zdawać, że artyści XVIII wieku zapomnieli, że prosta jest najkrótszą drogą łączącą dwa punkty: lubują się bowiem w falistych, wygiętych liniach i w zaokrąglonych konturach.

Stoliczki-konsole to istne arcydzieła obróbki drewna: zresztą nie sposób tu rozpoznać struktury tworzywa, tak całkowicie została IV, 6

poddana przemyślnym taktom roślinnym łodyg i muszli, występującym także w ozdobach stiukowych. Można by przypuszczać, że rokokowi artyści czynili co tylko było w ich mocy, aby unicestwić wszelką myśl o prawie przyciągania: stoliczek ma zaledwie dwie nóżki, jest więc bardzo wywrotny — tym bardziej że podpórki te są wygięte, a części podtrzymujące i podtrzymywane stapiają się tu niemal w jedno. Cały mebelek, tworząc nieomal obręcz, stawia opór ciśnieniu, jakie napiera nań od góry.

Szczególnie wyraźnie uwidacznia się styl rokoka w fotelach i sofach z połowy XVIII wieku. Nie przypadkiem Claude Crébillon, sławny w owej epoce pisarz, uczynił sofę bohaterką swego wiersza. Oczywiście fotele nie wydają się już tak uroczyste ani tak podobne do tronów, jak za czasów Ludwika XIV, są jednak

IV, 5

Świecznik, poł. XVIII w. por. III, 193

znacznie wygodniejsze. W osiemnastowiecznym fotelu człowiek czuje się swobodnie, nic mu nie przeszkadza: jest to mebel szeroki, z oparciem wygodnie odchylonym nieco do tyłu. Często dwa fotele tworzą sofkę zachęcającą do spoczynku, na której można się ułożyć do słodkiego nieróbstwa lub pogawędki. Wygięte sylwetki takich mebli wydają się jednocześnie kapryśne i eleganckie, niekiedy nawet dziwaczne. Linie ich dzięki swej „sprężystości", elastyczności, tłumaczą się z artystycznego punktu widzenia.

W XVIII wieku bardziej niż kiedykolwiek również i ubiór, zwłaszcza kobiecy, nabiera rangi dzieła sztuki. Doprawdy toaleta światowej damy przekształciła się w rodzaj ceremonialnego nabożeństwa. Dla należytej analizy osiemnastowiecznego stroju warto przypomnieć poprzednie etapy jego rozwoju. W starożytności ubranie

por. I, 148 składało się głównie z chitonu i płaszcza, ledwie skrojonych kawałków tkaniny narzuconych na ciało, opadających w naturalnych fałdach i nie hamujących swobody ruchów. Oczywiście odzież taka możliwa była jedynie pod słonecznym niebem Grecji. Wszakże natura nie była w kwestii ubrania czynnikiem decydującym. W późniejszej starożytności, zwłaszcza w Rzymie cesarskim, zaczęto materiał

por. I, 163 drapować staranniej, uzyskiwał on własną linię i zarys; pojawił się także tren,
por. I, 156 będący niejako przedłużeniem płynnych ruchów kobiecych. W średniowiecznej Europie ciało ciasno opinano odzieżą, szczególnie bogatą i elegancką na dworze burgundzkim. Figura kobiety otrzymała wspaniałe obramowanie: już wówczas

por. III, 69 znane były śnieżnobiałe, krochmalone czepce, bufiaste rękawy i długie, ziemię omiatające treny. Nie zwracano uwagi na rodzaj tkaniny, nadawano jej za to najdziwaczniejsze kształty. Odzież ta różniła się od antycznej tak bardzo, jak gotycka katedra od klasycznego peripterosu. Później, w epoce renesansu i w XVII wieku, znów zaczęto uwydatniać indywidualny wyraz stroju za pomocą materiału, piór i koronek. Najważniejsze elementy ubrania, przede wszystkim górna jego

por. III, 152 część, odpowiadały budowie człowieka i ta „humanistyczna zasada" przetrwała w tej dziedzinie aż po wiek XVIII, choć już wówczas zaczęto ulegać przesadzie i wyrafinowaniu.

Światowa dama miała wyglądać jak krucha, nieziemska istota, a jednocześnie wydawać się mężczyznom źródłem rozkoszy (z całą powagą stwierdzał to w „Niebezpiecznych związkach" Choderlos de Laclos). Ogromne krynoliny na skomplikowanej konstrukcji z fiszbinów hamowały ruchy, ale upodobniały suknię do rozchylającego się kielicha kwiatu, z którego wysuwała się ciasno zesznurowana górna część ciała; jednocześnie spod rąbka sukni uwodzicielsko wyzierały drobne stópki. Proste i czytelne zarysy odzieży ustępują w XVIII wieku tak powszechnie lubianym łukom: owalnym dekoltom suto obramowanym pianą koronek. Fryzurę zdobią obecnie pióra, włosy posypuje się pudrem, policzki różuje. Rokokowy strój był straszliwie niewygodny i z tego powodu słusznie go atakowano. Nie ulega jednak wątpliwości, iż nie zbywało mu na uroku. Nie darmo Moreau le Jeune (1741—1814), rysownik, operujący kreską szczególnie subtelną w serii miedzio-

IV, 12 rytów „Monument du costume", uwiecznił obraz nie tyle ówczesnego życia i obyczajów, ile raczej mody i kostiumu.

Ubiór męski nie ustępował elegancją strojom kobiecym i nadawał tym, co go nosili, wyraz zniewieściałości. Składał się nań luźny, otwarty frak, bogato jedwabiem haftowana kamizelka, żabot i mankiety koronkowe, spodnie do kolan, dłu-

1. Antoine Watteau, Święto miłości, fragment

2. Antoine Watteau,
Turek,
rysunek sangwiną

3. Antoine Watteau, Nadąsana

4. Germain Boffrand, Owalny salon w Hôtel de Soubise, Paryż

5. Fotel w stylu Ludwika XV

6. Konsola w stylu Ludwika XV

7. Emmanuel Héré de Corny, Krata przy Place Stanislas, Nancy

8. François Boucher,
Odpoczywająca Diana,
rysunek sangwiną

9. Gabriel de Saint-Aubin,
Rewizja, rysunek

10. Jean-Baptiste Siméon Chardin, Guwernantka

11. Jean-Marc Nattier, Portret kobiety

12. Jean-Michel Moreau le Jeune, Pożegnanie, sztych wykonany przez de Launay

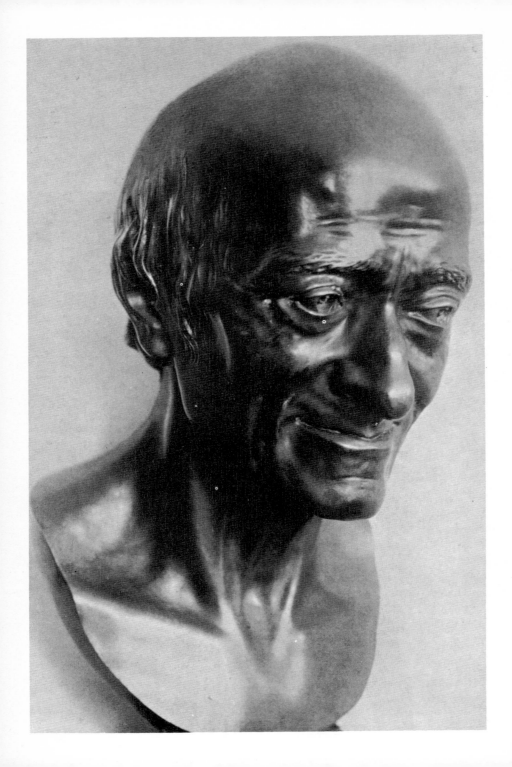

14. Jean-Honoré Fragonard, Praczki

13. Jean-Antoine Houdon, Popiersie Woltera

15. Matthäus Daniel Pöppelmann i Balthazar Permoser, Pawilon Zwingeru, Drezno

16. Georg Wenzeslaus von Knobelsdorff, Tarasy od strony parku w Sans-Souci, Poczdam

17. William Kent, Prior Park, Bath

18. James Gibbs, Biblioteka Radcliffe'a, Oksford

19. Wasilij Bażenow, Most nad wąwozem, pod Moskwą

20. Wasilij Bażenow, Pałac Paszkowa w Moskwie (obecnie Biblioteka Lenina)

21. Fiodor Rokotow, Portret Nowosilcowej, fragment

22. Thomas Gainsborough, Miss Catherin Tatton

23. William Hogarth, Przy śniadaniu, rycina II z cyklu „Modne małżeństwo"

24. Iwan Jermieniew, Śpiewający ślepi żebracy

25. Jean-Baptiste Siméon Chardin, Winogrona i granaty

gie pończochy i trzewiki z klamrami. Zarówno męskie, jak i damskie stroje szyto z kolorowych materiałów. Przeważały delikatne odcienie jasnego błękitu, różu, seledynu, cytrynowej żółci. Tołstoj w „Wojnie i pokoju", chcąc ośmieszyć jedną z postaci, każe jej, zgodnie z osiemnastowieczną modą, zamawiać spodnie w kolorze od przestraszonej nimfy.

Wolter z goryczą wyrzucał swym współczesnym ukochanie wszelkich drobnych form i nazwał wiek XVIII „le siècle des petitesses". Lecz namiętność ta często bywała źródłem poetyckiego natchnienia. Jej to właśnie po części zawdzięczamy urocze wiersze szkockiego poety Burnsa, poświęcone margerytce lub myszy, którą niepokoi pług przechodzący przez pole. W sztuce zamiłowanie do ślicznych drobiazgów sprzyjało rozkwitowi złotnictwa i przemysłu porcelanowego. Wyroby porcelanowe już w XVII wieku przywędrowały do Francji z Chin, a wiek XVIII wykorzystał wszystkie zalety tego nader spoistego tworzywa, dopuszczającego taką subtelność form, jakiej nie sposób znaleźć nawet wśród starożytnych wyrobów z terakoty. W produkcji porcelany Niemcy (Miśnia od 1710) wyprzedziły Francję (Sèvres, 1738), francuskie figurynki były natomiast wytworniejsze i bardziej subtelne. W produkcji niemieckiej, zwłaszcza z Frankenthalu, przeważał wulgarny dowcip, lecz barwy, jakie tam stosowano, świadczyły o większym zrozumieniu specyfiki porcelanowego surowca. Wśród malutkich tamtejszych figurek spotykamy najrozmaitsze, często z dużym humorem ukazane typy i scenki. Osiemnastowieczne zamiłowanie do kosztownych bibelotów i dar inwencji wyraziły się również w takich pracach jubilerskich, jak na przykład *Przyjęcie u Wielkiego Mogoła* (początek XVIII w., Drezno, Grünes Gewölbe), o stu trzydziestu siedmiu maleńkich, złotych figurynkach, z barwnymi baldachimami, licznymi znoszonymi w hołdzie darami i postacią samego władcy, tronującego w prześlicznie wykonanej komnacie z agatu.

W zestawieniu ze sztuką zdobniczą „wielka sztuka" XVIII wieku ma mniejsze znaczenie. Malarstwo podzieliło się na dwie odrębne dyscypliny: dekoracyjne i sztalugowe. Obrazy zresztą często wchodzą w skład dekoracyjnych panneaux, tak jak w ówczesnej literaturze nierzadko w jednym utworze proza występuje na przemian z wierszami. Malarstwo dekoracyjne wykorzystywano zazwyczaj, obok IV, 4 luster i płaskorzeźb, do ozdoby ścian. Jest ono mniej konkretne niż malowidła ścienne epok poprzednich. Oko widza nieczęsto zatrzymuje się na poszczególnych por. III, 47 postaciach, temat zazwyczaj nie jest interesujący: rytm barw kompozycji stanowi jedynie dalszy ciąg splecionego ornamentu. Doprowadzało to do degradacji malarstwa dekoracyjnego, tym bardziej że techniczne osiągnięcia produkcji gobelinów i dywanów, projektowanych przez tak znakomitych artystów, jak na przykład Boucher, rozstrzygały konkurencyjną walkę pomiędzy panneau i tkaniną na korzyść tej ostatniej.

W malarstwie XVIII wieku przeważała tematyka pastoralna i „style galant". W istocie nie było to nic nowego: pastoralne motywy pochodzą z XVI wieku, a „style galant" uprawiany był już w samych początkach XVIII stulecia przez Watteau. Lecz obecnie znika ze scen pasterskich prawdziwe uwielbienie wiejskiej prostoty i szczera namiętność uczuć, jakie spotykaliśmy jeszcze w czasach renesansu. Osiemnastowieczni pasterze i pasterki to w istocie przebrani kawalerowie i damy, kontynuujący na łonie natury swą niebezpieczną, lecz wdzięczną grę miłostek i intryg.

Zresztą artyści XVIII wieku celowali w owych miłosnych historiach. Mniemali, że zmysłowość należy pobudzać, co staje się tym łatwiejsze, im większe przeszkody stawia się jej zadowoleniu. Pisarze osiemnastowieczni, na przykład Choderlos de Laclos, opisywali w sposób niezwykle kunsztowny wszelkie fazy miłości i całą skalę towarzyszących jej doznań: kokieterię, obłudę, oszustwo, zazdrość, rozczarowanie, rozkosz, okrucieństwo, nienawiść i zemstę. Wszystkie te uczucia mogą wprawdzie rodzić namiętność, lecz nie świadczą o prawdziwej miłości. Don Juan stał się bohaterem całego stulecia.

Artystów ówczesnych cechowała bogata inwencja, umieli stwarzać przeróżne interesujące sytuacje: w poszukiwaniu rozkoszy kochanek już to musi zrezygnować ze schadzki słysząc nagle obce kroki, już to — niesłychanie zażenowany — wyciągnięty zostaje spod łóżka; lub znowu podstarzały małżonek cieszy się obrazem, na którym przedstawiono pieszczoty, jakimi darzy swą piękną żonę — a równocześnie ona sama, za jego plecami, przyjmuje umizgi malarza, którego ów obraz jest dziełem. Innym razem wścibski kochanek zagląda przez uchylone drzwi do pokoju swej ukochanej i widzi nieoczekiwaną scenę: oto służąca robi jego bogdance lewatywę. Gdzie indziej piękna kobieta podziwia sama siebie; przytula do piersi różę, porównuje siebie z kwiatem. Erotyzm XVIII wieku pozwalał sobie wynosić pospolitą zmysłowość do godności sakramentu: jak niebiański ołtarz, pomiędzy chmurami i fruwającymi cherubinami, umieścił Fragonard wspaniałe łoże, arenę uciech miłosnych.

Najwybitniejszym malarzem rokoka był we Francji Boucher (1703—1770), odznaczający się wielkim malarskim temperamentem i artystyczną płodnością. Współcześni bardzo go cenili i był niezmiernie faworyzowany przez króla i jego metresę, panią de Pompadour. Chętnie malował sceny mitologiczne i alegoryczne, a wśród jego ulubionych bohaterów spotykamy lekkomyślną Wenus i rozbawione amorki. Wszystkie te postaci są w równej mierze beztroskie, zalotne, bezwstydne i rozigrane. Mają ciała różowe, mięciutkie, delikatną skórę, uśmiech pełen kokieterii, a żyją wśród nieustannych zmysłowych przyjemności: Boucher umiał nader przekonująco odtwarzać owe rozkosze. Obraz Bouchera *Herkules i Omfale* (Moskwa) to chyba najbardziej namiętne ukazanie pocałunku w dziejach całego malarstwa.

Obrazy Bouchera skomponowane są przejrzyście, gdyż malarz ściśle przestrzegał reguł akademickich. Wystarczało mu jednak śmiałości, aby ożywiać swoje prace za pomocą przecinających się konturów, jasnych plam barw lub splatających się brył. Boucher dobrze posługiwał się skrótem, znał technikę oddawania ruchu i zręcznie rozmieszczał na swych obrazach kolory. Po artystach XVII wieku odziedziczył nieomylne wyczucie dekoracyjności, dla nagiej bogini umiał stworzyć efektowne tło z rozrzuconych tkanin, ciężkich zasłon, różowych aniołków i skłębionych chmur (*Toaleta Wenus*, Madryt). Najlepsze jego prace (przed 1750), wykonane w delikatnych odcieniach jasnego błękitu i różu, cechuje znużone piękno przywiędłych płatków róż. Patos przenikający późne dzieła Bouchera jest już zakłamany, warsztat artysty staje się oschły, koloryt twardnieje.

IV, 8   Rysunki Bouchera cechuje znakomita plastyczność, mimo iż artysta przejawiał

skłonność do krągłych zmanierowanych konturów w duchu ornamentu rokokowego. Oczywiście nie spotykamy u Bouchera postaci czystych i wyrazistych jak
w renesansie. Wszystko, aż po najdrobniejszą kreskę, przepaja u niego kokieteria. por. III, 51
Diderot słusznie ganił Bouchera za pustkę i nieprawdomówność, chociaż i on
ulegał urokowi tego talentu i porównywał jego twórczość do słonecznej poezji
Ariosta.
Malarstwo portretowe zajmowało w sztuce XVIII wieku osobną pozycję. Akademicy niewiele mu poświęcali uwagi, dlatego udało mu się zachować więcej świeżości i witalnej siły. W połowie stulecia majestatyczna ociężałość portretów
Rigauda i Largillière'a ustępuje na rzecz delikatniejszego, eleganckiego stylu
Nattiera (1685—1766). Nattier portretował arystokratyczne damy i aktorki pod
postaciami nimf, starożytnych kapłanek i bogiń. Ta dla XVIII wieku typowa maska-
rada zrodziła osobny typ ,,portretu mitologicznego''. Z chwilą jednak, gdy prze-
branie i sceniczny gest przestały w pełni absorbować uwagę Nattiera, potrafił on
doskonale uchwycić żywy temperament i uwodzicielski wdzięk swych arystokra- IV, 11
tycznych modelek; nie lękał się odtwarzać ich gwałtownych ruchów czy przelotnych spojrzeń, a najlepsze jego portrety energią i siłą różnią się bardzo od wydelika-
conych i sztywnych postaci siedemnastowiecznych. Nattier odznaczał się subtelnym wyczuciem koloru; opowiadano o nim, że był namiętnym zbieraczem małych
różnobarwnych muszelek. Koloryt często stanowi dla niego sprawę najważniejszą,
niekiedy wręcz występuje jako jedyny sposób określenia modela. Artysta raz
podkreśla czerwoną wstążkę we włosach, innym znów razem różę w ręku dziewczyny, przy czym barwy podrzędne albo odzwierciedlają, albo uzupełniają barwę
dominującą. Lecz sam koloryt nie może oczywiście wystarczyć do wszechstronnej
charakterystyki człowieka.

Ludwik XV cenił Bouchera i Nattiera za ich subtelność, daleko odbiegającą od
majestatycznej ciężkości stylu Ludwika XIV. Niemniej przez cały wiek XVIII
utrzymuje się panowanie Akademii, strażniczki dawnych tradycji. Wielki styl
XVII wieku cieszy się nadal pełnym i powszechnym szacunkiem. Wolter szczycił
się najbardziej tymi ze swych tragedii, które usiłują konkurować z Corneille'em.
Akademicy cenią jedynie malarstwo mitologiczne lub historyczne, styl ,,galant''
Watteau nie znajduje u nich wielkiego uznania. W momencie, gdy rokoko sięga
punktu kulminacyjnego, Blondel młodszy publikuje swój ,,Cours d'Architecture'',
w którym stoi na pozycjach ,,wielkiego stylu''. Bouchardon wznosi w Paryżu przy
rue de Grenelle fontannę (1739—1745), której usiłuje nadać cechy dzieła monumentalnego i gdzie ślady nowych upodobań zdradzają jedynie urocze płaskorzeźby,
przedstawiające zabawę dzieci.
Dzieje budowy fasady Saint-Sulpice (1733—1777) wskazują wyraźnie, że ,,wielki
styl'' posiadał jeszcze dużą siłę witalną. Brawurowy projekt Meissoniera, przypominający włoski barok, został zdecydowanie odrzucony, przyjęto natomiast po-
wściągliwą koncepcję Servandoniego: dwie wieże i klasyczny portyk (1732—
—1745). W trakcie realizacji owej fasady Servandoni wyrównał linie, ustawił
kolumny w jednym rzędzie, zharmonizował proporcje i związał wieże z murami.
Omawiana elewacja ma wyraz przejmującej surowości, w zasadzie razić w niej
może jedynie pewna oschłość form. Ów kierunek architektury francuskiej z drugiej

połowy XVIII wieku doprowadzić miał do dalszego rozwoju z chwilą odwrotu od stylu rokoka.

W sztuce XVIII wieku coraz dobitniej wyraża się rozwarstwienie społeczeństwa francuskiego. Analizując ten okres Engels stwierdził, że „Politycznie szlachta była wszystkim, mieszczanie niczym; społecznie — mieszczanin był teraz najważniejszą klasą w państwie, podczas gdy szlachta utraciła wszystkie swoje funkcje społeczne i inkasowała opłatę za te wygasłe funkcje tylko w postaci swoich dochodów". Mimo iż mieszczaństwo już w pierwszej połowie XVIII wieku stanowiło wielką siłę w życiu całego kraju, nie dopuszczano go do uczestnictwa w sprawach państwowych. O rewolucji trzeci stan podówczas jeszcze nie myślał. Mieszczanie francuscy gnieździli się w ciasnych zaułkach rzemieślniczej części miasta, domy ich, zwrócone węższą stroną ku ulicy, pozbawione były wszelkich ozdób; nie znalazłbyś w nich salonów, posiłki spożywano w kuchni. Kobiety ubierały się elegancko, lecz skromnie. W otoczeniu tak jeszcze wówczas pracowitego życia trzeciego stanu powstała i rozwijała się wielka sztuka Chardina, którego obok Watteau zaliczyć należy do największych artystów XVIII wieku.

Chardin (1699—1779) pochodził z rodziny rzemieślniczej. Nie miał on ani humanistycznego wykształcenia, ani też nie ukończył studiów akademickich. Nigdy nie ważył się na podjęcie tematyki mitologicznej lub historycznej, przez całe życie zadowalał się rolą malarza przedmiotów i scen rodzajowych, lekceważonych przez Akademię. W podeszłym wieku stworzył szereg znakomitych portretów, nigdy jednak nie stał się portrecistą w pełnym znaczeniu tego słowa. Dzieła jego wykazywały tak wielką artystyczną doskonałość, iż członkowie Akademii, którzy wobec inaczej myślących nie byli jeszcze wówczas tak nietolerancyjni jak później, przyjęli go do swego grona. Fakt ten nie zaważył jednak na rozwoju artystycznym Chardina, który trzymał się z dala od Akademii i strzegł się rutyny. Paryż w XVIII wieku stanowił tak wielkie centrum artystyczne, iże stale niemal pozostający na uboczu artysta mógł mimo wszystko wykształcić się na wielkiego malarza. Wzorem swych rzemieślniczych przodków był niezmiernie pracowity i nie ulegał pokusom łatwego, efektownego sukcesu. Życie miał spokojne i bez zakłóceń — to także wywarło wpływ na nieskazitelność jego kunsztu.

Rozpoczął od malowania martwych natur: dziczyzny i ryb; za przykładem Flamandów ożywiał tę obfitość nagromadzonych przedmiotów, to do pewnego stopnia przeładowanie obrazu, postaciami łasujących ze stołu psów i kotów. Z czasem przeszedł na odtwarzanie bezpośrednio go otaczającego codziennego życia, idąc w tym za przykładem Louis Le Naina, dla którego żywił szczególny podziw. Jeszcze później poświęcił się głównie malowaniu scen domowych i kuchennych, w której to dziedzinie uprzedzili go już byli Holendrzy; pobudzali oni jego inwencję i pomogli mu odnaleźć jego prawdziwe powołanie. Wszystkie te zewnętrzne impulsy nie przeszkodziły jednak Chardinowi tworzyć zgodnie z własnym artystycznym doświadczeniem i z własną naturą. Jako dojrzały już artysta zrezygnował Chardin z przedstawiania ludzi, ale wszelkie przedmioty w jego martwych naturach są jakby niewidzialnymi nićmi związane z człowiekiem i jego codziennym życiem. Trzydzieści lat później odda Goethe w swoim „Werterze" sprawiedliwość owym osiemnastowiecznym zamiłowaniom do spraw domowych, powszednich i prostych: „... i gdy tak sobie w małej kuchence garnek wybiorę, masła kawałek ukroję, fasolę na ogień postawię, przykryję, a obok usiądę, żeby od czasu do czasu garnkiem potrząsnąć... Nic nie napełnia mnie tak prawdziwym, cichym uczuciem, jak te oznaki życia patriarchalnego...''.

Już Holendrzy malowali w swych martwych naturach rzeczy powszednie, na przykład gliniane garnki albo śledzie. Kusiło ich jednak również odtwarzanie kosztowności: złotych, ręcznie kutych kubków, srebrnych mis, porcelany, kryształów, szlachetnych potraw i owoców; robili też, co tylko mogli, aby skromnym przedmiotom nadać na swoich obrazach wygląd drogocenny, nowy, świetny i wspaniały. Chardin pozostał obojętny na te luksusy. Dominuje u niego sprzęt skromny, pospolity, mocno już zużyty: butelki, szklanki, kosze, warzywa. Wszystkie te przedmioty traktuje artysta jak grono starych znajomych. Oto wielki, ciężko na krótkich nóżkach wsparty, wyszorowany do połysku mosiężny saganek niemal przygniata stojący przed nim rondelek z długą rączką i czarny dzbanek, pękaty jak kobiecina w pluszowym kaftanie. Chardin nie odchodzi od rzeczywistości i nie ożywia rozmyślnie tych gospodarskich przedmiotów, ale spogląda na nie z tak wielką sympatią, że uzyskują na jego obrazach znamię prawdziwego życia.

Na większości martwych natur z XVII wieku wszelkie przedmioty rozstawiane są nader troskliwie. Uderza to szczególnie w obrazach Zurbarana, gdzie owoce są starannie i symetrycznie ułożone w koszach lub na tacach. Natomiast Chardin zazwyczaj rozmieszcza przedmioty w sposób nieskrępowany, pozwala także czasem, aby jakiś owoc wypadł z kosza lub miski. Nie oznacza to bynajmniej, że w obrazach jego panoszy się dowolność i przypadek. Garnki i butelki układa na podobieństwo bukietów, wszystkie przedmioty zestraja jak instrumenty w muzycznym kwartecie. Często mocniej zaznacza przedmiot znajdujący się w centrum obrazu, czyniąc zeń trzon, wokół którego swobodnie grupują się pozostałe elementy. Obrazy jego mają wskutek tego zawsze wyraźną konstrukcję. Często nawet zwykłemu, miedzianemu kociołkowi lub glinianemu garnkowi nadaje wyraz pełen godności. Martwe natury Chardina tchną wzniosłością, niczym domowy ołtarzyk z ofiarami dla penatów, co nie przeszkadza, że każda rzecz zachowuje samodzielne znaczenie.

Holendrzy osiągali znaczną wierność w odtwarzaniu rzeczywistości, lecz w porównaniu z nimi martwe natury Chardina urzekają głębią ujęcia i analityczną jakością obserwacji. Chardin odsłaniał przede wszystkim strukturę przedmiotu. Odznaczał się wyczuciem cech istotnych, a to z kolei pozwalało mu zrozumieć piękno prostych form. Jeżeli ukazywał wiszącego zająca, sylwetce tej odpowiadał zarówno pionowy format obrazu, jak i kontury stojącego obok kielicha. Obok pękatej flaszy kładł ogromne, kuliste brzoskwinie lub kontrastował z okrągłością owocu stożkowaty kielich i smukłą butelkę. Niezmiernie prosta martwa natura z Luwru szczególnie dobitnie świadczy o zamiłowaniu Chardina do klarowności kształtów: przy wydłużonym od dołu kielichu stoi zwężający się ku górze garnczek, oba przedmioty zdają się niejako wzajemnie odzwierciedlać. Prostota tych form czerpie urok w skupionej kontemplacji, jaką wyrażają kompozycje Chardina. _por. III, 163 I, 1_

W martwej naturze z winogronami i owocami granatu wyżej opisana prawidłowość została nieco zawoalowana, nie tracąc jednak nic ze swej siły oddziaływania. Obfitym kształtom brzuchatego dzbanka odpowiadają pojedyncze winne grona, gruba szyja naczynia wznosi się ponad owoce, jedna kiść zwisa za to nad skrajem _IV, 25_ stołu ku dołowi. Gruszka powtarza odwrócony kształt obydwu kielichów. Nie naruszając materialności ukazanych przedmiotów, prawidłowość form geometrycznych użycza jednak temu małemu obrazkowi pełnię i siłę kamiennej rzeźby. Poszukiwana przez omawianą epokę „simplicité" znalazła najlepszy wyraz właśnie w pracach Chardina. Holenderscy malarze martwych natur doskonale odtwarzali poszczególne przedmioty, lecz dążąc do możliwie największej precyzji detalu, zadowalali się samą powierzchnią rzeczy i nie postrzegali całości jej istoty. Chardin natomiast uwzględniał to ogólne wrażenie. Potrafił oddać nie tylko połysk szklanki, lecz także jej ciężar i uczucie chłodu, jakiego doznajemy biorąc ją do ręki. Uwagi jego nie uchodził nawet matowy ton świeżo zerwanych winogron lub śliwek ani chropowata materia skórki brzoskwini, ani kleista gęstość likieru lub nikłe plamki na przejrzałych gruszkach.

Podobnie jak malarze starożytni wiedział Chardin o tym, że dwa kolory umieszczone obok siebie na płótnie wzajemnie na siebie oddziaływają, że barwa jaskrawa wywołuje, jak echo, ton uzupełniający, że z barwnych plam na obrazie powstaje w oczach patrzącego wyrazista, choć złożona tonacja. Dzięki temu właśnie stał się Chardin wielkim kolorystą. W martwej naturze z winogronami i owocami granatu wzajemny stosunek barw i ich odcieni potraktowany został szczególnie starannie: różne zielenie winogron, gruszki i ściany oraz czerwienie owoców granatu i wina w kielichach. Tony te, leciutko kładzione, powtarzają się w kolorach dzbana. Chardin, rozcierając na płótnie raz gęste, raz znowu płynne farby, tworzył obrazy z nader subtelnych i najrozmaiciej ze sobą zestawionych kolorystycznych elementów. Biel umieszczona obok plamy barwnej przestaje u niego już być bielą, odbija bowiem refleksy. Malarz zresztą świadomie mnożył efekty, nadając swoim obrazom niezmierne podobieństwo do rzeczywistości. Nawet najdrobniejszego skrawka płótna nie pozostawiał na uboczu tego pulsującego życia barw. Zwyczajne ściany, z których odpadają kawały tynku, zanurzał w powietrzu i świetle, łącząc je najpomysłowiej z kolorytem ustawionych przed nimi przedmiotów. Słowami Chardina przemawia może Denis Diderot, gdy twierdzi, iż właśnie tło jest w obrazie sprawą najtrudniejszą.

Myśliciele, którzy w czasach Chardina zwrócili się przeciwko teorii przyrodzonego rozumu, bronili „priorytetu uczuć" jako źródła wszelkiego poznania. Chardin miał wiele zaufania do własnych bezpośrednich doznań. Oczywiście nie zapominał przy tym o realnym kształcie przedmiotów, o ich konkretności i ciężarze, i o tym porządku świata wyższego rzędu, który odzwierciedla się w każdym wielkim dziele sztuki. Życzliwa uwaga, jaką darzył wszelkie martwe przedmioty, wystawia jego twórczości piękne świadectwo humanizmu.

Podobne w tym do malarstwa holenderskiego wczesne rodzajowe obrazy Chardina, na przykład *Dama pieczętująca list* (1733, Poczdam), przedstawiają pewne określone wydarzenia. Później artystę zaczęły interesować sytuacje mniej ulotne. Ukazywał proste, domowe życie drobnych francuskich mieszczan, ich pracę w ciszy i spokoju, gospodarną zapobiegliwość i miłe odpoczywanie. Oto kobieta, która właśnie wróciła z miasta: siedzi teraz w kuchni i rozłożywszy na kolanach haft, objaśnia go stojącej obok dziewczynce ze skupioną minką. Inna znowu kobieta zażywa lekarstwo, trzecia z kolei pierze, podczas gdy jej synek puszcza bańki mydlane. Dzieci uważnie i starannie budują domek z kart, jakby były pochłonięte prawdziwą pracą. Na obrazie *Radość domowego zacisza* (Sztokholm) starsza, siedząca w fotelu kobieta właśnie odkłada książkę. Obok niej widzimy jedynie klatkę z papugą — ten tak skromny obrazek stanowi jakby szczerą relację o przymusowej bezczynności samotnego człowieka.

Dynamicznego wyrazu Rembrandta nie znajdziemy u Chardina. W swym malarstwie rodzajowym różni się on też od Louis Le Naina, ponieważ nie ograni- por. III, 18. czając się do ukazywania samej postaci człowieka, widzi ją w powiązaniu z całym środowiskiem i życiem. Typów ludzi nigdy nie wysuwa na pierwszy plan, lecz w obrazach jego dominuje mądrość i rozsądek stanu trzeciego. Przy całej oryginalności artyście nie była obca także i elegancja rokoka, lecz twórczość jego cechuje przede wszystkim ciepło niewzruszonej wiary w ludzkie morale. Pogląd ten dzielił Chardin z wieloma swoimi współczesnymi, między innymi z Shaftesburym, Hutchesonem i Vauvenargues'em.

Za życia Chardina rozpoczął się we Francji i Anglii rozwój powieści sentymentalnej. ,,Pamela'' Richardsona, pełna pouczających tyrad, stała się dla następnych pokoleń beznadziejnie nudna i rozwlekła, ale niektóre jej strony po dziś dzień mają moc wzruszania. Najwybitniejsze dzieło tego rodzaju to ,,Podróż sentymentalna'' Laurence Sterne'a (1768). Autor ujawnił tu rzadki dar obserwacji, pozwalający splatać rzeczy błahe z ważnymi, a także humor, którym przezwyciężał nadmierną wylewność uczuć. Krótkie powiastki Sterne'a wywodzą się, podobnie jak malarska wrażliwość Chardina, z ,,prawdziwości spojrzenia''.

Wśród prac z całkiem wówczas nowego kręgu tematycznego, ukazujących życie rodzinne i radości macierzyństwa, wymienić trzeba obraz Chardina *Guwer-* IV, 10 *nantka*.

Przedstawiona tam kobieta czyści trójgraniasty kapelusz chłopczyka wychodzącego do szkoły i udziela mu przy tym jakichś pożytecznych pouczeń. Sytuacja odtworzona została tak jednoznacznie, że bez trudu odgadujemy, o czym to rozmawiają guwernantka i jej wychowanek. W XVIII wieku modne było komponowanie moralizujących lub humorystycznych opowiadań na temat takich obrazków. Podczas jednak gdy ich literackie wersje oddają jedynie słowną treść sytuacji, rodzajowe scenki Chardina mają wiele wspólnego z malowanymi przezeń martwymi naturami. Wymianie zdań pomiędzy guwernantką i chłopcem odpowiada czysto wizualne przeciwstawienie obydwu postaci. Chardinowi udało się wyrazić ów kontrast w sposób nader wyrazisty. Jedna sylwetka jest szczupła, elegancka, niemal krucha — druga ociężała, mocna, nieporuszona; jedna wyprostowana — druga pochylona. Z takim ujęciem harmonizuje reszta obrazu: trójgraniasty kapelusz na jasnym fartuchu, wpółotwarte drzwi, poręcz fotela — wszystko skomponowane według niemal geometrycznych reguł, prawie jak na rysunkach Poussina. Rodzajowy ów obrazek uzyskuje dzięki temu znaczenie uniwersalne i charakter monumentalny, podobnie jak najlepsze spośród martwych natur Chardina.

Chardin był w XVIII wieku najwybitniejszym przedstawicielem realizmu. W tym samym czasie działał rzeźbiarz Pigalle (1714—1785). Jego wczesna praca: *Merkury* (1748, Berlin), przedstawia młodego boga, który sznuruje sandały i jednocześnie odwraca się ku czemuś, co widzi w oddali. Uniesiona noga, nad którą krzyżują się ręce, stanowi centralny punkt tej kompozycji. Rzeźba ma formę piramidy, jest bardzo plastyczna, a swobodna postawa figury nic nie ma wspólnego z kanonami póz klasycznych. Dzięki delikatnemu modelunkowi cały posąg wydaje się jakby owiany powietrzem. Chardin wysoko cenił Pigalle'a i często w swoich martwych naturach ustawiał odlew *Merkurego*.

W połowie XVIII wieku na arenie kultury we Francji zaczynają działać Encyklopedyści. Zwolennicy ich rekrutowali się spośród wykształconych warstw społeczeństwa: adwokatów, prokuratorów, poborców podatkowych. W przeciwieństwie do renesansowych humanistów atakowali oni Kościół, religię i uprzywilejowanie socjalne. W walce z przeciwnikami okazywali się nieustępliwi i domagając się reform nie nawiązywali do starych tradycji. Przyświecała im idea nowego, sprawiedliwszego ustroju, przeobrażenia całego układu stosunków społecznych. Wierzyli w siłę rozumu, przywiązywali wielką wagę do doświadczenia, interesowali się naukami przyrodniczymi i z ufnością spoglądali w przyszłość ludzkości. Niektórzy z nich, urodzeni polemiści, uzasadniali swoje społeczno-polityczne racje w oparciu o filozofię materialistyczną. Sztuka leżała poza obrębem zainteresowań wielu Encyklopedystów: d'Alembert tak był zafascynowany naukami ścisłymi, że całkowicie odrzucał poezję. Atoli i w tym gronie istnieli artyści słowa, pisarze, którzy odegrali wielką rolę w intelektualnym życiu osiemnastowiecznej Francji; do sztuki wnieśli oni swego ducha walki, a walczyli nie mniej żarliwie niż niegdyś gromiący swych przeciwników zwolennicy Caravaggia.
W drugiej połowie XVIII wieku wykształciła się we Francji krytyka artystyczna, co miało wielki wpływ na ożywienie twórczości. Jeszcze w pięćdziesiątych latach stulecia znawcy sztuki poprzestawali na pochwalnych peanach ku czci akademików. Z tego ducha wywodzi się wiele prac hrabiego Caylusa. W Akademii głoszono pogląd, iż krytyka mogłaby w niepożądany sposób podkopać autorytet sztuki francuskiej za granicą. Jednakowoż nawet w środowisku samych artystów budziła się potrzeba wnikliwszej analizy i oceny powstających dzieł. Wystąpienie Diderota było więc nakazem chwili.
,,Salony" (1759—1781) Diderota obejmują recenzje z wystaw urządzanych rokrocznie w Luwrze; Diderot, sam nie będąc malarzem, żywo podchwytywał wszelkie wypowiedzi artystów na temat sztuki. Obca mu była abstrakcyjna spekulacja dawnych, pedantycznie na paragrafy podzielonych traktatów: pisał przekonująco i żywo o działających w owej epoce artystach i ich dziełach. Atakował Bouchera, zwolennika rokoka, oraz typowego akademika van Loo, lecz z uznaniem wypowiadał się o Chardinie, Pigalle'u, La Tourze i Falconecie, których uważał za przedstawicieli postępowego kierunku we francuskiej sztuce.
Diderot zdolny był do przesadnego entuzjazmu, na przykład ponad miarę wychwalał Greuze'a lub niesłusznie stawiał Teniersa wyżej od Watteau. Nie podawał się jednak bynajmniej za nieomylnego krytyka. Oceny swoje pisał z temperamentem artysty, z przekonaniem, umiał się zachwycać, dyskutować z samym sobą lub ze swymi przeciwnikami, a jednocześnie wprowadzał czytelnika w należyte, wszechstronne i głębokie zrozumienie danego dzieła sztuki. Omawiając określone prace precyzował interesujące sądy, które dały początek całej teorii estetycznej. We wszystkich przypadkach rozważał wewnętrzny związek pomiędzy poglądami artysty a zrealizowaną formą, przy czym formy nie zaliczał wyłącznie do sfery

techniki. Domagał się, by twórcy obserwowali naturę, lecz było dla niego oczywiste, że dla żadnego z nich nie jest ona osiągalna w całości i że każdy na swój sposób dostrzega w niej coś jedynego i w swoim rodzaju niepowtarzalnego. Sam był mistrzem słowa, lecz przy ocenie dzieła sztuki nie przykładał doń miary własnej wizji świata. Nakłaniał do realizmu, lecz nie sprzeciwiał się bynajmniej poszukiwaniu piękna ani entuzjazmowi dla starożytnej sztuki greckiej i rzymskiej: jego zdaniem dążenie do natury poprzez ideał antyczny nie umniejsza praw artysty do wyrażania w swym dziele własnych uczuć.

Ulubieniec Diderota, Greuze (1725—1805), miał wszelkie dane, aby zostać wielkim malarzem. Świadczy o tym jego uroczy obraz *Dziewczynka z lalką* (Ermitaż), alowany manierą Chardina. Lecz artysta ten padł ofiarą „comédie larmoya wzruszającej a uczuciowej sztuki teatralnej, jaka cieszyła się podówcza zechnym powodzeniem. Obrazy swoje budował jak sceniczne de k przypominają one nawet malarstwo historyczne, mimo iż ukazują e rodzajowe. Dzieje twórczości Greuze'a wymownie dowodzą, zamiary same w sobie nie wystarczają do stworzenia wielkiej ął wzruszać widzów do łez, wywoływać w nich nienawiść dla cnoty, a także miłość rodzinną. W takim właśnie e — *Czytanie Biblii* (1755), *Wiejska narzeczona* czne — *Syn ukarany* lub *Klątwa*. Chardin oczami n moralność, podczas gdy Greuze narzucał swoim a wzruszające, kazał im wyciągać ręce i wznosić efektowne grupy. W rezultacie przestał już widzieć ę akademickim formułom i rozstawiał figury jak akto ego obrazów sprawia sztuczne wrażenie. Jego słynne, ieszczotliwie powabne dziewczęta wyglądają fałszywie. enił Greuze'a za jego usiłowania przeciwstawienia się cji przedrewolucyjnej, twórczość tego malarza nie przeja nych. W XIX wieku powoływać się będą na obrazy Greuze'a „ zańskiego żywota".

Prze ęcie w połowie XVIII wieku realizmu w dziedzinę sztuki wywarło bardzo korzystny wpływ na malarstwo portretowe. Szczególnie lubiano wówczas technikę pastelu. Niektórzy portreciści w poszukiwaniu nowych zamówień przenosili się, na wzór wędrownych muzykantów, z miejsca na miejsce. Pojawiła się wówczas we Francji grupa malarzy znakomicie posługujących się pastelami.

Perronneau (1715—1783) wyróżniał się szczególną subtelnością, twarzom swoich modeli nadawał wyraz pogodnego zamyślenia. Niezwykłą delikatnością urzeka portret chłopca z książką — młodzieńcza twarz z rozwichrzonymi włosami, z inteligentnym spojrzeniem (Ermitaż). Warto zwrócić uwagę na wyszukany koloryt obrazu. Chardin w portrecie Sedaine'a podkreślił wyraz szczerości i dobroci.

Liotard (1702—1789) natomiast reprezentuje w malarstwie portretowym XVIII wieku nurt skrajnie trzeźwej opisowości. Opanował swój warsztat po mistrzowsku, patrzy jednak na świat spojrzeniem chłodnym i beznamiętnym. Jego *Dziewczyna niosąca czekoladę* (Drezno) jest istnym cudem pastelowej techniki, lecz uznać ją można raczej za porcelanową lalkę niż za żywą istotę. W autoportretach odtwarzał każdy włosek brody, choć znacznie mniej go interesował wyraz twarzy.

I, 2

25

Najwybitniejszym mistrzem pastelu w połowie XVIII wieku był Maurice Quentin de La Tour (1704—1788). Pozowały mu niemal wszystkie wybitne osobistości tej epoki. Uwiecznił rysy szyderczego Woltera, zgryźliwego Rousseau, artystów, pisarzy i arystokratów. Szczególnie piękne są jego rysunki z natury, owe préparations, w których całą uwagę koncentrował na twarzy modela. Równie sumiennie studiował własny wygląd — malował siebie to w krótkim kaftanie, to w szerokoskrzydłym kapeluszu, a za każdym razem pozornie niedbałymi kreskami rzucał na papier nader celny swój konterfekt. Według słów Diderota szukał w rysach twarzy śladów ludzkiej osobowości i tak potrafił ukazać społeczną pozycję swojego modela, że ,,od razu można było rozpoznać króla, naczelnego wodza, ministra, sędziego czy kapłana''. Nade wszystko interesowała go żywa gra mimiki, zastąpił też zdawkowo uprzejmy uśmiech z portretów siedemnastowiecznych wyzywającymi lub ironicznymi uśmieszkami epikurejczyków i sceptyków. Jednak owa mimiczna ruchliwość pozostała w portretach La Toura cechą raczej tylko zewnętrzną. Nie umiał on, jak Holbein, odtwarzać ludzkiego charakteru oszczędnym rysunkiem. ,,Nerwy — oto substancja człowieka'': ta definicja słynnego ówczesnego lekarza Cabanisa doskonale może się odnosić także do stylu portretów La Toura.

W ostatnim ćwierćwieczu XVIII stulecia pojawił się we Francji znakomity rzeźbiarz, mistrz w odtwarzaniu ludzkich twarzy — Houdon (1741—1828). W portretach swoich dał wyraz najwznioślejszej wierze w człowieka, którą podzielał wraz ze wszystkimi niemal myślicielami epoki Oświecenia. Stwierdzali oni, że stary feudalny ustrój hamuje naturalny rozwój człowieka, i podnosili głos w imię społecznego wyzwolenia w przeświadczeniu, iż wystarczy usunąć zewnętrzne przeszkody, by ludzkość natychmiast uzyskała swobodę i szczęście stanu naturalnego. Poglądy te przeniknęły nawet do ekonomii politycznej, mianowicie do nauk fizjokratów. Historia wykazała utopijny charakter owych przekonań, lecz dla sztuki miały wielkie znaczenie, wzbogaciły zwłaszcza malarstwo portretowe.

W porównaniu z La Tourem wartość prac Houdona polega przede wszystkim na odkrywaniu w każdej jednostce żywej i zwartej osobowości, jej tylko właściwych cech: przyznawał człowiekowi prawo do własnej indywidualności. Houdon ukazywał charaktery oryginalne, pełne wdzięku i uroku. Różnorodność jego portretów jest zdumiewająca. Oto Bailli de Suffren (1786—1787, Aix), słynny zwycięzca w wielu bitwach morskich: władczo odrzucona głowa, naprzód podana pierś z orderową wstęgą. Oto abbé Barthélemy (1795—1805, Paryż, Bibliothèque Nationale): wychudzona twarz, żylasta szyja, mocno zaciśnięte wargi. A kwadratowa czaszka na krótkiej, mocnej szyi, spojrzenie naładowane energią i masywna broda — to Mirabeau, trybun rewolucji 1789 roku (1800, Wersal). Słynny zoolog i botanik Buffon ma orli nos, spojrzenie spokojne, inteligentne i nieco wyniosłe (1783, Luwr). W popiersiu Glucka (1775—1777) podkreślił artysta wysokie, otwarte czoło, rozwichrzone w nieładzie włosy, ślady ospy na twarzy i nieco ściągnięte brwi — lecz poprzez wszystkie te rysy prześwieca wyraz zaangażowania i entuzjazmu. Franklin natomiast to uosobienie patriarchalnej Ameryki: łysy starzec, pełen godności, z subtelnym uśmiechem na wargach (1778, Luwr). Waszyngton ukazany został jako mężczyzna o delikatnych rysach twarzy, oczach krótkowidza i skupionym wzroku, utkwionym w dal (1785, Luwr).

Houdon stworzył dwa całkowicie od siebie różne, lecz w równym stopniu zgodne z prawdą portrety Rousseau, a także dwie zupełnie inne podobizny Woltera. Na jednym z wizerunków Rousseau ma brwi zmarszczone, gorączkowe spojrzenie, zamknięte wargi naznaczone cierpieniem (1778, Genewa) — na drugim znów przypomina starożytnego mędrca: zdjął tu perukę, włosy sczesał do przodu, przypatruje się czemuś w zadumie z wyrazem ust wzruszająco, jak u dziecka naiwnym (1778—1779, Luwr). Portrety Woltera uczyniły imię Houdona nie- IV, 13 śmiertelnym i utrwaliły twarz wielkiego filozofa w wyobraźni potomnych. Rzeźbiarz ukazywał go w kusym stroju i peruce (1778—1779, Wersal), to znów jako scho- rowanego, łysego starca w antycznej chlamidzie, ledwo okrywającej wyniszczone ciało (brązowe popiersie w Luwrze i liczne repliki z 1778—1779, posągi marmu- rowe w Théâtre Français i w Ermitażu). Houdona inspirował niewątpliwie bez- względny realizm francuskich rzeźbiarzy z XVI wieku, lecz wszelkie cechy są por. III, 91 u niego bardziej uduchowione, w jego pracach jest więcej życia. Jak światło bije z twarzy Woltera przenikliwy rozum i bezlitosna ironia, jakby zdjęto zeń powłokę (podobnie jak na wcześniejszym posągu Houdona — tzw. Écorché, 1766) i poruszono wszystkie mięśnie. Wizerunek jest przy tym zwarty i pełen siły, w uśmiechniętych oczach starca odczytujemy wyznanie wiary całego tego stulecia.

Plastyczny wyraz każdego portretu uzależniał Houdon od charakteru modela. Przeorał popiersie Mirabeau kilku ostrymi, prostymi liniami, uczynił je bardziej imponującym, natomiast portret Woltera od dołu zaokrąglił, chcąc spotęgować efekt jego nagiej czaszki. Tam, gdzie chodziło o pozę danej postaci, odtwarzał część jej ciała, gwałtowny jakiś zwrot, poruszenie lub gest, spożytkowując już to nierówności terakoty, już to połyskliwość brązu. Od czasów rzymskiego antyku por. I, 176 nikt w dziedzinie rzeźby portretowej nie zdołał dorównać Houdonowi. Podczas jednak gdy starożytni Rzymianie, a także Bernini, zazwyczaj wysuwali na pierw- por. III, 117 szy plan najistotniejsze cechy charakteru modela, Houdon, wykorzystując doświad- czenia europejskiego malarstwa, odtwarzał ludzką postać w całym jej bogactwie i skomplikowaniu. Umiał przy tym niepozorną nawet powierzchowność prze- kształcić w piękną rzeźbę, podchwytywać ruchliwe i zmienne cechy ludzkiej twarzy i wiązać portret z otaczającą go atmosferą.

W tych samych latach schyłku XVIII wieku działa we Francji Fragonard (1732— —1806), malarz wybitnie utalentowany. Wymieniany on bywa wraz z nauczycie- lem swym Boucherem, który dopomógł mu rozwinąć wrodzone zdolności dekora- cyjne. Fragonard uczył się wszelako także u Chardina i dzięki temu został znako- mitym artystą. We Włoszech oglądał i kopiował dzieła wielkich mistrzów i pró- bował sił w dziedzinie kompozycji klasycznej, lecz te nudne i sztuczne obrazy nie przysporzyły mu sukcesów. Chcąc zyskać lepszą pozycję, jął malować nie- wielkie, frywolne obrazki w stylu „galant", przenosząc do nich ulubioną tematykę osiemnastowiecznych sztychów. Na tym właśnie polu wykazał ogromną wital- ność, śmiałość inwencji i dobry smak.
W *Huśtawce* (1766, Wallace Collection, Londyn) przedstawił artysta scenkę pełną pikanterii: huśtająca się z podniesionymi nogami dziewczyna gubi pan- tofelek, a młodzieniec, który śpieszy go podjąć, rzuca na ukochaną niedyskretne

spojrzenie: marmurowy amorek kładzie palec na ustach, jakby przestraszony sytuacją, którą sam wywołał. Akcja toczy się w ogrodzie jak z bajki, drzewa wyglądają tu jak zwoje koronek, a ich gałęzie osobliwie się wyginają. W *Skradzionym pocałunku* (lata osiemdziesiąte, Ermitaż) uchwycił Fragonard jak w przelocie moment, gdy zaglądający przez otwarte drzwi młodzieniec znienacka, w tajemnicy przed resztą rozbawionego towarzystwa, porywa słodki pocałunek z ust dziewczyny. Portret *Dziewczyny* (Wallace Collection) o jasnych włosach, niebieskich oczach i różowej cerze zestawił Fragonard z najróżniejszych żółcieni, różów i jasnych błękitów. Tu wpływ Chardina jest najlepiej dostrzegalny. Niestety, chcąc przypodobać się publiczności, musiał Fragonard ze szkodą dla swego talentu zwracać się w kierunku malarstwa sentymentalnego, zmanierowanego, nadmiernie dbałego o staranne odtwarzanie szczegółów.

Jakże inne są prace Fragonarda, gdy malował je tylko dla siebie, przejęty artystycznym zapałem. Wtedy i tylko wtedy budził się w nim prawdziwy temperament mistrza szkicu z natury lub z wyobraźni (maître d'ébauches). Niektóre z nich sygnował: ,,Fragonard namalował to w ciągu godziny''. Niekiedy tworzył w ten sposób także scenki rodzajowe lub w stylu ,,galant'', lecz z nieporównanie większym humorem i swobodą niż na obrazach przeznaczonych do zaspokajania modnych gustów.

IV, 14
Szczególną urodą odznacza się studium *Praczek*, prawdziwe i zgodne z życiem. Widzimy tam zakątek Rzymu — ciężkie, marmurowe schody, cieniste drzewo, dwie rzeźby oraz kobiety płuczące bieliznę przy fontannie. Wirtuoz stylu ,,galant'', por. IV, 10 Fragonard, oczywiście i tutaj nie dorównuje szczerością i czystością pracom Chardina. Opisana scenka pociągała go jedynie jako barwny i charakterystyczny obrazek, a swój szczególnie poetycki akcent zawdzięcza spoczywającemu w głębi posągowi lwa z marmuru, monumentalnym schodom i marmurowej figurze kobiety. Powstaje tu niejako zetknięcie malarstwa rodzajowego z historycznym. Żywe postaci połączył artysta z posągami już w *Huśtawce*.

W obrazie *Praczki* Fragonard w pełni rozwinął swój malarski temperament. Odrzucając miniaturowe subtelności rokoka jak znienawidzoną perukę, posłużył się szerokimi rzutami pędzla w celu uwydatnienia kontrastu ciemnej zieleni drzew i oświetlonej słońcem bielizny, wzmocnił czerwień i żółcień sukien, a posąg lwa zanurzył w błękitnym cieniu. Tak sto lat przed Fragonardem malował w Rzymie Velazquez, tak sto lat po nim malować będzie Edouard Manet.

Fragonard nie był artystą zbyt wnikliwym, nie zgłębiał do dna wszelkich problemów. Radością życia, błyskotliwością, ostrością obserwacji zbliża się do Beaumarchais'go, który tyle ruchu wniósł do osiemnastowiecznego teatru ,,Cyrulikiem sewilskim'' i ,,Weselem Figara''.

Szereg znakomitych rysunków wykonał Fragonard we Włoszech. Jego sangwiny na temat cyprysów willi d'Este w Tivoli kolorystyczną wymową nie ustępują licznym obrazom olejnym. Z finezją odtworzone gęste listowie uzupełnia wyraz zdumiewającej siły ogromnego, szeroko rozgałęzionego drzewa. W czasach, gdy podróżni zachwycali się we Włoszech jedynie poezją ruin i zabytków, Fragonard dostrzegał wielkość i piękno przyrody Południa. Olbrzymim drzewom przeciwstawiał drobne postaci ludzi i bryły pałaców.

W XVIII wieku grafika i rysunek cieszyły się we Francji większą swobodą niż malarstwo. Dzieła wybitnego rysownika z drugiej połowy stulecia, Gabriela de Saint-Aubin (1724—1780), mają wszystkie zalety doskonałej grafiki. W ilustracjach swych artysta posługiwał się chętnie alegorią, którą nie gardził też i Wolter. W chmurach ukazują się boginie i wysłannicy niebios, z którymi kontrastują malutkie postaci, pochodzące wprost z rzeczywistości. Alegorie wkraczają też często do życia codziennego: raz, by położyć wieniec na głowie cyrulika, który fryzuje perukę klienta, innym znów razem, aby wziąć udział w posiedzeniu paryskiego towarzystwa naukowego.

Gabriel de Saint-Aubin należał do nielicznych artystów XVIII wieku, odznaczających się wyczuciem pierwiastka dramatycznego, którego Chardin i Boucher ani nie rozumieli, ani nie cenili. Na rysunku przedstawiającym *Rewizję* w mętnym świetle wnętrza zarysowuje się eleganckie umeblowanie i postaci urzędników sądowych — cała scena pełna jest wielkiego napięcia. Oczywiście nie jest to wielki dramat Rembrandta ani głębia duchowych doznań, która by mogła wywołać sympatię widza dla ukazanych ludzi. Napięcie Saint-Aubina jest raczej powierzchowne, lecz zmieszanie i niepokój, jakie przejawia kunszt artysty, nie są przypadkowe; nadchodził bowiem kres pełnego radości festynu, którym tak lekkomyślnie cieszył się i upajał wiek osiemnasty. Otwierały się oto mroczne czeluście, podobne do otchłani, jaka w operze Mozarta rozstąpiła się przed Don Juanem wraz z nadejściem komandora. Swobodna, nonszalancka niemal kreska Saint-Aubina, przygasające to znów rozbłyskujące barwy akwareli świadczą o jego wielkim malarskim mistrzostwie.

IV, 9

por. III, 168

Mowa francuska i sztuka Francji przez cały wiek XVIII zajmowały w Europie czołowe stanowisko. Nie była to w dziedzinie sztuki epoka tak bogata i różnorodna jak w wieku XVII, wieku kontrastów pomiędzy holenderskim realizmem, włoskim barokiem i francuskim klasycyzmem. Zresztą także i w poszczególnych krajach europejskich w XVIII wieku pojawiają się odchylenia od głównego kierunku artystycznego i każda z tych szkół narodowych przyczynia się na swój sposób do ogólnego rozwoju sztuki.

W Niemczech na dworach książęcych i w klasztorach przetrwały jeszcze po XVIII wiek cechy baroku, lecz równocześnie pojawiły się wpływy francuskie; nie oznaczało to zaniku oryginalnego piętna sztuki niemieckiej.

Osiemnastowieczne pałace, na przykład wzniesiony przez Baltazara Neumanna pałac w Würzburgu (1719—1744), to ogromne budowle z honorowymi podwórcami, potężnymi skrzydłami bocznymi, majestatycznymi ciągami schodów i sklepionymi salami reprezentacyjnymi; styl rokoko widoczny jest w nich jedynie w wystroju wnętrz salonowych.

Uroczym przykładem niemieckiego rokoka jest drezdeński Zwinger (1711—1722), zbudowany przez Daniela Pöppelmanna. Dziedziniec w kształcie zbliżonym do kwadratu, gdzie odbywać się miały konne turnieje, posiada od wschodniej i zachodniej strony po jednym pawilonie. Ta niezwykle czytelna w konstrukcji i elegancka w wyrazie budowla tchnie radosną jakąś pogodą. Średniowieczna warownia została tu przekształcona w arenę, niska wieża o ciężkiej kopule — w otwartą bramę, pawilony — w lekkie, biegnące wokół galerie. Porządek klasyczny rozpada się, widać tu wyraźny wpływ niemieckiego gotyku.

IV, 15

Równie typowy przykład niemieckiej architektury XVIII wieku stanowi jedno-
piętrowy pałac w Sans-Souci z rotundą pośrodku, zbudowany przez Knobelsdorffa
dla Fryderyka II. W porównaniu z pałacami francuskimi z tej samej epoki, słabiej
tu podkreślano zwartości architektonicznej bryły, którą rozciągnięto wzdłuż
i ściśle związano z roztaczającymi się przed nią tarasami; elementy dekoracyjne
rozluźniają cały układ, wprowadzają doń nastrój ciepła i przytulności. Ten sam
nastrój odnajdziemy w ilustracjach (do dzieł Goethego i Lessinga) polskiego
grafika — gdańszczanina Daniela Chodowieckiego (1726—1801). Największe
sukcesy odnosiły osiemnastowieczne Niemcy na polu muzyki: nazwiska Bacha,
Haendla, Mozarta i Haydna zasłynęły szeroko w całej Europie.
Najważniejsze obok Francji artystyczne ośrodki znajdowały się w XVIII wieku
we Włoszech i w Anglii. Włochy zwrócone były całkowicie w stronę swej sławnej
przeszłości, lecz twórcze siły tego kraju nie były już teraz tak bogate, jak dawniej.
W malarstwie pochodzącego z Lombardii G. Cerutiego i G. M. Crespiego z Bolonii
(seria o świętych sakramentach, Drezno) ukazane zostało powszednie życie
biednych ludzi, lecz weryzm ten jest jeszcze z ducha XVII wieku i prawie nie przejawia cech epoki Oświecenia.
W Wenecji XVIII wieku najbarwniej prezentuje się dziedzictwo renesansu. Miasto
od dawna już utraciło polityczne znaczenie, wciąż jednak przybywali tam arystokraci
i bogacze z Północy, których fascynowała beztroska wesołość weneckiego życia.
W XVIII wieku spuścizna Veronesa odżywa w świetnym blasku sztuki Giovanniego
Battisty Tiepola (1696—1770). Był to ostatni w Europie malarz fresków, który całą
ścianę umiał przekształcić w jeden wspaniały obraz, wypełniony żywym tłumem
postaci i architekturą; oczy patrzącego radują się przede wszystkim olśniewającą
grą barw i rozmachem malarskiego ujęcia (1757, Wenecja, Palazzo Labia). Tiepolo
obejmował szeroką skalę wątków, tematów i motywów — znajdujemy u niego
historię, alegorię, aktualną teraźniejszość, apoteozę, komedię i capriccio. We
freskach Tiepola w pałacu würzburskim (1751—1753) obraz wraz z przestrzenią
i materialną ścianą łączą się w jedną całość barw, widoków, marmurów, malowanych stiuków i luster, dając najrozmaitsze i wzajemnie warunkujące się efekty.
Przy wielkim swym talencie i entuzjazmie malarskim pozostaje jednak Tiepolo
w swych historycznych scenach niejasny, jego postaci przypominają wymuska-
nych statystów, kompozycji brak zwartości, barwy (zwłaszcza tak przez niego
ulubiony jasny błękit i cytrynowa żółcień) to rozbłyskują, to znów przygasają —
rzeczywiste i absolutnie dowolne, niczym mieniący się brokat.
W osiemnastowiecznym teatrze weneckim baśniowy dramat Gozziego konku-
rował z żywymi, pełnymi werwy komediami charakterów i obyczaju Goldoniego;
podobną sytuację zastajemy i w malarstwie: Pietro Longhi, obdarzony zmysłem
obserwacji i wielkim poczuciem humoru, malował rodzajowe sceny z życia we-
neckiej arystokracji, podczas gdy Francesco Guardi (1712—1793) przekształcał w obrazach o nieuchwytnie tajemniczym nastroju czarodziejskie miasto na
lagunach w wyimaginowany krajobraz architektoniczny.
Prace Tiepola rozsławiły koloryzm wenecki w całej Europie. We Francji włoska
„opera buffa" Pergolesiego wywarła silne wrażenie. Lecz jeśli we Włoszech istniały
przesłanki dla powstania nowej sztuki, gdyż kraj ten bogaty był w zdolnych artystów, świetną spuściznę i żywo pulsujące życie artystyczne, to jednak konserwa-

tyzm stosunków społecznych uniemożliwił mu zajęcie czołowego miejsca w tej dziedzinie.

Sztuka angielska, egzystująca już od wielu stuleci, dopiero w XVIII wieku po raz pierwszy uzyskuje znaczenie ogólnoeuropejskie. Podobnie jak w innych krajach Europy także i w Anglii następowały po sobie różne kierunki artystyczne: obok naśladowców klasycznej sztuki włoskiej inni twórcy ulegali silnym wpływom Flandrii i Holandii. Specyfika szkoły angielskiej wynikała jednak z faktu, że w kraju tym nie panowała, tak jak we Francji, absolutna władza królewska, a rozwój Anglii w XVIII wieku „przebiegał pod znakiem kompromisu pomiędzy burżuazją a właścicielami wielkich dóbr ziemskich". Nie było w Anglii Wersalu ani nie znano tam żadnej akademickiej doktryny. Malarstwo angielskie zajmowało się głównie portretem.

Architektura angielska miała własne tradycje, poczynając od Inigo Jonesa i Wrena — budowniczych z XVII wieku. W XVIII wieku znów odzywają się w Anglii echa palladiańskie. Najwybitniejszymi przedstawicielami tego kierunku są Wood (1705—1754), Kent (1684—1748) i Gibbs (1682—1754). Charakterystyczne zamiłowanie do spuścizny klasycznej wyróżnia osiemnastowieczną architekturę angielską wśród innych szkół europejskich. Najlepsi spośród angielskich mistrzów bynajmniej nie podzielali dążenia do reprezentacyjności i podkreślania fasady, które było tak powszechne we Francji Ludwika XIV. Obcy był im również „esprit géometrique" architektury francuskiej.

W bibliotece Radcliffe'a w Oksfordzie, którą Gibbs zbudował jako wielką rotundę IV, 18 ujętą w porządek kolosalny, zwraca uwagę organiczne przejście od ciężkiego, boniowanego parteru ku frontonom i partiom pośrednim obu wyższych pięter związanych podwójnymi kolumnami, a także ku lżejszej kopule, której sklepienie podpierają filary ozdobione jak balustrada wazami. Dzięki sile wyrazu plastycznego zbędne są już tutaj tak cenione we Francji dekoracje — na przykład medaliony i girlandy. Dzieło Gibbsa, podobnie jak większość budowli angielskich z XVIII wieku, wydaje się ponadto wspanialsze, bogatsze i bardziej skomplikowane od prac Palladia.

por. III, 53

Szczególna różnorodność cechuje architekturę angielskich budynków mieszkalnych — owych wiejskich rezydencji, jakie w XVIII wieku wznosili dla siebie angielscy landlordowie. Ideał klasycznej harmonii łączy się tu z racjonalnym układem wnętrz. Godne uwagi są pałace budowane przez braci Adam, dzięki swym czytelnym i harmonijnym proporcjom. Plany ich są zgoła niepodobne do dziwacznie powykręcanych zarysów francuskich hôtels z XVIII wieku. Każde pomieszczenie takiej angielskiej rezydencji odpowiada swemu przeznaczeniu, co wyraża się również w jego rysunkach, na planie, w jego stosunku do innych pomieszczeń, w układzie okien, w oświetleniu. Niektóre sale tworzą miękko zaokrąglone, samodzielne bryły architektoniczne, jednak w całości budynek sprawia od zewnątrz wrażenie zwartej kompozycji, podobnie jak wille Palladia.

s. 32

por. s. 12

por. III, s. 71

Na początku XVIII wieku dominowały jeszcze w parkach angielskich formy surowe i regularne, w duchu Wersalu. W połowie stulecia typ ten stopniowo zanika, natomiast teraz dopiero zaczynają działać wpływy ogrodów chińskich, które znano tu już od końca XVII wieku. Chińczycy dopomogli Anglikom odnaleźć własny sto-

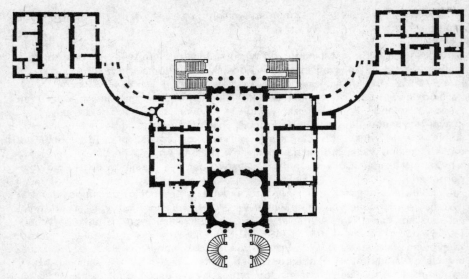

Robert Adam, Pałac Keddleston, ok. 1770; plan

sunek do przyrody. Pewną rolę odegrało tu również malarstwo pejzażowe. Przeciwstawienie się „regularnym ogrodom" spotkało się w Anglii z wielkim społecznym odzewem, któremu dawali wyraz osiemnastowieczni poeci i pisarze. Inicjatorem tego ruchu był William Kent, który głosił, że sama natura unika linii prostych. Park w Stowe jest pierwszym ogrodem krajobrazowym: budowla stoi tam ukośnie do głównej alei, swobodne grupy drzew występują na przemian z otwartymi polanami — niekiedy jedno lub kilka drzew odrywa się od głównej masy, ich korony zaokrąglają się na tle wolnej przestrzeni. Wąskie ścieżki wiją się kręto, jakby stworzone dla samotnych marzycieli. Park ożywia jezioro o nieregularnych brzegach. Oczywiście nawet i taki „pejzażowy park" o zręcznie dobranych efektach malarskich nosi łatwo rozpoznawalne ślady twórczej koncepcji człowieka.

IV, 17

Działalność van Dycka na dworze królewskim stworzyła podstawy malarstwa angielskiego. W XVIII wieku Hogarth (1697—1764) wytycza mu nowy kierunek. Sztukę Hogartha zrodził ten sam okres, w którym w Anglii budziło się nowe społeczne życie i nowy sposób myślenia — okres krzepnięcia burżuazji, zaostrzenia walk politycznych i rozwoju realistycznej powieści. Fielding wystartował powieścią szelmowską, operował przesadą, według niego motorem rozwoju miał być prymitywny egoizm. Punktem wyjścia Hogartha było siedemnastowieczne malarstwo holenderskie, lecz spokój i ład Holendrów zastąpił gniewnym napięciem oskarżycielskiego patosu. Od czasów wojen chłopskich i reformacji nie pojawiła się w Europie równie ostra i gorzka, a politycznie trafna satyra. Hogarth w szeregu cyklów obrazowych odmalował życie swoich współczesnych, prace te pod postacią sztychów ogromnie się rozpowszechniły. Do najwybitniejszych zaliczamy *Modne małżeństwo*, *Karierę nierządnicy* i *Karierę rozpustnika*.

Przeciętnych ludzi swoich czasów ukazywał Hogarth nadzwyczaj celnie. Każdy szczegół uzupełnia charakterystykę postaci, pozwala też odgadnąć, co się tu odbywało czy jeszcze odbywa. Piórem niemieckiego pisarza Lichtenberga napisane zostały nawet później „Wyczerpujące objaśnienia miedziorytów Hogartha". Sednem talentu tego artysty było jego zamiłowanie do narracji. Twórców francuskich interesowało przede wszystkim odtwarzanie charakteru człowieka za pomocą środków właściwych grafice i malarstwu — Hogarth natomiast, nie gardząc zabiegami czysto literackimi, stosował formy wypowiedzi sprzeczne z klasycznymi zasadami sztuki. Ale właśnie dlatego obrazy te nie tracą siły działania nawet po powieleniu ich na sposób rzemieślniczy przez miedziorytników.

Obraz II z serii *Modne małżeństwo*, zatytułowany *Przy śniadaniu*, czytać trzeba IV, 23 jak rękopis — słowo po słowie. Jesteśmy oto w jadalni młodego małżeństwa. „On" właśnie wrócił do domu po lekkomyślnie przehulanej nocy, „Ona" leniwie przeciąga się w fotelu, bo aż do rana przyjmowała gości. Zgorszony lokaj wynosi się z pokoju z nie zapłaconymi rachunkami. Hogarth zaciekawia widza i pobudza jego uwagę: skłania go do pilnego oglądania wszystkich szczegółów obrazka w celu należytego zrozumienia, co się tu mianowicie stało. Może pan przyniósł coś ze sobą przypadkowo, bo piesek obwąchuje jego kieszeń. Przewrócone krzesło pozwala się domyślać, że poprzedniego wieczoru wypaliły się tu świece i wstawieni goście obijali się w ciemności o meble. Obrazy na ścianie: trzy postacie święte i jedna mitologiczna, której widać tylko nagą stopę — mówią nam o pobożności, a zarazem o frywolnych tęsknotach tej dobranej parki. W *Porannej toalecie*, innej pracy Hogartha z tej samej serii, mitologiczne obrazy na ścianach, zwłaszcza *Zeus i Io*, zapowiadają bal maskowy, na który właśnie się stroi pani domu, marząc o sukcesach kochanki wielkiego boga.

W pracach Hogartha podziwiamy nie tylko ostrość jego spojrzenia i umiejętność wydobycia społecznie typowych cech danej postaci. Ponadto był on niewątpliwie artystą utalentowanym, rozważnym, bystrym i pełnym temperamentu, a rezultaty swych obserwacji potrafił ująć w efektowną formę artystyczną. Świadczą o tym jego rysunki, jego szkice olejne, a także portrety. Szkic *Taniec wiejski* (1728), wykonany z prawdziwą werwą, utrzymany jest w połyskliwej, złotej tonacji. Późny obraz Hogartha — *Dziewczyna z krewetkami* (Londyn, National Gallery) — namalowany jest tak lekko i swobodnie, tak jednolity jest w kolorycie, że trudno by znaleźć równie doskonałe malarstwo w ówczesnej Europie. Lecz twórcze swe zadanie widział Hogarth przede wszystkim w tym, aby swoimi obrazami, a zwłaszcza rycinami, jak najwięcej odbiorcy pokazać, wielu spraw go nauczyć, o wielu — przekonać. Stąd musiał podporządkowywać wszelkie wartości swego dzieła momentowi narracji, a niekiedy nawet rezygnować z niektórych środków czysto malarskiej wypowiedzi. W historii sztuki nie brak zresztą artystów, którym nie wystarczała własna bezpośrednia obserwacja i którzy w swoje kompozycje wplatali przeróżne aluzje, nawiązywali do literatury, dorzucali alegorie (Bosch, Bruegel, Dürer i inni). Nigdy jednak na skutek podobnych zabiegów nie zagubili malarskiego lub graficznego wyrazu. Hogarth dlatego zajmuje w historii malarstwa odrębną pozycję, że jego prace składają się często z obrazowych znaków — tak jak pismo z liter. O wiele mniej wagi przywiązuje do plastycznego opracowania poszczególnych postaci, przestrzennego ujęcia całości, rytmu por. IV, 10 i proporcji. Trudno wyobrazić sobie większy kontrast niż między obrazami Chardina i Hogartha. Następne stulecia wydadzą wielu następców Hogartha, żaden z nich jednak nie dorówna mu temperamentem ani zjadliwością w szyderstwie.

Portret angielski XVIII wieku zmierzał nie tylko do uwieczniania postaci dumnych arystokratów, lecz także do stworzenia ideału silnej indywidualności. Ludzie na owych portretach są pełni energii, nawet światowe maniery i szlacheckie przesądy nie potrafią przyćmić ich wewnętrznej siły. Taki wzorzec człowieka, wywodzący się z dzieł angielskich myślicieli, moralistów i pisarzy XVIII wieku: Johnsona, Hume'a i innych, ucieleśnić pragnął Reynolds (1723—1792) i osiąga najlepsze rezultaty, jakie można uzyskać idąc pilnie śladem dawnych mistrzów i ich arcydzieł. Zasłużył się przede wszystkim przez założenie angielskiej Akademii, a jego dyskursy o sztuce świadczą o subtelnych zdolnościach krytycznych.

Nieporównanie wybitniejszym malarzem był rywal Reynoldsa, Gainsborough (1727—1788). Choć pozowali mu przeważnie dumni arystokraci w przepysznych strojach i perukach, zdołał zachować ideał duchowej wolności i natural-
IV, 22 ności człowieka. Bywa, że poblask tego ideału odnajdujemy w portretowanych przez niego twarzach: w śmiałości spojrzenia, pewności ruchu, w postawie. Tym właśnie napięciem różni się malarstwo Gainsborougha od wytwornej mi-
por. IV, 11 noderii osiemnastowiecznych portretów francuskich. Artysta ten szczególnie sobie cenił swobodę warsztatu i umiał jej bronić przed atakami zwolenników doskonale gładkiego, ,,wylizanego" malarstwa. Wszystkie jego obrazy pulsują rytmem — jakby pukle włosów, pióra, drzewa, chmury i wszystko inne przenikało jedno tchnienie. W młodości Gainsborough grubo nakładał gęste farby, później malarstwo jego się rozjaśnia i nabiera przejrzystości.

Na przełomie XVIII i XIX wieku powstaje angielska szkoła malarstwa portretowego: Romney tworzy trochę ckliwy typ angielskiej piękności, Szkot Raeburn maluje pełne siły portrety grubymi, szerokimi pociągnięciami pędzla i w ostrym świetle. Ostatni z tego szeregu — Lawrence — rozpowszechnia sławę angielskiego portretu w całej Europie. Rozpieszczany przez życie, ulubieniec modnych salonów trwonił jednak świetny swój talent na powierzchowne efekty, rozmieniał na drobne ogromne zdolności. Już Gainsborough, unikając towarzystwa ludzi, chętnie zwracał się do przyrody i temu zawdzięczamy jego znakomite krajobrazy. Szczyt pejzażowego malarstwa angielskiego przypada jednak dopiero na początek XIX wieku.

Sztuka rosyjska zajmuje w XVIII wieku szczególną pozycję. Odkąd w zaraniu XVII wieku Piotr I przeprowadził reformę wszystkich dziedzin kultury, Rosja z zapałem wstąpiła na drogę uczenia się od Zachodu. Zagranicznego turystę zwykle uderza fakt, że ówczesna nowa stolica państwa — Sankt-Petersburg (zał. 1703) — wzniesiona została według zasad zachodniej urbanistyki. W XVIII wieku pracowało w Rosji sporo artystów francuskich, niemieckich i włoskich, a młodzi twórcy rosyjscy wysyłani byli na studia do zachodniej Europy.

W XVIII wieku sztuka rosyjska na tyle już okrzepła i dojrzała, że zaczęła wykształcać cechy oryginalne. W gruncie rzeczy miasto Leningrad nie jest ślepym naśladownictwem jakiegoś wzoru zachodniego, lecz posiada rysy charakteru rodzimego. Element naturalny, czyli szeroka Newa, nie został tu bowiem podporządko-

Wasilij Bażenow, Projekt przebudowy
moskiewskiego Kremla, 1767—1773

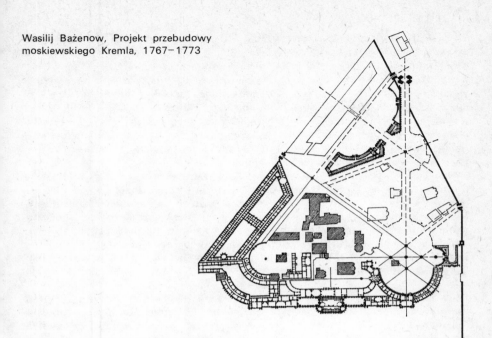

wany ściśle architektonicznej siatce ulic, lecz zachował znaczenie zasadnicze
dla całego obrazu miasta, tak jak posiadał je w starej Rosji. W drugiej połowie
XVIII wieku społeczna sprzeczność pomiędzy szlachtą a chłopami pańszczyźnia-
nymi zaznaczała się w Rosji o wiele dobitniej niż w innych krajach Europy. Wystąpienie Radiszczewa przeciwko nierówności socjalnej było też znacznie rady-
kalniejsze od ataków przedstawicieli Oświecenia na Zachodzie. Mimo że monumentalne dzieła sztuki rosyjskiej wykonywane były na zamówienie carów i arystokracji, wiele spośród nich posiada cechy ludowe.
Bartolomeo Rastrelli (1700—1771), który pałac Zimowy wzniósł w stylu wyraźnie
barokowym, przy budowie Peterhofu i klasztoru Smolnego nawiązał do staroruskich cerkwi ze złotymi kopułami. Wasilij Bażenow (1737—1799) posługiwał
się porządkiem klasycznym. Według jego planu przebudowy na Kremlu zbiegać
się miały trzy drogi, lecz w centrum zaprojektował nie pałac monarchy, jak w Wersalu, lecz plac, który według objaśnień architekta służyłby do festynów ludowych,   s. 35
przy czym wielki porządek kolumnowy nadawałby amfiteatrowi majestat antyku.
Budując jedną z prywatnych rezydencji (obecnie Biblioteka im. Lenina), posłużył   IV, 20
się Bażenow motywami architektury francuskiej. Lecz podwyższając jeszcze
usytuowanie domu na wzgórzu, dając mu schodkową, piramidalną konstrukcję,
lekką i jednocześnie uroczystą w wyrazie, sięgnął do tradycji ruskiej, do cech
nie spotykanych w ówczesnej architekturze zachodniej. Przy budowie wiejskiej
rezydencji władcy w Carycynie pod Moskwą usiłował Bażenow zerwać z porządkiem klasycznym i budował z cegły i wapienia według obyczaju Rosji siedem-   IV, 19

nastowiecznej. Rozmieścił też swobodnie poszczególne budynki, bez śladu symetrii, osiągając niemal ludowe efekty. Cesarzowa Katarzyna potępiła wszakże próbę wzniesienia klasycznej budowli bez antycznych kolumn.

Malarze rosyjscy XVIII wieku — Rokotow, Lewicki i Borowikowski — wyróżnili się w dziedzinie portretu; każdy z nich miał własne środki wypowiedzi, lecz u wszystkich trzech występują rodzime cechy rosyjskie. Rokotow (1735—1808) ukazy-

IV, 21 wał najchętniej moskiewskie arystokratki. Jego technika malarska przypomina Gainsborougha, lecz prowadził pędzel spokojniej. Jego prace są bardzo pociągające, wzrusza szczególnie intymny wyraz przedstawianych przezeń kobiet, wyzbytych nawet cienia światowej elegancji.

IV, 24 Rysunki Jermieniewa opisują z niezwykłą szczerością tragiczną egzystencję rosyjskich chłopów pańszczyźnianych. W scenach tych nie znajdziemy nic z owej miękkości, z jaką Louis Le Nain ukazywał swoich żebraków w łachmanach. Rysunki Jermieniewa mają ostre kontury, nie nasuwają myśli o ideale piękna, stanowią jedynie upomnienie i protest, niemal zaklinają, by zatroszczono się o los tych nieszczęśników. Ta bezkompromisowa prawdomówność rosyjskiego osiemnastowiecznego grafika okaże się w ciągu następnych stuleci podstawową i najistotniejszą cechą rosyjskiego malarstwa.

Do rozwoju sztuki w Europie wiek XVIII przyczynił się w mniejszym stopniu niż renesans lub wiek XVII. Następne pokolenia, namiętnie poszukujące nowych dróg, dostrzegały w sztuce omawianego stulecia jedynie oznaki dekadencji. Co prawda, Goethe w sędziwym wieku z zachwytem wspominał okolicznościowe wiersze Woltera, na Woltera powoływał się Puszkin, gdy dawał wyraz swojej sympatii do rokoka. Nie zmienia to faktu, że wielu artystom osiemnastowiecznym brakowało świeżej i szczerej witalności epoki poprzedniej. W wielu przypadkach pozostawali niemal obojętni na przyrodę, nie poruszały ich także tragiczne sprzeczności życia, rozpraszali uczucie w wyrozumowanej abstrakcji, a brak wyobraźni usiłowali zastąpić igraszkami dowcipu. Bronili się przed Dantem jak przed barbarzyńcą, nie pojmowali wzniosłego i czystego piękna Rafaela ani namiętnej sztuki Michała Anioła i Szekspira.

Sztuka XVIII wieku, wyrosła w cieplarnianej atmosferze książęcych rezydencji, w ciasnym kręgu dworzan, w najlepszym wypadku wspierana przez wykształconych szlachetnych mecenasów, utraciła związek z ludem. Korzeniami tkwiła jednak w dziedzictwie renesansu i stanowiła pewien określony etap w rozwoju „wielkiej" sztuki europejskiej. Luksusowe osiemnastowieczne pałace o lśniących złotem salach, parki z fontannami, freski i obrazy, meble i ubiory, teatr i muzyka — wszystko to razem wywodziło się z jednego stylu. Jednolitości takiej, wyrosłej z samego życia, a nie z rozważań teoretyków czy dążeń uczonych archeologów, sztuka zachodniej Europy nigdy już później nie zdoła osiągnąć.

Największa część zabytków artystycznych z XVIII wieku nie była przeznaczona dla ludu, lecz twórcy ich dość często z ludu pochodzili. Całą twórczość XVIII stulecia owiewa wzniosła, odświętna atmosfera, rozmiłowanie w świetnych barwach i przekonanie, iż życie uśmiecha się do każdego, kto w nim szuka szczęścia. Takimi cechami sztuka XVIII wieku pozyskała sobie sympatię potomnych.

II. SZTUKA W EPOCE REWOLUCJI FRANCUSKIEJ

Widziałem, jak z warkoczem rozplecionym,
krok wstrzymując, zadumana przystanęła
u grobu matki i łzy gorące lała.

André Chénier

Ludzie rodzą się równi i pozostają
równouprawnieni...
Z „Deklaracji praw człowieka i obywatela"

W drugiej połowie XVIII wieku narodziło się i rozpowszechniło we Francji przekonanie, że ustrój społeczny wymaga koniecznie gruntownej zmiany i zasadniczej
przebudowy. Nie wszyscy bynajmniej mieli jasne wyobrażenie, w jaki mianowicie
sposób należy to urzeczywistnić, większość jednak zgodna była co do tego, że
istniejące stosunki skazują ludzkość na nierówność, hamując swobodny rozwój
i postęp. Ukoronowaniem toku tego rozumowania stała się rewolucja 1789 roku.
W sztuce tego okresu umysłowy ferment i oczekiwanie przewrotu przejawiły się
zwrotem twórców ku starożytności.
Od przełomu XV i XVI stulecia poeci i artyści zachodniej Europy nieustannie
powoływali się na czasy antyczne; we Francji w XVI wieku robili to Ronsard
i Goujon, w XVII — Corneille i Poussin, w XVIII — zarówno Wolter jak i Boucher.
Każde stulecie odkrywało w antycznej spuściźnie nowe wartości i wykorzysty-
wało je w sposób najlepiej odpowiadający jego własnym dążeniom. Także i w drugiej połowie XVIII wieku starożytność ukazuje się w nowym świetle. Wykopaliska
w Herculanum i Pompei przyczyniają się do lepszego poznania antycznej sztuki.
Największe zasługi w tej dziedzinie odniósł Johann Joachim Winckelmann
(1717—1768); odznaczał się on rozległą wiedzą o starożytności i wrażliwością
prawdziwego artysty, pisma jego były sławne w całej Europie. Dzieła Winckelmanna rozchwytywano jako przewodnik po zmartwychwstałej antycznej przeszłości, inspirowały one pisarzy i plastyków. Ta sama Madame de Pompadour,
która popierała swawolną sztukę Bouchera, okazywała wielkie zainteresowanie
światem starożytnym; wysyłała na własny koszt ekspedycje do Włoch — artyści
przywozili stamtąd teki rysunków nowo odkrytych zabytków, przyczyniając się
do rozwoju na nowo rozbudzonych klasycznych gustów.
Za godne najwyższej uwagi uznać należy zjawisko, że antyczne zabytki wywierały
obecnie wpływ nie tylko dzięki swym wartościom artystycznym, lecz przede
wszystkim dzięki treściom duchowym, dzięki czystości moralnej, która objawiła
się Winckelmannowi w zachowanych dziełach i o której z najszczerszym zapałem
opowiadał swoim współczesnym. Oczywiście wiek XVIII nie rozumiał społecznych
sprzeczności antycznego ustroju niewolniczego i w starożytnej kulturze doszu-

kiwał się raczej republikańskich cnót i bohaterstwa. Lecz choć klasyka grecka z V wieku była prawie nie znana, pojmowano wychowawczą siłę, jaką posiadał antyczny świat, i umiano ją wykorzystać w walce o nowe ideały.

Wraz z entuzjazmem dla starożytności rodzi się w ludziach drugiej połowy XVIII wieku pewna tkliwość, żeby nie rzec sentymentalizm, która zajmuje miejsce chłodnego rozumu, dominującego wśród poprzednich pokoleń. We Francji prekursorem tego kierunku był Rousseau. ,,Marzenia moje prowadzą niekiedy do rozmyślań, lecz częściej rozmyślanie przywodzi mnie do marzeń" — mówił. W Niemczech ów okres ,,burzy i naporu" zwrócił się ze szczególną gwałtownością przeciw ,,fanatyzmowi czystego rozumu". Rówieśnicy młodego Goethego powtarzali słowa Wertera: ,,Wielki Boże! tak to ukształtowałeś los człowieka, że nie czuje się szczęśliwy, nim dojdzie do rozumu i nim go znowu nie straci".

Uwielbienie antyku i pierwiastki emocjonalne skłaniały ludzi w kierunku przyrody, świata, natury, nie tkniętego jeszcze ludzką kulturą. W ruchu tym wielki udział brali Anglicy, we Francji, jak wspomniano, wymownym głosicielem nowych uczuć stał się Rousseau. Na książęcych dworach ów zwrot ku naturze przekształcił się co prawda w przemijającą modę pasterskiej idylli, lecz wbrew wszelkim wypaczeniom w poglądach ogółu zachowało się zdrowe jądro tego nurtu. Ludzie wierzyli, że zdołają ziścić swój ideał, że zbliża się złoty wiek.

W tym kontekście sztuka XVIII wieku zyskuje decydujące znaczenie. Odtąd nie będzie już traktowana jedynie jako ozdoba, rozrywka lub przyjemność, lecz stanie się środkiem wychowania człowieka. Niemcy zamieniają się w istne laboratorium filozofii sztuki, Baumgarten stwarza podwaliny estetyki, jako specjalnej gałęzi nauki. Kant usiłuje wydzielić dziedzinę sztuki ze sfery czystego rozumu i w ten sposób przezwyciężyć alegoryczny racjonalizm XVIII wieku. Lessing sprzeciwiał się podporządkowywaniu sztuki prawom moralności, napisał też rozprawę o granicach malarstwa i poezji. Ze szczególną żarliwością wypowiadał się Schiller na temat wychowawczych zadań sztuki, widząc w istocie piękna przejaw wolności, wypowiadającej się w formie zmysłowo uchwytnej i radującej ludzi. Tej dynamice teoretycznych rozważań nie zawsze jednak odpowiadała równa im wartością twórczość artystyczna. Niezwykle subtelny krytyk Diderot uznał za ,,artystę swego serca" Greuze'a, który u potomnych straci tę aureolę. Winckelmann widział spełnienie swoich ideałów w oschłym, akademickim malarstwie Mengsa.

W odrodzeniu stylu klasycznego uczestniczy większość krajów Europy Zachodniej, w Anglii pojawia się ono nawet wcześniej niż na kontynencie. Już bracia Adam, wbrew ożywieniu tendencji popalladiańskich, usiłują powrócić do prostoty i czystości klasyki greckiej. Namiętnym zwolennikiem antyku był rzeźbiarz Flaxman; za najlepsze jego prace uznać należy rysunki do dzieł Homera i Ajschylosa, w których wzorując się na starożytnych wazach greckich, odkrył nad wyraz szlachetny sposób prowadzenia linii. Wielka doskonałość cechuje nie tyle dzieła ,,wielkiej" sztuki angielskiej, ile raczej drobne wytwory rzemiosła artystycznego — przede wszystkim porcelanę Wedgwooda (po 1768). Na jasnobłękitnym tle naczyń rysowały się zazwyczaj białe, delikatne, spokojne postacie. Przy całej jednak klarowności i miękkości konturu brak proporcjom harmonii, jaką odznaczają się stare naczynia greckie. Porcelana Wedgwooda była bardzo poszukiwana w całej Europie.

Wybitny ośrodek kierunku klasycznego znajduje się w drugiej połowie XVIII wieku w Rzymie. Tu zdążali artyści z rozmaitych krajów, przejęci ideą Winckelmanna o wskrzeszeniu „szlachetnej prostoty i cichej wielkości" sztuki antycznej. Już w pięćdziesiątych latach stulecia na czele rzymskiej Akademii staje niemiecki malarz Rafael Mengs. Ukazują się znakomite miedzioryty włoskiego architekta Piranesiego, przedstawiające budowle starożytnego Rzymu. Nieco później działają por. I, 170 w Rzymie rzeźbiarze: Włoch Canova i młodszy od niego Duńczyk Thorwaldsen.
Spuścizna artystyczna wymienionych twórców nie sięga najwyższej miary, lecz miasto samo, bogate w świetne tradycje, było niewątpliwie najlepszą szkołą odrodzonego klasycyzmu. Artyści francuscy kończyli studia w rzymskiej filii francuskiej Akademii i bardzo często wstępowali w ślady swych poprzedników angielskich. Zresztą właśnie we Francji ruch ten wspierał się na podłożu społecznym, związany był ze współczesną ideologią i zrodził przesłanki dalszego rozwoju sztuki w początkach XIX wieku. Tworząc ten nowy kierunek w walce z rokokiem, mogli byli Francuzi powoływać się na własne tradycje siedemnastowieczne.
Nazwisko Poussina wymieniane było z szacunkiem przez Diderota, a później przez Davida. Wcześniej co prawda działali w Akademii francuskiej artyści, którzy uważali się za bezpośrednich spadkobierców Poussina — takim na przykład był Vien, nauczyciel Davida. Na swych obrazach o tematyce antycznej kunsztownie rozmieszczał wzniosłe postacie w udrapowanych szatach, wykonujące wiele patetycznych gestów. Akademickiej tej sztuce brak jednakowoż prawdy namiętności. Działali też we Francji tacy architekci, jak Servandoni, w którym widziano strażnika dawnych tradycji i ścisłych reguł w architekturze.
W dziedzinie architektury w szczególny sposób przyczynił się do ożywienia nowego kierunku Jacques-Ange Gabriel (1698—1782). Pochodząc ze starej rodziny architektów, przejął był najlepsze siedemnastowieczne tradycje francuskie. Kiedy powierzono mu dobudowanie dwóch skrzydeł pałacu w Wersalu, wywiązał się z tego zadania znakomicie. Znajomość dawnych szkół nie przeszkodziła mu bynajmniej pozostać człowiekiem współczesnym: sztuką swą odpowiadał jednak zadaniom nowej epoki.
W połowie XVIII wieku rozpisano konkurs na projekt ukształtowania placu Ludwika XV (Place de la Concorde) w Paryżu. We współzawodnictwie tym wzięli udział najlepsi architekci Francji. Większość nadesłanych prac proponowała rozwiązanie w formie okrągłego placu z pomnikiem pośrodku i promieniście wybiegającymi od niego ulicami. Sam plac miał stanowić niejako preludium do masywu bryły pałacu: stąd symetria i orientacja w jednym tylko kierunku.
Projekt Gabriela także sytuuje w centrum konny posąg Ludwika XV, lecz ze IV, 30 wszystkich stron otacza plac szerokimi odcinkami fos. Nie zamyka też placu całkowicie, ale łączy go z sąsiednimi kwartałami. Cztery boki placu nie są ukształtowane jednakowo. Domniemana strona główna styka się z parkiem Tuileries, zdobią ją dwa posągi alegoryczne. Po stronie przeciwnej biegnie aleja Champs Elysées. Z jednego, węższego boku opływa plac Sekwana, za którą później wybudowano Palais Bourbon, po drugiej stronie, przylegającej do głównej arterii miasta — rue Royale, wzniósł Gabriel dwa flankujące gmachy z otwartymi kolumnadami. Perspektywę ulicy miała w głębi zamykać fasada Sainte-Madeleine. Oba zaprojektowane przez Gabriela pałace zdawały się wiązać z sobą,

odciągając spojrzenie patrzącego od głównej strony. Były one ściśle symetrycznie rozmieszczone po lewej i prawej stronie ulicy i w przeciwieństwie do zwykłych fasad o zaznaczonej osi środkowej pozostawało pomiędzy nimi wolne przejście. Kolumnady ich były lżejsze niż przy wschodniej fasadzie Luwru, na której Gabriel się wzorował. Cały ów układ był poważny, surowy i wzniosły, lecz nie tak uroczysty ani wspaniały jak w przypadkach realizacji wcześniejszych. W projekcie Gabriela nie ma właściwie żadnej dominanty, jest za to wiele swobodnej przestrzeni, a sam plac, otwarty ze wszystkich niemal stron, robi wrażenie skrzyżowania i ściślej się wiąże z architektoniczną całością niż z pałacem królewskim, do którego miał prowadzić. W tym właśnie znalazły wyraz nowe poglądy Oświecenia.

Najlepszym dziełem Gabriela jest Petit Trianon w Wersalu. Pałacyk ten wzniesiono jako wiejską rezydencję, w miniaturowych rozmiarach, zgodnie z ówczesnym upodobaniem. Od strony podjazdu posiadał on mimo wszystko otoczony żelaznym ogrodzeniem dziedziniec honorowy, z niskich przybudówek tworzą się niemal boczne skrzydła i z tego miejsca budowla ma wygląd najbardziej reprezentacyjny. Pozostałe elewacje wydają się wariacjami na ten sam temat: różnice są tu trudno dostrzegalne, ponieważ naraz można ogarnąć wzrokiem tylko jedną stronę pałacu. Szczególnie urocza jest fasada od strony parku: zestawiona z dwóch kwadratów ma kształt ściśle geometryczny. Okna nie są samodzielnym akcentem, ponieważ ich obramienia, połączone jedną prostą, zacierają się w ogólnej siatce linii. Nawet najdrobniejsze szczegóły podporządkowane są głównym podziałom, na tym też polega właśnie zasadnicza różnica pomiędzy Petit Trianon a budowlami włoskimi o swobodnie rozwijającym się układzie brył. Płaszczyznę ożywia jednak miękka krągłość kolumn, gzymsy i schody. Regularna konstrukcja fasady Trianon stanowi odpowiednik rozciągającego się przed nią francuskiego parku o przystrzyżonych drzewach i kolistym zwierciadle basenu, w którym odbija się pałacyk. Petit Trianon w surowości swych elewacji zachował jeszcze coś z „wielkiego stylu" XVII wieku, lecz równocześnie przynależy już także do odrodzonego klasycyzmu, który w latach sześćdziesiątych zapanował w całej Europie, a zwłaszcza we Francji.

Nowe elementy uwidaczniają się szczególnie wyraźnie w paryskim Panteonie, dziele współczesnego Gabrielowi architekta, Jacques-Germain Soufflota (1713——1780). Z wielu przyczyn budowli tej przyznać należy charakter programowy. Soufflot podróżował po Włoszech, studiował dawne zabytki i robił ich pomiary. Projektując nowy kościół uwzględnił nowe metody budowlane, tak bardzo osłabiając filary, że obawiano się nawet o stabilność gmachu. Kopułę skonstruował z trzech czasz, tak aby nie można było dostrzec źródła światła. Kościół założony jest na planie krzyża greckiego, którego ramiona przecinają się pod wielką kopułą i przesklepione są mniejszymi kopułami, niewidocznymi z zewnątrz.

Projektując ową świątynię Soufflot obrał wprawdzie za wzór kościoły Św. Piotra w Rzymie oraz Inwalidów w Paryżu, lecz nadał fasadzie Panteonu inny charakter. W przeciwieństwie do kościoła Św. Piotra, którego kolosalna i pełna napięcia kopuła zdaje się wyrastać z masywu całej budowli, w Panteonie stwierdzamy, iż bryła staje się coraz lżejsza: od portyku do kolumnady i od niej z kolei ku samej

por. III, 192

IV, 27

por. III, 53

IV, 26

por. III, 36

kopule; wskutek tego całość sprawia wrażenie wielkiego spokoju. W budowlach szesnastowiecznych wszystkie partie łączą się ze sobą, splatając różnorodne elementy architektoniczne. Napięcie kopuły powtarza się w żebrowaniu, w podwójnych kolumnach wokół jej bębna, dostrzegamy je nawet jeszcze w ścianach. Panteon natomiast składa się z elementów raczej wyosobnionych: u dołu znajduje się jednokondygnacjowy portyk, który od strony wejścia przypomina grecką świątynię; nad portykiem wznosi się ujęta w całkowicie innej skali i bynajmniej nie połączona z nim bezpośrednio rotunda, którą z kolei zamyka kopuła. Natężenie, jakie zazwyczaj przepaja budowle z XVII wieku i jakie po części odnajdujemy w rotundzie Gibbsa, nie istnieje w Panteonie. Portyk odcina się od tła por. IV, 18 gładkich płaszczyzn ramion krzyża. Tak logicznego podziału budowli na poszczególne bryły nie znał jeszcze Gabriel, chociaż jego Ecole Militaire powstała mniej więcej w tym samym czasie. Nawet w Trianon bardziej się zaznacza powiązanie elementów architektonicznych. Panteon Soufflota przejawia większy spokój i jest czytelniejszy, ale i chłodniejszy. Brakuje mu siły i witalności katedr XVI i XVII wieku.

Panteon był zbudowany jako kościół pod wezwaniem Św. Genowefy, jednak już od samego początku nie wykazywał zasadniczo podobieństwa do ogólnie przyjętego typu budowli sakralnej. Patrzymy na niego jak na pomnik oświecenia i przenikliwości rozumu — nie przypomina świątyni, lecz raczej gmach publiczny, ucieleśniający ideały trzeciego stanu. Nie darmo też na wzór Panteonu zbudowano później gmach parlamentu w Waszyngtonie.

Artystyczne pierwszeństwo przypada jednak w XVIII wieku rzeźbie. Etienne--Maurice Falconet (1716—1791) we wczesnych swoich pracach podjął tematykę Pugeta i stworzył tchnącego niezwykłą namiętnością *Milona z Krotonu*. Później artysta ów przenosił motywy w stylu Bouchera na drobne rzeźby, które służyły za wzory manufakturze porcelany w Sèvres (*Leda*, ok. 1756). Jego gracje, otaczające zegar uwieńczony girlandą, pełne wdzięku, zmysłowego uroku i kokieterii, przypominają twórczość Fragonarda. Diderot chwalił Falconeta za rzeźbę *Pigmalion i Galatea* (1763), wyrażającą zachwyt, radość i miłość artysty, zdumionego nieskazitelnym pięknem swojej bogini.

Najwybitniejsze dzieło Falconeta to konny posąg Piotra I. *Miedziany jeździec* IV, 31 jest nie tylko najlepszą pracą swego twórcy, lecz także najdoskonalszym osiemnastowiecznym pomnikiem rycerza na koniu. Figura ta powstała jako wyraz hołdu dla ideału monarchy, o jakim marzyli tak liczni przedstawiciele Oświecenia, jako uczczenie bohatera i herolda myśli państwowej, którą entuzjazmowali się ludzie owej epoki. Falconet świadomie ograniczył przeszkody, jakie bohater jego musi zwalczyć, do wijącego się u końskiej nogi węża, nie ozdobił też postumentu alegoriami, co tak często przecież czynili jego poprzednicy. Zrezygnował także z takich oznak zewnętrznych, jak na przykład uroczysty chód konia Ludwika XIV z pomnika Girardona czy ubiór godny imperatora. Piotr ma na sobie krótki płaszcz i siedzi w zwykłym siodle. Koń nie wspina się na architektonicznym cokole, lecz na surowym bloku skalnym.

Za to tu właśnie, jak nigdy dotąd, cała uwaga skupia się na płynnym, pięknym ruchu, jednoczącym jeźdźca i konia. W pomnikach renesansowych, zwłaszcza w Colleonim, napięta wola jeźdźca narzuca koniowi krok. W ruchu posągu

Falconeta nie ma ani dramatycznego napięcia, ani śladów pokonanego oporu, tak znamiennych dla rzeźb XVII wieku. Koń lekko niesie swego śmiałego pana, który pełen wewnętrznego uniesienia, zdumiewającej rozwagi i dobroci, władczo wyciąga rękę. Jak najlepsze dzieła starożytne pomnik Piotra I łączy szczęśliwie monumentalną siłę z naturalnością i swobodą.

Charakterystyka Piotra I jest tu niezwykle wszechstronna. Z prawej strony widzimy surowego władcę z wyciągniętą ręką; oglądani z przodu, zarówno jeździec, jak i koń zachowują wyraz spokoju; od strony lewej, zwłaszcza z profilu, uderza gwałtowny ruch konia unoszącego nogę nad przepaścią, a także zwrócone wprost, twarde spojrzenie Piotra. Przy całej sumienności, z jaką potraktowane zostały narastające formy i miękki ich modelunek, z daleka cały posąg przedstawia się jako wyrazista sylweta, harmonizująca ze wspiętą, niczym fala, granitową skałą: odnosimy stąd wrażenie, jakby w postaci jeźdźca zamknięta była jakaś żywiołowa siła. *Miedziany jeździec* widoczny jest ze wszystkich stron, panuje nad całym placem, a równocześnie wiąże się z całą panoramą miasta nad brzegami szerokiej Newy.

W sześćdziesiątych latach XVIII wieku powstaje we Francji nowy kierunek artystyczny, przejawiający się w licznych pracach, nadal przeznaczonych na użytek arystokracji i dworu. Potężny ruch ideologiczny, który wstrząsnąć miał podstawami starego ustroju, wyraził się w sztuce prądem, określanym od imienia panującego króla jako „style Louis XVI". Społeczeństwo odczuwało potrzebę zasadniczej poprawy całego życia, a więc także i sztuki. Wielu sądziło, że da się to zrealizować w ramach istniejącego ustroju. W gospodarce podejmowali odpowiednie kroki ministrowie Turgot i Necker, w dziedzinie artystycznej odzywały się głosy nawołujące do prostoty, naturalności, wolności i ciepła uczuć. Elementy te łączono z rokokową elegancją, wdziękiem i kokieterią.

IV, 48

W drugiej połowie XVIII wieku wszędzie przy książęcych pałacach i w parkach wznoszono małe pawilony, budyneczki w kształcie rotundy, zwieńczone kopułami. Spotykamy je zarówno we Francji, jak i w Niemczech, Anglii czy Rosji. Według ówczesnego obyczaju nazywano je „świątyniami przyjaźni", a sytuowano je w odległych zakątkach parku, często w gęstwinie lasku lub przy zarosłym trzciną jeziorze. Kształtem bardziej się zbliżały do dawnych greckich wzorów niż do dzieł Brunelleschiego, Bramantego czy Palladia: zamiast rzymskich łuków występowało tam jedynie proste przeciwstawienie kolumn i gzymsu. Nie ulega jednak wątpliwości, że te klasycystyczne „świątynie przyjaźni", miniaturowe i wytworne, pozostają w pełni wytworami XVIII wieku. Tam właśnie, według słów Rousseau, miał człowiek dzielić swą samotność z „istotami bliskimi jego sercu, odsuwając się od poglądów, uprzedzeń i fałszywych namiętności w odległe zakątki natury, warte tego, aby w nich przebywać". Uznano przyrodę za towarzysza ludzkich marzeń — jak fale jeziora, których poszum, mówiąc słowami Rousseau, współbrzmi z dążeniami ludzkiej duszy. Zamknięty kształt owych zakątków, nie znany w otwartych parkach XVII wieku, sprzyjał osiemnastowiecznym dążeniom do wewnętrznego skupienia. Panteon Soufflota jest pomnikiem społecznych ideałów owej epoki, „świątynie przyjaźni" natomiast wyrażają przebudzenie osobowości.

Girlanda stiukowa w Hôtel de Chaulnes, ok. 1780, Paryż

Gruntowne zmiany obserwujemy w drugiej połowie XVIII stulecia w dziedzinie dekoracji architektonicznej. Miejsce ulubionego przez rokoko motywu rocaille zajmuje obecnie girlanda. Dekoracja rzeźbiarska wykazuje pewne podobieństwo z rzymskimi zabytkami z epoki cezarów, wydaje się jednak lżejsza i bardziej elegancka. Girlandy na ścianach budynku przydają mu wspaniałości: zwieszone w sposób naturalny, łączą się przez to doskonale z przywróconym do swoich praw porządkiem kolumnowym. Jedynie płynny rytm splecionych wstęg wnosi tu nieco życia i swobody, przypominając urocze igraszki stylu rokoko. Złoto znika obecnie z repertuaru elementów zdobniczych — dominuje biel; niekiedy tło ornamentu malowano w kolorze jasnobłękitnym, jasnozielonym lub żółtym. Subtelny modelunek nadawał kompozycji dekoracyjnej zwiewną lekkość. Oprócz girland, wśród motywów zdobnictwa architektonicznego spotykamy smukłe wazy lub owalne medaliony. Zwraca zresztą uwagę oszczędność w stosowaniu dekoracji: architekci odkrywają piękno gładkiej ściany. Po ruchliwości rokoka spojrzenie teraz odpoczywa na spokojnych płaszczyznach murów, gdzieniegdzie ożywionych samotną, umiejętnie podkreśloną barwną plamą.

por. s. 15
s. 43
por. I, 174

Nowy styl wpłynął też stopniowo na charakter mebli i całego rzemiosła artystycznego. Do najlepszych twórców mebli należeli w tym czasie we Francji Riesener i Roentgen. Kształt sekretery z blatem do pisania z tej epoki tłumaczy się jasno, jest prosty i harmonijny w proporcjach. Sztuka użytkowa nawraca niejako do form renesansowych, tyle tylko, że bryły przedmiotów nie są już tak wyraźnie modelowane ani struktura ich tak silnie zaznaczona za pomocą wysuniętych do przodu nóżek i kolumienek. Meble osiemnastowieczne wydają się przede wszystkim lekkie. Bez trudu ogarniamy spojrzeniem grę wzajemnego oddziaływania prostokątów

IV, 39
por. III, s. 28

i owali. Nawet rozłożyste komody Riesenera wydają się wykwintne, ponieważ gładkie ich powierzchnie podzielono na utrzymane we właściwych relacjach prostokąty, ujęte w wąziutkie ramki z brązu. Aby uniknąć wrażenia sztywności, formowano narożniki tych obramowań w małe rozetki.

Malarstwo francuskie nie nadążało za rozwojem omawianego stylu w tak szybkim tempie, jak rzeźba. Jako najdoskonalszych przedstawicieli tego nurtu należy wymienić rzeźbiarzy: Houdona, Pajou (1730—1809), a zwłaszcza Clodiona (1738—1814). Wymiarom dzieł Clodiona daleko do skali Falconeta czy Houdona, jego żywiołem były maleńkie rzeźbki z terakoty lub glinki. Podobnie jak architekci ze schyłku XVIII wieku, rzeźbiarz ten skłaniał się ku starożytności. Podczas jednak gdy artystów w XVII i na początku XVIII stulecia inspirowała sztuka rzymska, Clodion zwraca się ku Grecji. Łagodny urok sylwetek jego posążków nasuwa IV, 28 myśl o statuetkach z Tanagry. Ulubione postacie Clodiona to bachantki, tancerki i nimfy, których nagie ciała prześwitują przez drobne fałdy przezroczystych szat. por. IV, 8 Wystarczy porównać Clodiona z Boucherem, aby stwierdzić, jak bardzo jego zmysłowość wyzbyta jest śladów lubieżności, jaka jest zdrowa, poczęta z ducha osiemnastowiecznych prądów umysłowych. Obydwaj wymienieni artyści zdradzają także znaczne różnice formalne. Boucher upodabnia zarysy aktów kobiecych do rokokowego ornamentu muszelkowego — Clodion poszukuje form wyrazistych, zwartych i okrągłych, rytmem określając nie tyle giętkość, ile raczej spokój postaci.

Zresztą we Francji ten nowy ideał człowieka wywiera wpływ nie tylko na francuską plastykę. W Rosji, gdzie w średniowieczu w ogóle nie znano rzeźby statuarycznej, działają obecnie na tym polu dwaj znakomici twórcy: Michał Kozłowski (1753—1802) i Iwan Martos (1752—1835). Kozłowski studiował nie tylko antyk i osiemnastowieczny klasycyzm, wielbił także nie docenianego podówczas Michała IV, 43 Anioła. Nagie ciało szkicowo potraktowanego *Wartownika Aleksandra* nie przejawia ani ckliwości, ani zniewieściałości. Podkreślona jest nie tylko męska postawa bohatera, lecz również jego czyste sumienie. Wsparta na mieczu postać, wyraziście zbudowana, miękko wymodelowana, odznacza się dużym wdziękiem.

Ów etap artystycznego rozwoju XVIII wieku przejawia się w Rosji również w dziedzinie architektury. Niczym świątynia wieńczy wzgórze pałac w Pawłowsku, zbudowany przez angielskiego architekta Camerona; wokół niego rozrzucone są śliczne ogrodowe budyneczki, utrzymane w duchu najszlachetniejszego klasycyzmu. Całość umieszczona jest w otoczeniu pejzażowego parku, w którym odnosimy wrażenie, że spełniły się marzenia osiemnastowiecznych ludzi i ich tęsknota do piękna naturalnego.

Największego francuskiego poety XVIII wieku, André Chéniera, tego „najbardziej helleńskiego spośród Hellenów", jak go później miał nazwać Puszkin, nie pociągał chłód antyku, lecz jego przepojony pogodą światopogląd. Choć sam swoje wiersze określał jako naśladowanie utworów starożytnych, przemawia z nich człowiek współczesny, który umie innym przekazać własne doznania i własny niepokój. Tu, po raz pierwszy we Francji, poeta uznał natchnienie i uniesienie za źródło twórczości. Postaci Chéniera, tak delikatne i kruche jak figurynki z terakoty, tchną często siłą wielkiej namiętności. W „Heraklesie" poeta dorównuje Pugetowi żarliwością wyrazu.

Odrodzenie sztuki antycznej objęło nie tylko architekturę, plastykę i poezję. Najwybitniejszym osiągnięciem tego kierunku, prawdziwie wielkim wydarzeniem w artystycznym życiu Europy XVIII wieku, stały się opery Glucka, przyćmiewając wszystko, cokolwiek w okresie bezpośrednio przed rewolucją powstało w sferze sztuk plastycznych. W muzyce Glucka melodia uzyskuje pełnię praw, a śpiew brzmi jak przejaw najsubtelniejszych uczuć. Postacie bohaterów są tak konkretne i wyraziste, jak w plastyce klasycznej. Sile wyrazu głosu odpowiada gest, kultywowana wówczas pantomima. W ,,Orfeuszu i Eurydyce" (1762) melodie, raz pełne radości, raz bólu, symbolizują przezwyciężenie śmierci przez miłość. Z tematem ,,Orfeusza" Glucka spokrewnione są postaci żałobnic na osiemnastowiecznych nagrobkach.

Gluck i Goethe cieszyli się ogromnym uznaniem całej Europy, nie wyłączając Francji, tej kolebki nowego klasycyzmu. Osiągnięcia Niemiec dotyczą w tym okresie głównie dziedziny poezji i muzyki. Współczesny Chénierowi Hölderlin również entuzjazmował się Grecją i pełen był wiary w naturę, wkładając w te swoje zainteresowania jeszcze więcej pasji niż poeta francuski. Schiller starał się w ,,Zbójcach" odtworzyć ideał indywidualności, oswobodzonej ze społecznych więzów epoki. Goethe najszczerszą poezją potrafił na nowo obudzić do życia lirykę: w ,,Elegiach rzymskich" wyraził pełnię radości życia, a więc uczucie, które od czasów starożytnych zaniknęło w poezji niemal całkowicie. Haydn był jednym z twórców sonaty — formy muzycznej o żywej części początkowej, rozśpiewanej i utrzymanej w umiarkowanym tempie części środkowej oraz przyspieszonej części końcowej. Fortepian z całym swoim bogactwem dźwięków stał się posłusznym instrumentem dla odtwarzania uczuć osobistych. W tej samej epoce tworzył Mozart, który wdziękiem i pogodą zbliżał się do rokoka, lecz wyczuciem naturalnej i dźwięcznej melodii znacznie przekroczył jego granice. Gorący wyznawca nieskrępowanych uczuć, nie zapominał jednak Mozart, że ,,muzyka nigdy nie może przestać być muzyką", i dzięki temu właśnie wzniósł się na najwyższe szczyty muzyki światowej.

Spośród artystów niemieckich ze schyłku XVIII wieku, obok wielkich niemieckich poetów i kompozytorów, wymienić można chyba tylko jeszcze przedwcześnie zmarłego Filipa Ottona Runge (1777—1810). Artysta ten malował początkowo piękne ciała i kompozycje alegoryczne w stylu klasycznym. W *Poranku* (1808) dążył do złączenia postaci nagiego dziecka z obrazem przyrody i przepajając całość powietrzem i światłem, chciał w ten sposób wyrazić pełnię życia. Autoportret Rungego (1802—1803) ukazuje śmiałego młodzieńca o otwartym spojrzeniu, pełnego wiary w życie i własne siły. Później prace Rungego stały się jednak bardziej oschłe i pedantyczne. W portretach grupowych, sławiących szczęśliwe, rodzinne życie drobnych mieszczan, sztuka jego traci wzniosłość swoją i wielkość.

W okresie rewolucji francuskiej 1789 roku, którą zrodził cały społeczny i kulturalny rozwój kraju, w którym to procesie i sztuka brała udział, artyści pragną odnaleźć ,,ideał piękna", nie dysponują jednak środkami, które by im pozwoliły ów ideał urzeczywistnić. W sztuce przełom nie mógł dokonać się tak szybko, jak w życiu społecznym i politycznym. Rząd rewolucyjny poświęcał jednak sprawom sztuki wiele uwagi i objął patronat nad życiem artystycznym. W okresie tym zaczęto zakładać we Francji muzea, a państwo otaczało opieką wybitnych twórców. Przywódcy artystycznego życia w rewolucyjnej Francji usiłowali ująć je w prawidła klasycznej doktryny. Starożytność przekonywała ich surowością ducha republiki rzymskiej i poglądem, iż jednostka służyć powinna państwu. Mówcy z okresu rewolucji francuskiej studiowali z zapałem rzymską retorykę, zwłaszcza Cycerona. Sztukę obowiązywała obecnie prostota, jasność i lakoniczność form oraz — koniecznie — obywatelski patos.

Z okazji świąt rewolucyjnych organizowano w Paryżu masowe festyny ludowe i powoływano artystów do uczestnictwa w ich realizacji. W uroczystościach tych brali udział przedstawiciele wszystkich sfer społecznych. Mera stawiano obok drwala, sędziego obok tkacza, afrykańskiego Murzyna obok Europejczyka, w białych kolebkach niesiono dzieci z domów podrzutków („Oto pierwsi posługujecie się prawami obywatelskimi, które prawomocnie zostały wam oddane" — zwraca się do nich autor opisu takiej procesji). Uroczystości wzorowano na rzymskich triumfach, plan układu pochodu musiał być zatwierdzony przez Konwent. Zazwyczaj wczesnym rankiem początek święta obwieszczała orkiestra wojskowa, domy ozdabiano trójkolorowymi sztandarami, masę ludzi niosło kwiaty, tłumy wylegały na ulice. W ludowym parku odbywała się ceremonia palenia na stosie różnych występków i wad: bezbożnictwa, pychy, egoizmu, niezgody i obłudy, nad którymi zwycięstwo odnosiła mądrość o spokojnym i jasnym czole. Rozlegały się śpiewy, łomot bębnów, strzały armatnie. „Matki podnosiły w ramionach maleńkie dzieci — czytamy — dziewczęta wyrzucały w powietrze kwiaty, a starcy kładli im ręce na głowach, błogosławiąc w imieniu ojczyzny."

Festyny ludowe i widowiska teatralne miały służyć umocnieniu nowego ustroju. W karykaturze politycznej widziano narzędzie walki z wrogami rewolucji. Nowe idee pojawiły się także w architekturze, malarstwie i rzeźbie.

W okresie rewolucji nie powstały jednak żadne ważniejsze budowle. Najwybitniejsze prace Claude-Nicolas Ledoux (1736—1806) pochodzą z lat przed- i porewolucyjnych, lecz tak charakterystyczne dla jego twórczości dążenie do odnowy architektury odpowiadało ideom, które przyniósł rok 1789. Artysta zamierzał zbudować całe miasto. Projekt gotów był już w 1774 roku, lecz dopiero w roku 1804 został opublikowany. Ledoux był przekonany o konieczności wprowadzenia nowych form wypowiedzi do architektury.

Ledoux zaplanował swoje miasto w rejonie salin państwowych we Franche-Comté; nazywać się miało Chaux, a zaprojektowane zostało w formie ogromnego

Claude-Nicolas Ledoux,
Dom urzędnika,
projekt do zabudowy miasta, ok. 1773

kręgu z ulicami rozbiegającymi się promieniście. W centrum miał się znajdować dom dyrektora w otoczeniu budynków produkcyjnych. Wszystkie budowle publiczne otrzymałyby kształt zgodny z przeznaczeniem: kościół — kopułę i cztery portyki, dom maklera — kształt cylindryczny, a dom dyrektora słonych źródeł — formę walca leżącego, z którego wypływałaby woda; inny jeszcze budynek, w kształcie ogromnej kuli, przeznaczony był na cmentarz. Schemat okrągłego planu z głównym centrum i promienistymi ulicami decydował o rozmieszczeniu wszystkich budynków. Każdy z nich miał zaznaczoną oś środkową i tworzył samodzielną bryłę, nie będąc w żaden sposób powiązanym z budynkami sąsiednimi. Paryski plac Ludwika XV tak jest ukształtowany, że ogarnia się go spojrzeniem, natomiast regularne rozplanowanie Chaux dostrzegalne jest dopiero przy spojrzeniu z góry. Gabriel uwzględnił w swoim placu główne kierunki ruchu ulicznego, Ledoux w swoim planie o te sprawy niemal się nie troszczy, jego konstrukcja jest więc raczej abstrakcyjna. W tym właśnie przejawia się utopijny sposób myślenia epoki Oświecenia.

W poszczególnych budynkach Ledoux uderza wielka śmiałość nowatora. Był to pierwszy od czasów renesansu architekt, który odrzucił tradycyjny, klasyczny porządek kolumnowy. Natomiast pod tym względem wyprzedzili go osiemnastowieczni teoretycy, bowiem już Laugier, powołując się na naturę, podawał w wątpliwość autorytet Witruwiusza. Lodoli zaś twierdził, że budynek powinien zewnętrzną formą wyrażać w pierwszym rzędzie swoje przeznaczenie. Później, już w okresie rewolucji, za tezą tą opowiedziała się cała grupa architektów.

W konstrukcji wychodził Ledoux zazwyczaj od krystalicznie czytelnej formy sześcianu, walca, kuli lub ostrosłupa, starając się zachować ich czystą, abstrakcyjną, geometryczną regularność. W niektórych wypadkach dopuszczał kolumny, które jednak nikły w masywie całego budynku. Harmonijne wzajemne ustosunkowanie poszczególnych partii wcale go nie interesowało: często malutki belweder ustawiał na ogromnym i ciężkim postumencie. Niekiedy też wąskie jak szpary okna ginęły na rozległej i gładkiej powierzchni ściany. s. 46

Idee nowej architektury lansowane przez Ledoux i jego współczesnych utrwalone zostały jedynie w projektach. W budowlach realizowanych musiał stosować tradycyjne motywy architektoniczne. Wzniesiony przez Ledoux odwach w La Villette w Paryżu składa się z ogromnej rotundy, która niemal przytłacza niską podbudowę z portykiem. Takiego napięcia w relacjach pomiędzy poszczególnymi częściami nie ma nawet w rzymskim Panteonie. Ledoux nie uznawał też miękkiego modelowania ani powściągliwej równowagi form klasycyzmu angielskiego. Kolumny portyku i okien, wstawione przed ciemnym tłem, zatracają wskutek tego plastyczność i podporządkowują się geometrycznie regularnej płaszczyźnie ściany. Architektura Ledoux jest imponująco potężna, różniąc się tym zasadniczo od dzieł Soufflota, który, jako wyznawca idei greckiej, nie przeciążał budynków. IV, 36 por. IV, 26

Ledoux nie osiągnął takiej doskonałości i zwartości form, jaką odznaczają się prace Gabriela. Lecz wyrazem architektonicznym, a zwłaszcza śmiałością koncepcji surowych w swej prostocie projektów dotrzymywał kroku epoce rewolucji. Jego nowatorstwo wielu odstraszało, lecz pośrednio czy bezpośrednio wpłynął na rozwój całej architektury XIX wieku. Potomni jednak dość jednostronnie rozumieli jego spuściznę i bynajmniej nie wykorzystali jej całkowicie.

Wśród tych artystów francuskich, którzy całym życiem i twórczością związali się z rewolucją, najwybitniejszy był Jacques-Louis David (1748—1825). Jako członek Konwentu i zaufany Robespierre'a, odegrał on w sztuce Francji rolę nader doniosłą. Obdarzony żywiołowym temperamentem, niezmierną aktywnością i wielką ambicją — posiadał wszystkie cechy, które po rewolucji desygnowały go na nadwornego malarza Napoleona. Zarówno losy osobiste, jak i twórczość Davida oddają artystyczny rozwój Francji na przełomie XVIII i XIX wieku.

David rozpoczął pracę jako uczeń malarza historycznego Viena, przez pewien czas podążał jednak śladami Bouchera. Za młodu wyjeżdżał do Włoch i przejmowała go entuzjazmem idea naśladowania starożytnych wzorów. Gorący wyznawca nauki Winckelmanna o wzniosłym pięknie starożytnej sztuki, bronił jej też namiętnie, lecz równocześnie interesował się także zapomnianymi podówczas zwolennikami Caravaggia. Obraz jego *Św. Roch modli się za zadżumionych* przyjęty został chłodno, stanowił bowiem świadectwo obcej osiemnastowiecznym pojęciom męskiej postawy artystycznej: w ludzkich twarzach szukał malarz charakteru, namiętności i cierpienia. Kształty określał konturem, odrzucając boucherowską maniericzność i akademicki chłód. Tak żarliwych, tak silnych postaci nie spotyka się w ówczesnej francuskiej sztuce.

Kilka lat później przystąpił David do pracy nad obrazem *Przysięga Horacjuszów* (1784, Luwr). Temat wziął z historii Rzymu, ściślej z dramatu Corneille'a. Trzej młodzi Rzymianie przysięgają staremu ojcu, który podaje im miecze, iż dzielnie walczyć będą za ojczyznę. Kobiety płaczą, smutek ich zdradza pokorę. Wystawione na Salonie dzieło to odniosło wspaniały sukces w paryskim środowisku. W napiętej atmosferze lat przedrewolucyjnych treść obrazu przyjęta została jako bojowy apel do obywatelskiej odwagi. Wszakże nie o sam temat tu chodziło — na Salonach Akademii często pokazywano sceny z historii Rzymu. „Modzie rzymskiej" hołdowali Greuze, Fragonard i wielu innych malarzy. Lecz klasyczny motyw w ujęciu Davida uzyskuje prawdziwą siłę wyrazu artystycznego. Tak szlachetnej prostoty, tak pięknego skontrastowania męskości młodzieńców z kobiecością sióstr ich i żon, takiego podporządkowania szczegółów gestowi wyciągniętych ramion i energicznym krokom wojowników, takiego wreszcie narastania rytmu nie znajdziemy nawet u następców Poussina. Szczególnie piękny jest szkic do opisywanego obrazu (Luwr), wykonany swobodnymi, zdecydowanymi pociągnięciami pędzla. Wszystkie te czynniki powodują, że *Przysięga Horacjuszów* jest doskonalszym pomnikiem rewolucji niż tegoż Davida *Przysięga w sali do gry w piłkę* (1791), obraz sztuczny i przeładowany postaciami.

W latach rewolucji David nie przestał uprawiać malarstwa portretowego, dziedziny, w której poprzednio wykazał wielkie zdolności i gdzie osiągnięcia jego najmniej kwestionowano. We wczesnych wizerunkach swoich krewnych, pana i pani Pécoul (1783), wzorował się na typie reprezentacyjnego portretu osiemnastowiecznego. Nie ukończony obraz, przedstawiający Madame Récamier (1800, Luwr), ukazuje modelkę w rzymskiej tunice, wpółleżącą na sofie; artyście udało się tu połączyć godność postawy z pełną uroku kobiecością. Najlepsze portrety Davida z lat dziewięćdziesiątych odznaczają się męską surowością i energią, są też bardzo prawdziwe. Najczęściej malował popiersia, zarysowując zazwyczaj postać na tle równomiernym, jasnym lub ciemnym. Ubiorowi modela poświęcał

26. Jacques-Germain Soufflot, Fasada Panteonu, Paryż

27. Jacques-Ange Gabriel, Petit Trianon, fasada od ogrodu, Wersal

28. Claude Michel zwany Clodion, Leżąca dziewczyna

29. Pierre-Paul Prud'hon, Akt kobiecy, rysunek kredką

30. Jacques-Ange Gabriel,
Place de la Concorde
w Paryżu, wg ryciny

31. Etienne-Maurice Falconet,
Pomnik Piotra I, Leningrad

32. Jacques-Louis David, Handlarka warzyw

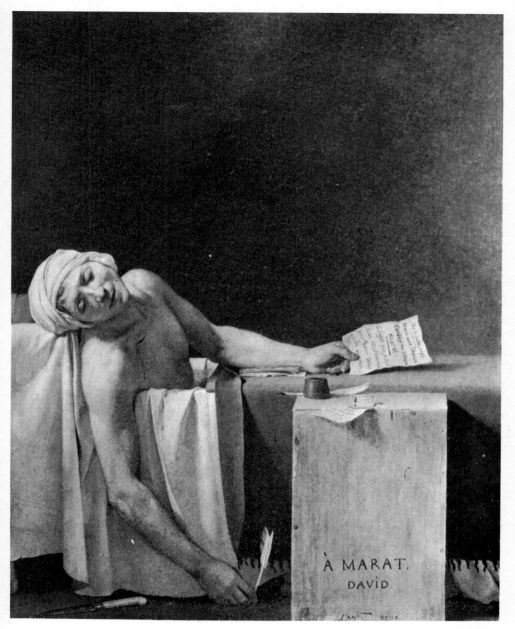

33. Jacques-Louis David, Śmierć Marata

34. Jacques-Louis David, Sabinki, fragment

35. Pierre-Paul Prud'hon, Dafnis i Chloe, rysunek

36. Claude-Nicolas Ledoux, Odwach; tzw. Rotonde de la Villette, Paryż

37. Jean-François Chalgrin, Jean-Armand Raymond, Łuk Triumfalny, Paryż

38. Karl Friedrich Schinkel, Nowy Odwach, Berlin

39. Sekretera w stylu Ludwika XVI

40. Komoda, początek XIX w.

41. Jean-Auguste-Dominique Ingres, Portret Paganiniego, rysunek

42. Jean-Auguste-Dominique Ingres, Portret Madame Devauçay

43. Michał Kozłowski, Wartownik Aleksandra

44. Andriej Woronichin, Instytut Górniczy, Leningrad

45. Aleksy Wenecjanow, Na polu. Wiosna

46. Andrejan Zacharow, Admiralicja, Leningrad

47. Johann Heinrich Dannecker, Autoportret

48. Okrągła świątyńka, park w Nymphenburgu, Monachium

niewiele uwagi, najbardziej zajmował go człowiek. Postacie z portretów Davida cechuje niemal chłodna rezerwa i tym różnią się od ówczesnych wizerunków angielskich, w których wyczuwa się pierwiastek emocjonalny. David nie posługiwał się nigdy niedomówieniem ani sprzecznością — nie stosował też miękkich, pośrednich odcieni ani półtonów. Wygląd postaci jest zawsze zgodny z ich charakterem i pozycją społeczną. Światła i cienie rozkłada artysta zawsze równomiernie; kompozycja obrazów jest zazwyczaj czytelna, niekiedy nawet surowa, o pionach zaznaczonych dobitniej niż na jakichkolwiek dotychczas malowanych portretach.

Twórczość Davida odpowiada nowemu, zrodzonemu w burzliwych latach rewolucji pojęciu o ludzkiej godności. Do najlepszych jego realizacji należą te prace, w których artysta, nie ulegając presji poglądów tradycyjnych, przemawia do nas bezpośrednio swoim temperamentem i świeżością malarskiej wypowiedzi.

Autoportret Davida (1794, Luwr) ukazuje kędzierzawego młodzieńca, z którego twarzy daje się odczytać zarówno werterowski niepokój, jak i śmiałe wyzwanie losu. Madame Sériziat (1795), z bukietem polnych kwiatów w ręku i córką u boku, promieniuje młodością i kwitnącym zdrowiem. Wizerunek Madame Chalgrin ukazuje rezerwę wielkiej damy, a eks-ksiądz Sièyes w czarnym surducie prezentuje zamkniętą twarz wytrawnego polityka. Na portrecie konsula Bonapartego z bladej twarzy, spojrzenia głęboko osadzonych oczu i dumnego uniesienia głowy wyziera głód władzy, jaki już wówczas trawił przyszłego cesarza.

Wśród najwybitniejszych dzieł Davida oddających ducha rewolucji wymienimy podobiznę przekupki warzyw oraz *Śmierć Marata*. Portret handlarki odznacza się IV, 32 przede wszystkim realistycznym odtworzeniem rysów twarzy i postawy prostej kobiety, bez śladu osiemnastowiecznej konwencji. Oblicze to, ze wszystkimi zmarszczkami na czole, z półotwartymi ustami i przenikliwym spojrzeniem, przypomina siłą wyrazu dzieła szkoły Caravaggia. Z tą samą tradycją spokrewniony jest ów obraz przez energiczny modelunek i dominantę ziemistobrązowej tonacji. Nowatorskie jest wyznanie wiary klasy rewolucyjnej, jakie David zdołał zawrzeć w spojrzeniu kobiety i jej złożonych rękach.

W *Śmierci Marata* ukazał David krwawiącego w wannie przyjaciela ludu: przed IV, 33 chwilą Charlotte Corday zadała mu śmiertelny cios nożem. Charakterystyka modela i historyczna ścisłość stapiają się z głębokim wyczuciem tragedii — David odnalazł tu obywatelski patos, do którego nawoływali już Diderot i Encyklopedyści. Także i to dzieło stanowi odbicie epoki walk rewolucyjnych.

Oczywiście motyw cierpienia i śmierci podejmowany już był wcześniej wielokrotnie. Michał Anioł przedstawił w *Niewolnikach* moment zgonu, Tycjan w *Cierniem koronowaniu* wyraził dramat przejmujący współczuciem. Później temat śmierci ukazywany był na nagrobkach, a Poussin przedstawiał go w swoich obrazach historycznych. Tak więc stoicka postawa umierającego bohatera sięga dawniejszych tradycji. Lecz u Davida pierwiastek tragiczny osiąga wyraz szczególnego napięcia. Nie łagodzi go ani wiara w nagrodę z tamtego świata, ani wzniosłość bohatera i jego czynu. U Davida śmierć jest wydarzeniem nieodwołalnym, bohater — to trup stygnący przed grobową otchłanią. Reliefowe potraktowanie obrazu (później często stawiano ten zarzut klasycystom) jest w tym wypadku usprawiedliwione, gdyż nie chodzi o wydarzenie pospolite, lecz

por. III, 39
por. III, 57

por. s. 46

o uwiecznienie sławnej postaci. Zwięzła surowość kompozycji, przekształcenie bloku w płytę nagrobną, zimne światło i zielonkawy koloryt, wreszcie szorstka i męska proza obrazu — wszystko to spokrewnia go ze stylem architektury Ledoux. *Horacjuszami* David zapowiadał nadchodzącą z groźnym pomrukiem rewolucyjną burzę, w *Maracie* panuje spokój i głęboka żałoba tych, co pozostali przy życiu.

Rewolucja 1789 roku wywołała w artystycznym życiu Francji wielkie poruszenie, a niektórzy twórcy usłyszeli w niej wezwanie do zerwania z wszelkim kanonem. W Paryżu pod wodzą niejakiego Maurice Quaï powstała grupa prymitywistów, którzy wyśmiewali umiarkowanie Davida, przezywając szyderczo jego środki wypowiedzi stylem „Pompadour". Artyści ci odrzucali renesans i domagali się powrotu do sztuki monumentalnej. Romantycy mieli później podjąć ich idee, oni sami jednak nie stworzyli w sztuce niczego wartościowego.

W latach rewolucji obok Davida pojawił się Pierre Prud'hon (1758—1823), reprezentujący inny aspekt nowych ideałów artystycznych. Choć mniej od Davida aktywny w życiu publicznym i mniej wszechstronny z artystycznego punktu widzenia, nie ustępuje Davidowi zwartością i dynamiką niektórych prac.

Prud'hon malował wielkie obrazy na tak w owych czasach modne tematy alegoryczne i mitologiczne, lecz nie zawsze ujmował je w odpowiednią formę artystyczną. *Porwanie Psyche* (Luwr) jest jego pracą najbardziej znaną, lecz z racji niedbałego wykonania nie może uchodzić również za najlepszą. Największy talent przejawił w portretach i rysunkach.

Podobnie jak Davida przepełniało i jego dążenie do „ideału piękna", lecz w przeciwieństwie do nieco oschłego racjonalizmu Davida przede wszystkim obchodziły go ludzkie namiętności. Upodobanie do światłocienia łączy go z Leonardem i Correggiem, z drugiej zaś strony czyni zeń prekursora Géricaulta i Delacroix.

IV, 29

por. I, 140

Zwykłym studium z natury jest rysunek aktu kobiecego, bynajmniej nie związany z jakimkolwiek tematem literackim czy mitologicznym, lecz plastyczne ujęcie nadaje mu pełnię uroku, a kredką i ołówkiem odtworzone światła i cienie użyczają temu ciału podobieństwa do antycznego marmuru. „Ideał piękna" swej epoki zdołał Prud'hon w tym rysunku wyrazić nader szczęśliwie. W porównaniu z Clodionem — uczynił jeszcze jeden krok dalej w kierunku klasyki.

Ilustracje Prud'hona do opowieści „Paul et Virginie" Jacques-Henri Bernardin de Saint-Pierre'a przenika rzadko spotykana namiętność. Wokół *Wirginii opłakującej śmierć Pawła* szaleje morze, chmury rozdzierane są przez błyskawice, wicher szarpie szatę dziewczyny, lecz młode jej ciało stawia opór żywiołom.

IV, 35

Nawet w chwili rozpaczy, nawet na skraju śmierci triumfuje piękno.

W rysunkach do *Dafnis i Chloe* wydobywał Prud'hon efekty plastyczne kreską szczególnie swobodną i lekką. Postaci młodych kochanków przenika zmysłowa radość, lecz także powaga i energia przedstawicieli nowej epoki.

Pod koniec XVIII wieku te same zainteresowania co Francję nurtowały, mimo granic, całą Europę. Zrozumiałe więc, że i sztuka francuska wszędzie cieszyła się uznaniem. Z drugiej strony takie dzieła jak na przykład „Zbójcy" Schillera znajdowały we Francji szeroki odzew. Muzyka Beethovena, zwłaszcza „Eroica", „III symfonia" (1804) i „Fidelio", z iście rewolucyjną namiętnością sławiła wolność i walkę z przemocą. Wszystkie monarchie europejskie występowały przeciwko wpływom rewolucji francuskiej, które jednak przenikały wszędzie i przejawiały się w najrozmaitszy sposób.

Niemiecki rzeźbiarz Dannecker (1758—1841), ulubieniec Schillera, odbył studia we Francji; w autoportrecie nadał sobie podobieństwo do starego republikanina Brutusa: twarz wyraża siłę i gotowość do czynu, nieco dumne spojrzenie jest pełne wiary; wyrazu tego nic nie łagodzi, choć nie jest też przesadny. Z całej postaci, a także ze spływających fałd płaszcza emanuje spokój i użycza temu portretowi tak wielkiej zwartości, jakiej następne pokolenia romantyków nigdy już nie osiągną. IV,47

Idee 1789 roku przez długi jeszcze czas po rewolucji zapładniały twórczość artystyczną. Rozwój sztuki przebiegał także pod wpływem przewrotu Thermidora, powołania Dyrektoriatu i Konsulatu. Konwent zastąpił Akademię Królewską, ów twór absolutyzmu, stowarzyszeniem, które miało na celu ,,postęp w dziedzinie nauki i sztuki''. Lecz w 1803 roku Akademia, powołana znów do życia i zreorganizowana, została połączona z Institut de France. Wprawdzie kierownictwo nowej Akademii objął David, lecz twórczość tego artysty stopniowo ulegała przekształceniom i wypaczeniom. Portret Napoleona na koniu (1800) nosi już pierwsze ślady fałszywego patosu: płaszcz bohatera powiewa na wietrze, a koń ma cugle energicznie ściągnięte, lecz cały obraz jest zastygły, statyczny, różniąc się wyrazem zupełnie od *Miedzianego jeźdźca* Falconeta.

Omawiany przełom szczególnie dobitnie zaznaczył się niezwykle wielkimi kompozycjami, które zyskiwały coraz większe uznanie. Temat obrazu *Sabinki* zaczerpnął David z dziejów Rzymu, podobnie jak *Przysięgę Horacjuszów*. Tu jednak rzucone zostało wezwanie do zaniechania przelewu krwi. Jeden z wojowników zamierza się włócznią na innego, pomiędzy nich rzuciła się Sabinka, by wzbudzić litość i powstrzymać przeciwników. W postawie rozpościerającej ramiona kobiety i szeroko stąpającego wojownika czujemy jeszcze wielkość patosu. *Sabinki* to jedno z ostatnich, zachodnioeuropejskich arcydzieł, wyrażających, podobnie jak w czasach antycznych, życiową walkę w otwartym pojedynku dwóch ludzi. Namiętność *Horacjuszów* zastępuje tu jednak czysto już racjonalistyczna równowaga ustawionych szeregami grup. Odrzucenie albo przynajmniej osłabienie prawdziwego zaangażowania przysłonić miała archeologiczna ścisłość w odtwarzaniu broni, szat i ozdób: obraz jest tak ,,wylizany'' i oschły w wykonaniu, że skłoni to później Aleksandra Iwanowa do zaatakowania ,,gipsowego'' stylu Davida. IV, 34 por. I, 136, 137

Po zaprowadzeniu we Francji dyktatury militarnej został David nadwornym malarzem Napoleona. Los całej sztuki francuskiej stał się teraz zależny od nowego ustroju politycznego. Napoleon sam zajmował się zagadnieniami twórczości artystycznej. Uważał się za znawcę piękna, po trochu nawet za poetę, i w dziełach sztuki widział przede wszystkim środek do wysławiania jego własnej osoby, jego wojennych sukcesów i władzy. Z okazji budowy świątyni Zwycięstwa oświadczono otwarcie, że ma ona ,,pewien związek z polityką i dlatego musi być szczególnie szybko zakończona''. We Francji powtórzyły się niejako czasy Ludwika XIV, czasy ścisłej normalizacji gustów i opieki państwa nad artystami. Zręczni urzędnicy, których pieczy powierzono te kwestie, zapewniali cesarza, że ,,po dziesięciu latach będzie już mógł oczekiwać pojawienia się arcydzieł". Skwapliwość oficjalnych protektorów nowego stylu, brak wszelkich u nich wątpliwości — wywarły niekorzystny wpływ na francuską sztukę.

Wojskowa dyktatura Napoleona, która samozwańczo proklamowała się strażnikiem zdobyczy rewolucji, oparła nowy styl „empire" na podstawach klasycznych, tłumaczonych jednak obecnie na inny sposób. Umiłowany „ideał piękna" i harmonii przygłuszają obecnie swym hukiem zwycięskie armaty i światowa sława cesarza. Sztuka nie budzi już ducha wolności, jak dawniej marzyło się Winckelmannowi. Staje przed nią teraz zadanie opanowania ludzkiej świadomości nieco ociężałym majestatem. Promotorzy empire'u domagali się prostoty ogołoconych ścian i nawet mistrzów XVIII wieku ganili za niepotrzebny przepych, chcąc jednak uniknąć wrażenia ubóstwa, sami wprowadzali liczne ozdoby, pokrywając ściany mnóstwem motywów dekoracyjnych, które nadawały budowlom charakter niezdarnego luksusu. Nawet w prozie Chateaubrianda znajdujemy wyraz owych upodobań w przeładowaniu opisów wzniosłym wielosłowiem i w nadmiernym stosowaniu przymiotników.

Wielu swoich zamierzeń Napoleon nie zdołał doprowadzić do końca, planował jednak najdalej idące zmiany w zachodniej części Paryża; Chalgrin zdążył tam jedynie zbudować Łuk Triumfalny na Place de l'Etoile, zamykający perspektywę Champs Elysées, stojący u zbiegu promienistych ulic. Arc de Triomphe miał być pomnikiem wojennej sławy dyktatora. Wzniesiony dokładnie w środku skrzyżowania, hamował miejski ruch i przytłaczał swoim ogromem cały plac. Dopiero później wprowadzono szeroki, kolisty objazd i ułatwiono tym komunikację wokół Łuku. Przerasta on wielkością siedemnastowieczny łuk Saint-Denis Blondela, a przez wysokość attyki wydaje się też odeń cięższy, chociaż ornamenty na jego gzymsie są drobne, nieorganiczne i opracowane pedantyczniej.

Empirowe gmachy publiczne w Paryżu, jak teatr Odéon budowany przez Chalgrina i de Wailly oraz Giełda wzniesiona przez Brogniarta, wzorowano na układzie peripteralnym. Kościół La Madeleine, którego twórcą był Vignon, jest naśladownictwem rzymskiej świątyni. Na pierwszy rzut oka można by przypuszczać, że architektura europejska teraz dopiero, po czterech wiekach prób, zdołała całkowicie zbliżyć się do antyku, lecz archeologiczna uczoność artystów stosujących dorycki porządek kolumnowy nie świadczy jeszcze decydująco o ich znajomości dziedzictwa starożytnego. Ustawiane przy ulicach współczesnego miasta i niezbyt z nimi związane, peripterosy te sprawiają wrażenie martwych eksponatów muzealnych. Zapotrzebowanie na wielkie pomieszczenia dyktowało odejście od wzorów klasycznych w kierunku powiększenia masywu budowli. Ich wygląd zewnętrzny traci przez to lekkość, a wnętrza są przytłaczające, ciemne i zarazem niewygodne.

Styl empire upowszechnił się w całej Europie, uprawiali go artyści z różnych krajów. W dziedzinie rzeźby z początkiem XIX wieku klasycyzm reprezentowany jest przez utalentowanego, lecz chłodnego Włocha Canovę, bardziej odeń miękkiego, niemal sentymentalnego Duńczyka Thorwaldsena, który działał w Rzymie, oraz przez Niemca, Gottfrieda Schadowa, którego prace o surowej, klasycystycznej formie ożywia tchnienie niemieckiej uczuciowości, szczególnie widoczne w grobowcu hrabiego von der Mark.

IV, 37

Najwybitniejszym klasycystycznym architektem był w Niemczech Karl Friedrich Schinkel (1781—1841). Jego Nowy Odwach w Berlinie odznacza się iście spartańskim charakterem. Z zapożyczonym od Ledoux kształtem sześcianu łączą się dorycki portyk i pylony. Portyk tłumaczy się tu w pełni, ponieważ chodzi o budynek wartowniczy, z którego żołnierze szybko muszą wychodzić. Wymodelowany jednak zbyt dokładnie i schematycznie według starożytnego wzoru, portyk ten schodzi do rzędu dekoracji niezupełnie związanej z resztą budowli. W tej pracy Schinkla uderza nas raczej historyczne wykształcenie architekta niż twórcza siła artysty.

IV, 38

Lustro cesarzowej Józefiny, pocz. XIX w. Zbiory prywatne

Zgodnie ze zmianami, jakie pojawiły się w architekturze, także i sztuka użytkowa przekształca się całkowicie. Wiele uwagi poświęca się dekoracji wnętrz. Z artystami współpracują liczni rzemieślnicy, którzy zachowali jeszcze techniczne umiejętności rozwinięte w XVIII wieku. Stopniowo zatraca się jednak przekonanie o konieczności artystycznej jedności wnętrza. Komnaty Napoleona w Malmaison, w Fontainebleau czy Grand Trianon to zimne, nieprzytulne sale z wystawionymi na pokaz cennymi przedmiotami, masywnymi fotelami, tronami pod osłoną ciężkich baldachimów i do tychże tronów podobnymi łożami. Wprawdzie dążenie do idealnych proporcji wywierało początkowo pozytywny wpływ na ówczesne rzemiosło artystyczne, jednak cel, któremu służyć miały poszczególne przedmioty, niezbyt wyraźnie przejawiał się w ich formach.

Komoda w stylu empire odznacza się ścisłą, geometryczną regularnością kształtów. W prostocie swej forma ta jest zasadniczo piękna i szlachetna. Dzięki użyciu okładziny mahoniowej powierzchnia drewna rysuje się tu wyraźnie, a jasne, brązowe okucia odcinają się ostro od ciemnego tła. Lecz w porównaniu z meblami z XVIII wieku meble empirowe, z racji słabo rozczłonkowanych płaszczyzn, wydają się ociężałe, żeby nie rzec niezdarne. Po kampanii wojennej Napoleona do Egiptu zaczęto w oparciu o tamtejszą starą architekturę ze szczególną pieczołowitością opracowywać powierzchnię mebli, zapożyczano też z Egiptu różne emblematy, takie jak uskrzydlone gryfy i sfinksy. Wszędzie widnieje tu duch naśladownictwa: skrzydła gryfów są na przykład za duże w stosunku do ciała zwierzęcia. Wiele też z tych przejętych motywów świadczy raczej o wiedzy archeologicznej niż o prawdziwym zrozumieniu zasad stylu. Ulubione elementy zdobnicze to zbroje, trofea, pęki strzał i rzymskie orły z wieńcami. Meble angielskie ozdabia się w ,,stylu Nelsona'' kotwicami. W związku z tą stylizacją Gogol słusznie zauważył, że nowa architektura usiłuje ,,wszystko zamienić w zabawkę i pomniejszyć''.

Zmiana stylu dotyczyła również ubioru. Z krynolin zrezygnowano już od dawna,

IV, 40

por. IV, 39

s. 54

Strój kobiecy
z 1814 r.

odstąpiono też od wspaniałych toalet, w jakich w okresie Dyrektoriatu występowały damy i kawalerowie zwani „incroyables". Mężczyźni zaczęli pokazywać się w miejscach publicznych w zwykłych, czarnych frakach, jakie w XVIII wieku noszono jedynie do konnej jazdy. Kobiety nosiły białe tuniki z podniesioną talią, lecz w przeciwieństwie do tunik ze schyłku XVIII wieku, odznaczających się naturalnie opadającymi fałdami, suknia empirowa zdaje się przypominać geometryczny cylinder albo futerał. Niebawem pojawi się znowu potrzeba ozdabiania dolnej części sukni falbankami i wstążkami, wejdą też w modę tkaniny barwne i w paski, wszystko to doprowadzi do zatarcia klasycznych linii stroju.

Początek wyrodnienia klasycyzmu obserwujemy we Francji już za czasów Napoleona. Cesarz zaprowadził na dworze ścisłą etykietę w duchu dawnej monarchii, a wraz z nią powrócił ówczesny luksus i minoderia, tak obce duchowi i samej istocie klasycznej starożytności. Canova — konsekwentny klasyk — przedstawił cesarza bez szat, jako starożytnego bohatera, półnagą wyrzeźbił również siostrę Napoleona, Paulinę Borghese, w roli Wenery. Sam natomiast Napoleon pragnął, by jego portrety miały charakter reprezentacyjny, luksusowy i wspaniały, a to z kolei sprzeczne było z klasyczną naturalnością. Percier i Fontaine w swych projektach wyposażenia wnętrz pałacowych narzucali wszędzie bogactwo i przepych, niwecząc surową prostotę i trzeźwość, postulowane w swoim czasie przez Ledoux i architektów epoki rewolucji. Ściany wnętrz Perciera i Fontaine'a są wprawdzie ściśle określone pilastrami i gzymsami, lecz pokrywa je całkowicie gęsta siatka najrozmaitszych ozdób i ornamentów. Oznaczało to najwyraźniej powrót do gustów XVIII wieku, tyle tylko, że na miejscu rocaille i motywu roślinnego pojawiają się rzymskie emblematy, medaliony, girlandy, rozetki, wazy i kandelabry.

Wypaczenie stylu musiało wywrzeć swój wpływ również i na malarstwo. W pracach ulubionego ucznia Davida, Gérarda — nadwornego malarza rodziny Bonapartych, a potem Bourbonów — dominuje światowa przymilność. Na portrecie Madame Récamier (Paryż, Petit Palais) surową prostotę Davida zastąpił zmysłowy wdzięk. Artysta ów wiele uwagi poświęcał wykończeniu obrazów i miał tendencję do prześladzania. David stwierdził w 1808 roku: „Kierunek, który wniosłem do sztuki, jest surowy, zbyt surowy, aby mógł długo podobać się Francji". Prekursorami owej miękkiej zniewieściałości w malarstwie byli: Girodet, Guérin, Regnault i szereg innych artystów.

Wśród następców Davida osobne miejsce zajmuje Jean-Auguste-Dominique Ingres (1780—1867). Wykształcony w szkole Davida, jako młodzieniec pojechał do Rzymu i długo pracował w tamtejszej Akademii, a w końcu sam nią kierował. Wiele środowiskowych uprzedzeń wywarło niekorzystny wpływ na jego twórczość. Marząc o powszechnym uznaniu i sławie, wbrew naturalnym swym uzdolnieniom malował sztuczne i ciężkie kompozycje historyczne. A mimo to przez całe życie pozostał Ingres szlachetnym obrońcą „ideału piękna", który budził niegdyś entuzjazm całych pokoleń z epoki rewolucji. „Bo cóż innego w tych barbarzyńskich czasach czynić może artysta, który wierzy jeszcze w Greków i Rzymian" — zwierzył się jednemu ze swych przyjaciół.

Uwielbienie dla klasycznego ideału zrobiło z Ingres'a fanatyka, który nie chciał zrozumieć nowych kierunków w sztuce. Bożyszczem jego był Rafael; widział w nim same tylko zalety: piękno, harmonię i związaną z nią czystość obyczajów. W pięknie poszukiwał prawdy i namiętnie walczył o formę artystyczną. „Forma, forma jest wszystkim. A mieści się ona nawet w prostym zaproszeniu na obiad, które zbyt często — jak przyznał pewien dyplomata — nader trudno napisać". Bronił tradycji, lecz jego opowiedzenie się za starożytnością i głębokie zrozumienie klasyki musiały w tych czasach brzmieć śmiało i nowatorsko. Studiowanie dawnych mistrzów i zaangażowanie w zagadnienia formy nie przeszkadzały mu bynajmniej we wnikliwej obserwacji natury. Żądał, aby artysta nie był niewolnikiem natury, lecz aby nad nią panował. W pracach Ingres'a nie znajdujemy jednak owej siły, męskości i energii, jaka przenika dzieła jego nauczyciela, Davida; zatracił też wiele z demokratycznego i plebejskiego charakteru, widocznego w licznych pracach mistrza. Ingres był przy tym jednak twórcą niestrudzonym i stawiał samemu sobie niezwykle wysokie wymagania, a choć zawsze kierował się czujną samowiedzą, zdołał także zachować świeżość artystycznej inspiracji.

Ingres uważał siebie za malarza historycznego i czuł się obrażony, gdy jego zleceniodawcy pytali o Ingres'a portrecistę. Niemniej w całej jego spuściźnie najlepsze są jednak właśnie portrety. Pozowali mu często ci sami ludzie, których już był malował David — lecz młody Ingres patrzył na nich jako przedstawiciel innego już pokolenia i dostrzegał takie rysy ich charakterów, jakich jego nauczyciel uchwycić nie mógł. Wśród modeli Ingres'a nie spotkamy jednak ludzi aktywnych i pełnych silnej woli, jaką odznaczali się uczestnicy i świadkowie rewolucji. Ingres śledził w twarzach swoich współczesnych pierwsze rysy znużenia, rozczarowania i przesytu, tak świetnie później opisane przez Stendhala.

Malował portrety ludzi młodych (malarza Graneta, rzeźbiarza Cortota i innych), a także własne (1804, Chantilly). Nie ma już w nich takiego zaangażowania, co w pracach młodego Davida. Wydają się powściągliwe, pełne też sprzecznych uczuć. Ludzie ci, ponieważ utracili wiarę i ufność w człowieka, nauczyli się milczeć i nie ujawniać swoich marzeń. Uważnie obserwują świat, przywiązani są do życia, lubią ubierać się nieco szokująco, umieją zachowywać się godnie i za wszelką cenę pragną zdobyć sukces. W portrecie Bertina z późniejszego okresu (1832, Luwr) wyzywająca postawa potężnego ciała doskonale uzmysławia zarozumialstwo człowieka interesów. Wszakże cudowną siłą pędzla Ingres przekształcił wulgarność swego modela w prawdziwie wspaniałe dzieło sztuki.

Ingres wcześnie stworzył uroczy typ portretu kobiecego, który potem przez wiele lat powtarzał. Do takich prac należą wizerunki *Madame Rivière* (1805), „*Pięknej Zelii*" (1806) i *Madame de Senonnes* (1814). Przede wszystkim godny jest uwagi portret *Madame Devauçay*. Kobiety z tych obrazów są znacznie delikatniejsze od modelek Davida czy Prud'hona. Spoczywają na kozetkach zatopione w stosach poduszek, zazwyczaj owinięte kosztownym kaszmirowym szalem, i noszą wiele biżuterii. Umieją jednak zachowywać się z godnością, są świadome siebie, energiczne, nasuwają porównanie nie tyle z renesansowym, ile z manierystycznym

IV, 42

portretem kobiecym. Mimo niezwykle dokładnego odtwarzania stroju i akcesoriów Ingres nigdy nie odrywa widza od ludzkiej postaci. W najlepszych swych portretach potrafił obdarzyć te wydelikacone, światowe damy rysami bohaterek klasycznych.

W portretach wykazał Ingres wybitne zdolności malarskie: nie było przed nim artysty, który by w ten właśnie sposób umiał podporządkować wszystkie elementy obrazu jednej podstawowej myśli. Stąd wywodzi się też dynamiczność jego formy artystycznej. Mocną stroną portretów Ingres'a jest przede wszystkim kompozycja. W samym środku obrazu akcentuje zazwyczaj spojrzenie modela, strój natomiast kształtuje swobodniej i bardziej miękko. Delikatna skóra Madame Devauçay, czarny aksamit jej sukni, czerwone obicia mebli i złocisty połysk jedwabnego szala namalowane są znakomicie. Poprzez szal można rozpoznać kształt ramienia, kształty ciała wydają się wymodelowane, a jednocześnie wszystko łączy rytm linii. Nawet półokrągły zarys fotela związany jest z owym linearnym ornamentem. ,,Linie postaci ludzkiej często się przerywają — pisał artysta — aby na nowo móc łączyć się i splatać, niczym witki, z których powstaje koszyk.''

Obrazy Ingres'a wykonane są starannie. Na gotowej już pracy nie mógł znieść śladów ruchu, pociągnięcia czy ucisku pędzla. Forma i linia miały dla jego malarstwa znaczenie decydujące. Ponieważ w zasadzie nie był kolorystą, odtwarzał przede wszystkim lokalne barwy przedmiotów, lecz umiał je odpowiednio wzajemnie harmonizować.

Ołówkowe portrety Ingres'a odznaczają się niezwykłą precyzją, przewyższając nawet prace rysowników z XVI wieku. Za pomocą najoszczędniejszych środków artysta przekazuje w nich mnóstwo wrażeń. Centrum całego rysunku stanowi zazwyczaj subtelnie wymodelowana twarz. Na portrecie Paganiniego już niewielka zmarszczka u wąskich, zaciśniętych ust wyraża całe wewnętrzne napięcie znakomitego wirtuoza. Postać i strój zostały ledwo zaznaczone szerokimi kreskami. Wykonane ołówkiem portrety kobiece Ingres'a wydają się szczególnie uduchowione dzięki pajęczo cienkiej siatce linii.

IV, 41

Ingres przez całe swoje życie realizował wielkie malowidła o treści historycznej lub mitologicznej. Prezentacja ich na paryskich wystawach stanowiła za każdym razem wielkie wydarzenie. Najbardziej znane z tych prac to *Śluby Ludwika XIII* (1824), *Apoteoza Homera* (1827) i *Męczeństwo św. Symforiana* (1834). Kompozycje to przeważnie sztuczne, zimne, ich patos jest fałszywy, głoszą autorytet władzy, poszanowanie tradycji oraz konieczność poddania się losowi. Ingres, który doskonale podporządkowywał jedną postać modela całości obrazu, z trudem radził sobie z dużymi kompozycjami wielofigurowymi. Ścisłość i rzeczowość jego warsztatu, tak korzystna dla portretu, przeszkadzała mu w tych większych pracach.

Natomiast nie znajdzie sobie Ingres równego w szkicach przygotowawczych. Potrafił jedną jedyną, znalezioną po długich poszukiwaniach cieniutką linią odtworzyć miękką giętkość nagiego ciała, uwydatnić całą jego bryłę. Wskutek doskonałego rysunku kobiece jego akty (a także obrazy: *Odaliska*, 1814 i późniejsze *Źródło*, 1856) różnią się swą niewinnością od podobnych prac osiemnastowiecznych, owianych tchnieniem zmysłowej kokieterii.

W długim swym życiu był Ingres świadkiem powstawania i zanikania we Francji wielu różnych prądów artystycznych. Oczywiście sam ulegał ich wpływom, lecz na zawsze pozostał zapalonym obrońcą stylu klasycznego i był jego ostatnim wybitnym przedstawicielem.

Ówcześni zwolennicy klasycyzmu sądzili, że zjednoczył on artystyczny smak całej Europy i w tym przejawiała się tendencja do uznania grecko-rzymskiej tradycji za powszechnie obowiązującą. Jednakże w każdym kraju europejskim sztuka rozwijała się w odmienny sposób.

Z początkiem XIX wieku zaproszono do Rosji wybitnych architektów Zachodu, natomiast budowniczowie rosyjscy studiowali w Paryżu i w Rzymie. Mniemanie, iż Rosja ówczesna była prowincją zachodniego klasycyzmu, byłoby jednak niesłuszne. Architekci rosyjscy mieli własnych prekursorów w osobach Bażenowa i jego współczesnych. Opierali się też na starych tradycjach sztuki rosyjskiej, ściśle związanych z Grecją. Ponadto mieli własne problemy do rozwiązania. W Rosji chodziło przede wszystkim o projektowanie całych miast, a nie tylko poszczególnych budowli, jakie zlecano przeważnie architektom zachodnim. Nowe i złożone zadania wymagały nowych rozwiązań — w tym też właśnie szczególnie wyraźnie przejawia się specyfika architektury Rosji.

Andriej Woronichin (1759—1814) wzniósł w Leningradzie sobór Kazański (1800—1811), który uważa się zazwyczaj za replikę bazyliki Św. Piotra w Rzymie. Lecz półokrągła kolumnada Woronichina nie zamyka kopułowej budowli, przeciwnie, łączy ją z szerokim Newskim Prospektem, świadcząc o nowoczesnym potraktowaniu zabudowy miasta. Fasadę Instytutu Górniczego zdobi, podobnie jak Nowy Odwach Schinkla, dorycki przedsionek. Nie jest on jednak sztucznie włączonym do nowej zabudowy naśladownictwem Bazyliki w Paestum, ponieważ szerokim cokołem wiąże się nierozdzielnie z rozległym wybrzeżem Newy. Organiczne, zespalające działanie budowli jest tu uderzające, tym bardziej że architekt, chcąc utwierdzić ją w panoramie całego miasta, zwiększył liczbę kolumn fasady do dwunastu. IV, 44

Gmach Admiralicji stanowił dla Andrejana Zacharowa (1761—1811) trudne zadanie: fasada ciągnie się niemal na pół kilometra, niczym mury któregoś ze staroruskich klasztorów. Również i ten budynek uzyskał pełny dynamizm dzięki ścisłemu połączeniu z wybrzeżem Newy. Wieża środkowa wznosi się w punkcie skrzyżowania trzech prospektów; iglica jej, złocona jak kopuły w cerkwiach ruskich, pełni rolę latarni morskiej i szeregiem kolumn zrasta się z ciężką dolną partią budowli. Gładkość ścian i stopniowe ku górze wysmuklanie kształtów architektonicznych wywodzą się ze starych ruskich tradycji. Śladami Zacharowa szli jego następcy, Stasow i Rossi, którzy wprawdzie obciążali bryłę architektoniczną wspaniałymi ozdobami, lecz dostosowywali porządek klasyczny do typu nowoczesnej zabudowy. Ani w zachodniej Europie, ani w Ameryce nie znano wówczas owej zasady organicznej kompozycji. Architektura klasycystyczna rozpowszechniła się wówczas w całej Rosji i nadała określony charakter urbanistycznemu obrazowi wielu tamtejszych miast prowincjonalnych. IV, 46

Aleksy Wenecjanow (1780—1847), pierwszy malarz rosyjski, który poświęcił się wyłącznie tematyce chłopskiej, również ściśle był związany z klasycyzmem, mimo iż trzymał się z dala od Akademii i był niemal artystą samoukiem. Nie pokazuje on, jak Jermieniew, krzyczącej nędzy wiejskiego ludu, zaś chłopów, a zwłaszcza chłopki, uznaje za ideał naturalnego piękna i moralnej czystości. Obraz jego IV, 45 *Na polu, Wiosna* ani dokładnie, ani realistycznie nie odtwarza pracy w polu. Widzimy kobietę w odświętnej sukni, której zajęcie nie kojarzy się z jarzmem roboty, lecz z przyjemnością spaceru, dziecko zaś symbolizuje tu wiosnę. Wenecjanow był przede wszystkim poetą. Omawiane dzieło przenika naiwny zachwyt i głębokie wyczucie przyrody, które spotykamy również w rosyjskich pieśniach ludowych. Tak pogodny, tak afirmujący życie nastrój cechuje też utwory Puszkina.

Sztukę schyłku XVIII i początku XIX wieku zwykło się określać pojęciem klasycyzmu, ponieważ opierała się w zasadzie na dziedzictwie starożytności.
Nader obrazowo wytłumaczył to zjawisko Marks, gdy stwierdził, że szermierze burżuazyjnego ustroju dlatego sięgnęli po ideał artystycznej formy do surowych tradycji republiki rzymskiej, aby iluzją tą ukryć mogli przed samymi sobą mieszczańskie ograniczenie treści swoich walk i aby zapał ich mógł się wznieść na wyżyny wielkiej tragedii historycznej.
Ujmując w ten sposób stosunek do starożytności zrozumiemy, dlaczego sens klasycyzmu ulegał tak głębokim przemianom na różnych etapach artystycznego rozwoju w XVIII i XIX stuleciu.
Starożytne pojęcie człowieka doskonałego, starożytna jasność artystycznej myśli i formy umożliwiały artystom wyrażanie wzniosłych pragnień owej burzliwej epoki rewolucji. Ideał ów początkowo wydawał się łatwy do osiągnięcia, dążono ku niemu namiętnie i wypełniano go żywą treścią. Potem zadaniem artystów stała się konfrontacja tego ideału z rzeczywistością, z konkretnymi ludźmi, żyjącymi bohaterami i bojownikami — a to już nastręczało sporo trudności. Wreszcie idea przekształciła się w martwą formułę, stała się piękną osłoną, całkiem już niemal pozbawioną duszy i prawdziwej treści.
Sztuka europejska od czasów renesansu niejednokrotnie zwracała się do antyku i w nim szukała bodźców. Zawsze też je tam znajdywała, niczym w wiecznie żywym źródle. Lecz ów powrót do starożytnej przeszłości krył w sobie także niebezpieczeństwa, prowadził bowiem często do kanonizacji niektórych określonych typów, do sztuczności i niwelacji artystycznych osiągnięć różnych narodów. Klasycyzm ze schyłku XVIII wieku był w Europie ostatnim wielkim ruchem tego rodzaju i w tym czasie najpełniej ujawniły się jego braki. Cały dalszy europejski rozwój artystyczny polegał na walce z akademickimi gniazdami klasycyzmu.
Już z całej swojej istoty klasycyzm musiał znaleźć szczególnie żywy wyraz w plastyce. Nie darmo Goethe czuł tak wielki pociąg do malarstwa i rzeźby i twierdził, że zrozumienie klasycznych form zawdzięcza w znacznej mierze sztukom pięknym. Lecz gdy ogarniemy spojrzeniem artystyczny dorobek tej epoki — niechybnie stwierdzimy, że przeciwnie niż w renesansie, kiedy rzeczywiście dominowała plastyka, na przełomie XVIII i XIX wieku czołowe miejsce zajmują poezja i muzyka. Osobowości tej miary co Goethe lub Beethoven ówczesna sztuka plastyczna jednak nie wydała. Najwybitniejsze zaś arcydzieła tego okresu to nie obrazy Davida ani budowle Schinkla — lecz „Faust" Goethego i symfonie Beethovena. Dziedzina plastyki musiała dopiero znaleźć nową formę artystycznego wyrazu, aby odzwierciedlić światopogląd ludzi nowej ery.

III. SZTUKA EPOKI ROMANTYZMU I POCZĄTKI REALIZMU

Gdybym miał skrzydła chmur,
Uleciałbym w dal.

z Shelleya

Niezależność zawsze była moim marzeniem,
Zależność — moim losem.

Alfred de Vigny

Rewolucja francuska 1789 roku spowodowała przełom w artystycznym rozwoju zachodniej Europy i stała się początkiem nowej epoki. Przewrót przemysłowy, jaki w Anglii dokonał się już w XVIII wieku, a nieco później we Francji, dał władzę mieszczaństwu. W państwach burżuazyjnych, które wiele swych urządzeń przejęły od monarchii absolutnej, mecenat nad sztuką i artystami dostosowano do potrzeb mieszczańskich. Sztukę oficjalną wspierały nowym autorytetem akademie, z których wychodziły pokolenia malarzy cieszących się powszechnym uznaniem i szacunkiem. We Francji, obok Akademii, wielkie znaczenie posiadały Salony, czyli wystawy w Luwrze, na które dopuszczano zazwyczaj tylko te obrazy, które odpowiadały kodeksowi „dobrego smaku". Organizowane w epoce kapitalizmu w stolicach państw europejskich wystawy światowe miały demonstrować nie tylko postępy w dziedzinie gospodarki i przemysłu, lecz także sukcesy na polu sztuki, jako że i sztukę nadzorował aparat państwowy. Oficjalna twórczość ze wszystkich sił przyczyniała się do zachowania przestarzałych już od dawna tradycji, dążyła do umacniania panującego ustroju burżuazyjnego, utrwalała banał i przesądy, odczuwając lęk wobec wszelkiego nowatorstwa i ledwie tolerując swobodę artysty.

Oczywiście twórczość oficjalna bynajmniej nie zadecydowała o obliczu sztuki dziewiętnastowiecznej. Przez cały wiek XIX rozwijała się ponadto sztuka postępowa, popychająca naprzód historię, dążąca do usunięcia społecznych nierówności i wyzwolenia człowieka. We Francji, gdzie już się ukształtowały formy życia politycznego i walk socjalnych, szczególne znaczenie uzyskują zrzeszenia artystów ściśle ze sobą powiązanych rodzajem twórczości, utwierdzające niezależność postaw artystów nie uznawanych. Mecenat istniał już i dawniej, natomiast ugrupowania twórcze stają się nową formą życia artystycznego. Nigdy też jeszcze indywidualny talent nie odgrywał tak wielkiej roli jak w XIX wieku. Nierzadko wielcy artyści byli samoukami, którzy samodzielnie dochodzili do wielkiego mistrzostwa i nie będąc tak mocno związani z tradycją, jak wielcy malarze epok wcześniejszych, w imię twórczej swobody niekiedy nawet negowali zasługi swoich poprzedników.

Wskutek tego w XIX wieku rozwój sztuki odbywa się skokami. Kierunki artystyczne zmieniają się obecnie w ciągu jednego dziesięciolecia częściej niż w okresie średniowiecza lub w starożytności przez całe stulecia. Oblicze sztuki uzyskuje przez to charakter niespokojny, nerwowy i dramatyczny. Wielu artystów usiłuje w swych realizacjach dokonać czegoś absolutnie nowego, stąd więcej w ówczesnej sztuce upartych poszukiwań i namiętnych polemik niż prawdziwej twórczości.

Stosunek do sztuki jest w XIX wieku pełen sprzeczności. Z jednej strony oczekuje się od niej bezpośrednich korzyści w bieżącym życiu, usiłując także wyzyskać ją w walkach społecznych i politycznych, równocześnie z drugiej strony próbuje się wyłączyć sztukę z życia, przeciwstawić materialnym ludzkim potrzebom. Hasło „l'art pour l'art" (sztuka dla sztuki) przybiera w XIX wieku na ostrości, składają mu daninę nawet tak znakomici malarze i poeci, jak Delacroix, Ingres, Heine, Gautier, Flaubert i Baudelaire.

Nauki ścisłe odnosiły w XIX wieku ogromne sukcesy: było to pokłosie wielowiekowego od czasów renesansu rozwoju kultury europejskiej. Aż po wiek XIX światopogląd naukowy i artystyczny były ze sobą ściśle związane. Goethe był chyba ostatnim człowiekiem, który usiłował w swej „Metamorfozie roślin" i „Nauce o barwach" ująć świat w kategoriach równocześnie artystycznych i naukowych.

W XIX wieku refleksja zaczęła dominować nad fantazją, z drugiej jednak strony siła wyobraźni, wyzwalając się spod kontroli rozumu, rozwijała się tak ogromnie, iż jednolite widzenie świata stało się niemożliwe. Już Hippolyte Taine opisał ów stan rzeczy w przekonujących słowach: „Spróbujcie, na przykład, wypowiedzieć wobec człowieka współczesnego słowo «drzewo» ... odłoży on to określenie do osobnej w swej głowie, odpowiednim napisem opatrzonej przegródki; otóż to właśnie dzisiaj nazywamy rozumieniem... A to samo «drzewo», słowo, usłyszane przez ludzi o zdrowym jeszcze i prostym umyśle, sprawi, iż ujrzą oni natychmiast całe drzewo, w pełni ruchliwych i połyskujących liści, z zarysem czarnych konarów na błękicie nieba i pniem sękatym o grubych słojach...". Brak owej bezpośredniej siły wyobraźni sprawił, że wiek XIX obfitował raczej w teoretyczne idee na temat problemów sztuki niż w pełne witalnej siły artystyczne utwory.

Malarze XIX wieku mogli się po części wyzwolić spod wpływu oficjalnego stylu, natomiast architekci byli całkowicie uzależnieni od swych zleceniodawców. Burżuazja domagała się raz oszczędności przy budowie domów mieszkalnych, to znów fałszywej reprezentacyjności i luksusu w publicznych gmachach — pałacach, kościołach, giełdach, budynkach parlamentu i teatrach. Wszystkie te budowle były wznoszone przez architektów szkolonych w Akademiach, a nawet najzdolniejsi z nich ulegali presji powszechnie panujących gustów.

W szczególnie niekorzystnych warunkach znalazło się w XIX wieku rzemiosło artystyczne. W czasach dawniejszych człowiek wykorzystywał całą swoją fantazję i inwencję przy wykonywaniu najprostszych przedmiotów codziennego użytku. Wraz z postępem techniki i rozwojem kapitalistycznej produkcji powstała możliwość ograniczenia się do mechanicznego kopiowania wzorów. Dawniej związki cechowe dbały o podtrzymanie tradycji artystycznej obróbki materiałów. Fabryczne wytwórstwo farb uwolniło obecnie malarzy od konieczności ucierania ich własnoręcznie, lecz równocześnie zapominano o technologicznych wymogach malarstwa. Dlatego też obrazy dziewiętnastowieczne zachowały się w stanie gorszym, niż prace stworzone przed setkami lat. Delacroix smutno zwraca się do farby na swoim obrazie: ,,Ziemią byłaś i w ziemię się obrócisz''.

Nawet w epoce rzymskich cezarów brak gustu nie był tak faworyzowany przez ludzi bogatych i stojących u władzy, jak w XIX wieku. Wprawdzie odkrycia archeologiczne rozszerzyły horyzonty ówczesnych artystów i ich fantazję, lecz właśnie pod tym wrażeniem wielu z nich uznało już własną twórczość za niepotrzebną. W dziedzinie sztuki użytkowej i zdobnictwa nie powstało w XIX wieku niemal nic nowego, poprzestawano całkowicie na zręcznym korzystaniu z obfitości wzorów klasycznych i tak zwanej architektury historycznej. Teki pełne szkiców i gipsowe odlewy uznano za podstawę twórczości artystycznej, a inspirację zastąpiono uczonością. Kombinowanie kilku stylów w jednym dziele prowadziło dość często do wręcz nieprawdopodobnego eklektyzmu. Kominom nadawano na przykład formę antycznych kolumn z kapitelami, drzewa przystrzygano na kształt salutujących żołnierzy. Wielce popularne wśród publiczności stają się w XIX wieku tak zwane diorama i panopticum, gabinet malowanych figur woskowych, których piersi — dla wzmocnienia iluzji — równomiernie wznosiły się i opadały. Zalew złego smaku przewyższył w wieku XIX wszystko, co zdarzało się dotychczas.

Niesłuszne wszelako byłoby niedocenianie artystycznych osiągnięć XIX wieku. Najlepsze umysły owej epoki doskonale pojmowały nowe zadania i szczerze pragnęły stworzyć wielką i prawdziwą sztukę. Wystarczy tu wymienić Delacroix, który przez całe życie marzył o monumentalnym malarstwie, Balzaka, twórcę współczesnej epopei, a także Wagnera i jego muzyczne dramaty. Tak świadomego stosunku do sztuki i jej zadań nie spotykaliśmy u artystów minionych stuleci, nawet w okresie renesansu. Z chwilą gdy świadomość ludzka przeniknęła w sferę twórczości artystycznej, wniosła weń światło wskazujące nowe jej drogi. Zadań sztuki nigdy jeszcze nie usiłowano sprecyzować tak wnikliwie. Rozwojowi teorii sztuki towarzyszyły badania historyczne. Archeologia święciła w XIX wieku wielkie sukcesy. Niezwykłe bogactwa, które przez wiele stuleci spoczywały pod ziemią lub ukryte były wśród zakurzonych zbiorów muzealnych, teraz oto w świetle nowoczesnej wiedzy o sztuce objawiły na nowo całe swoje różnorodne piękno. Nie była to, oczywiście, problematyka wyłącznie naukowa, lecz należała do całej domeny twórczości artystycznej.

Własne poszukiwania artystyczne XIX wieku dotyczyły kilku głównych wątków tematycznych, nad którymi pracowano bardzo pilnie. Rewolucja burżuazyjna nie zdołała wprawdzie usunąć nierówności i niesprawiedliwości społecznej, lecz ogłoszona w 1795 roku deklaracja, iż ,,Celem społeczeństwa jest dobro powszechne'', stworzyła w świadomości ludzkiej nowe kryteria oceny życia, jakich nie znały ani starożytne demokracje właścicieli niewolników, ani istniejące w okresie późnego średniowiecza komuny miejskie. Przeświadczenie, że ideał ten należy urzeczywistnić, opiewał Wiktor Hugo wzniosłymi słowami w programowym swoim wierszu ,,Plein ciel'', głoszącym prymat rozumu, wolności i wiary w promienną przyszłość ludzkości. Rzeczywistość co prawda nadal pozostawała trudna i brzydka. Marks twierdził, że produkcja kapitalistyczna jest wrogiem niektórych gałęzi produkcji duchowej, takich jak sztuka i poezja. Współcześni już zdawali sobie sprawę, że w burżuazyjnym dziewiętnastowiecznym społeczeństwie każdy starał się wykorzystywać innych i z innymi konkurować, panowała też okrutna bieda, co samo przez się było już trudnym tematem dla sztuki. Najlepsi artyści i poeci XIX wieku wyrażali w swych dziełach ludzkie cierpienia i walkę. Nieszczęścia nie tłumaczono, jak w starogreckiej tragedii, siłą przeznaczenia, lecz winę przypisywano ludziom i stosunkom społecznym. Temat ten przewija się nieustannie w twórczości Delacroix, Daumiera, Wiktora Hugo, Balzaka, Stendhala, Courbeta, Tołstoja, Rodina, van Gogha i innych twórców.

W XIX wieku sztuka nie poprzestawała na zgodnym z prawdą odtwarzaniu rzeczywistości, lecz dążyła do wyrażania idei i światopoglądu artysty. Oznaczało to dominację jednostki nad światem materialnym, wysuwało postulat wolności twórczej i stało się źródłem doniosłych dziewiętnastowiecznych osiągnięć w dziedzinie poezji, muzyki, malarstwa i powieści. W ślad za tym pojawiło się zainteresowanie nie tylko gotowym już dziełem, lecz także samym twórczym procesem, i przez to zyskały prawa obywatelskie prace nie ukończone, fragmentaryczne. Niezmierny wzrost subiektywizmu groził wprawdzie osłabieniem siły poznawczej artysty, nie należy jednak zapominać, że te liryczne pierwiastki ułatwiły twórcom XIX wieku znalezienie oryginalnych form wyrazu, w sposób wiarogodny, żarliwy ukazujących zasadnicze problemy owej epoki.

W poszczególnych krajach Europy kształtowały się w XIX wieku kierunki artystyczne w oparciu o własne, narodowe tradycje, co oczywiście nie oznaczało, że nie brały one udziału w ogólnym rozwoju sztuki światowej. Spośród krajów zachodniej Europy Francja wysuwa się w XIX wieku na czoło w dziedzinie malarstwa. Ukształtowane już formy życia politycznego umożliwiły uczestnictwo sztuk plastycznych w walce klasowej i partyjnej, Francja więc w XIX wieku staje się krajem najbardziej nowatorskim w sferze plastyki. Dzięki bogatej spuściźnie ubiegłych wieków artyści francuscy mogą obecnie wyrażać nowe idee w doskonałej formie artystycznej.

Romantyzm jako kierunek artystyczny był ważnym stadium rozwoju w całej Europie. Od samego początku nurt ten zwracał się przeciw klasycyzmowi i był mu przeciwstawiany. Nazwa ,,romantyzm'' oznaczała początkowo odwrócenie się od tradycji grecko-rzymskich ku narodowym tradycjom średniowiecza na Zachodzie (literatury romańskie), nie krępującym porywów artysty i zbliżającym go do natury. Z punktu widzenia form wyrazu romantyzm jest jeszcze różnorodniejszy niż klasycyzm.

Zrodziło romantyzm zderzenie spragnionej wolności nowoczesnej jednostki ze środowiskiem społecznym, w którym miejsce feudalnych przywilejów zwycięsko zajęła potęga pieniądza. U silnych indywidualności — Shelleya, Byrona i wielu innych, zderzenie to doprowadzało do buntu przeciw istniejącemu ustrojowi. Jaskrawym ich przeciwieństwem byli ludzie, u których świadomość błędów istniejącego stanu rzeczy budziła strach przed rewolucją i którzy całkiem otwarcie występowali w obronie dawnego ustroju. Natomiast przedstawiciele socjalizmu utopijnego — Saint Simon i Fourrier, przewidując nadejście sprawiedliwego przeobrażenia świata, żywili nadzieję, że dokonać się ono może na drodze pokojowej. Tacy pisarze jak Walter Scott, a później romantycy niemieccy, pod wpływem niezadowolenia z epoki współczesnej zwracali się ku przeszłości, dochodząc na tej drodze do kultu średniowiecza. Inni jeszcze romantycy, w poczuciu swej bezradności wobec sprzeczności życia, szukali oparcia w chrześcijaństwie.

Romantyzm pojawił się w Anglii i w Niemczech wcześniej niż we Francji, gdzie panowały tradycje klasyczne. Ze preromantyczną uznać można twórczość Goi, wspaniałego malarza hiszpańskiego, który w dziejach sztuki zarówno ojczystej, jak i ogólnoeuropejskiej zajmuje osobne miejsce; po części należy on jeszcze do XVIII wieku, lecz wywarł niezmiernie głęboki wpływ na następne stulecie. W samej połowie XVIII wieku, w krainie klasyki, we Włoszech, również znajdujemy zapowiedź romantycznej fantazji i „poezji okropności" w serii miedziorytów Piranesiego *Carceri (Więzienia)*.

Francisco Goya (1746—1828) był współczesny tym artystom, którzy w Europie występowali w obronie „ideału piękna". Żył jednak w Hiszpanii pod władzą absolutyzmu, religijnego fanatyzmu i przesądów: tutaj klasyczną formą nie mógł wyrazić swojego prawdziwego światopoglądu. Jako człowiek i jako artysta musiał się chyba czuć w swoim kraju osamotniony. Wolnomyśliciel z ducha, sympatyk filozofii Oświecenia, powołany jednak został do pełnienia służby nadwornego malarza króla (1799). Ulegając nieustannej rozterce wewnętrznej, bez żadnej możliwości swobodnej wypowiedzi, uciekał się do tradycyjnej alegorii, aby pod tą przynajmniej postacią dać świadectwo własnym myślom i doznaniom. Wszystkie te okoliczności nie złamały jednak jego nieugiętej woli ani nie przytłumiły jego nieprzekupnego umiłowania prawdy. W podeszłym wieku przeżył gorzkie rozczarowanie: ci sami Francuzi, w których niegdyś widział postępowych szermierzy Oświecenia, wkroczyli do Hiszpanii, by podbić jego naród. Później, gdy w Hiszpanii znów doszła do władzy reakcja wewnętrzna, artysta musiał opuścić ojczyznę i we Francji dożył kresu swoich dni.

Doniosłą rolę w artystycznym rozwoju Goi spełniły dzieła Tiepola, które oglądał w Madrycie. Miał też stale przed oczami klasyczne wzory malarstwa hiszpańskiego: twórczość wielkiego Velazqueza, który szukał i ukazywał prawdę, oraz twórczość wielkiego marzyciela El Greca. Serią wielkich kartonów, według których wykonać miano gobeliny do królewskiego pałacu (1776—1780), kontynuował Goya tradycje dekoracyjne XVIII wieku. W obrazach jego uderzają żywe, radosne barwy i odświętny nastrój. Był mistrzem w odtwarzaniu typów ludowych — chłopów, strażników, strzelców oraz scen z życia ludu.

Już freski w kopule kościoła San Antonio de la Florida pod Madrytem pozwalają wyraźnie dostrzec oryginalny charakter malarstwa Goi. *Cud św. Antoniego* IV, 49 zgromadził tłum patrzących. W przeciwieństwie do malarzy baroku Goya nie podkreśla w cudzie pierwiastka nadprzyrodzonego, a w przeciwieństwie do Tiepola scena ta nie ma w sobie nic z przedstawienia teatralnego z udziałem efektownej rzeszy statystów. Artystę urzekają przede wszystkim ludowe typy i ludowy sposób myślenia. Z głęboką powagą i prawdą ukazuje ciekawość, zdumienie, szczerość zachwytu i wiary, przeżycia wywołane duchowym doświadczeniem. Fascynuje zwłaszcza postać pomyleńca ze wzniesioną ręką oraz siedzący na balustradzie chłopiec, który chłonie oczami wydarzenie. Obraz, znakomicie umieszczony we wnętrzu kopuły, malowany jest szeroko i zatopiony w świetle: postaci, odziane czerwono, żółto i niebiesko, występują na tle błękitnym lub zielonym; w istocie jest to ostatnie dzieło „wielkiego stylu" europejskiego malarstwa monumentalnego.

Największych osiągnięć malarskich dokonał Goya w dziedzinie portretu. Od wielkich malarzy hiszpańskich z XVI i XVII wieku przejął kunszt obdarzania swoich modeli charakterem pełnym godności. Lecz ludzie u Goi nie są tak opanowani jak bohaterowie Velazqueza. Są z natury bardziej nerwowi, ich rysy są bardziej wyostrzone i brzydsze. Portrety Goi często graniczą z karykaturą.

Portret małżonki Antonia Porcel, o ciemnych jak wiśnie oczach, o gwałtownie skręconej pozie, więcej zdradza namiętności i temperamentu niż większość francuskich portretów z XVIII i XIX wieku. Z drugiej jednak strony obcy był Goi wyraz zdrowej siły i radości życia, tak charakterystyczny dla portretowej szkoły angielskiej. Postacie Goi przenika wewnętrzny niepokój, z ich szeroko otwartych oczu wyziera napięcie, a sztywność postawy podkreśla zahamowanie, jakiemu uległ człowiek. Stary Bayeu ma na portrecie Goi ponury wygląd nieuleczalnego melancholika. Aktorka Fernandez jak widmo wynurza się z ciemnego tła. Portretując wielokrotnie en pied ukochaną swą księżnę Alba, a także inne arystokratki, malował Goya postacie eleganckie, lecz w jakiś nużący sposób usztywnione, zastygłe w ruchu jak marionetki. Goya nie charakteryzował swych modeli tak wszechstronnie, jak portreciści XVII wieku. Stworzył na tym polu własny, wyraźnie uformowany styl. Kobietę na swych obrazach obdarzał, zgodnie z tradycją hiszpańską, pełnią niezwykłej rezerwy; bujna odświętność stylu „galant" była mu całkowicie nie znana, jego bahaterki mogłyby niemal ilustrować powieści umoralniające. Nie dawał przy tym obrazu spokojnej egzystencji, w tych tajemniczych istotach jest coś upiornego. Wyraz ów osiągał Goya środkami nader oszczędnymi, lecz niezmiernie wyrafinowanymi. Dobrym przykładem wielkiego wyczulenia kolorystycznego Goi jest jeden z kobiecych wizerunków, gdzie z tła wynurza się postać modelki w czarnej sukni z białą chustą. Czerń, biel i szarość występują tu w najsubtelniejszych ciepłych i zimnych odcieniach. Jak barwny błysk lśni we włosach kobiety czerwona kokarda. Białe pantofle, na pół zakryte czarną suknią, nadają całej sylwetce elegancję. Nawet w późnym okresie twórczości, portretując manierą Davida swego wnuka Mariano, użycza Goya malcowi pełen napięcia wyraz niedziecinnej powagi.

Jednym z najwybitniejszych obrazów Goi jest grupowy portret Karola IV w otoczeniu rodziny (Prado). Niewątpliwie artysta inspirował się obrazem Velazqueza *Las Meninas*, lecz modele jego to w połowie tylko żywi ludzie, a w połowie — bezduszne manekiny: brzydka i arogancka Maria Luiza z haczykowatym nosem wiedźmy, obok ociężały król z wielkim brzuchem: obwieszone orderami niezdarne ciało, na cienkich nogach, z szeroką, tłustą twarzą o zapadniętych ustach; członkowie rodziny królewskiej i dworzanie trwają w dziwacznych pozach, jakby nie śmieli zamącić ciszy w obecności królewskiego majestatu. Lekko położone odcienie czerwone, jasnobłękitne i żółte tworzą subtelną harmonię. Najjaskrawsza plama obrazu — krwistoczerwone ubranko małego królewicza — odbija się echem w strojach dworzan.

Ten sam strach, który przemawia z oczu jego modeli, wydobył Goya na jaw, mocą swej fantazji i spostrzegawczości, w cyklu rysunków *Caprichos* (1794—

—1798). Podczas gdy w całej Europie panowało uwielbienie antyku, jego piękna i harmonii, Goya odsłaniał potworność i bezsens życia, malując straszydła i pokurcze, które niegdyś pobudzały fantazję Boscha i Bruegla. Spotykamy u niego istoty, które według słów Baudelaire'a „istnieją gdzieś w pół drogi pomiędzy człowiekiem a zwierzęciem, a które artysta ów często i w sposób niepojęty ukazuje". Szczególnie przejmujące są obrazy, w których element demoniczny nie ujawnia się całkowicie, lecz wyziera z codzienności, z prawdziwego życia, niby przelotny grymas. Rysunków Goi nie można bezpośrednio wiązać z jakimiś określonymi faktami ani też widzieć w nich cykl dydaktycznych satyr w duchu Hogartha. Goya oburzał się na głupotę mnichów, którzy słuchają kazania papugi, na rozpustne kokoty, na przesądne stare baby, oddające cześć strachowi na wróble, na okrucieństwo i barbarzyństwo wrogów ludu hiszpańskiego. Sceny gwałtów i okrucieństw napełniały go przerażeniem, strach odczuwał wobec bestialskich ludzi i ludziom podobnych zwierząt, opanowanych przez niskie żądze i mroczne popędy. Nie potrafił jednak przeciwstawić tym okropnym otchłaniom obrazu ludzkiego piękna i duchowego szlachectwa. Ohydne maszkary całkowicie opanowały jego fantazję, dusiły go jak w strasznym śnie i utwierdzały w gorzkim rozczarowaniu wobec ludzi. Jedynie bezgranicznie wynaturzając cierpienia i męczarnie, przelew krwi i upodlenie człowieka, wyzwalał się w serii *Caprichos* spod ucisku tej zmory.

Goya oglądał może ulotne rysunki satyryczne z okresu rewolucji francuskiej. Mógł był stamtąd zaczerpnąć niektóre motywy o wyraźnie antyklerykalnym charakterze, lecz na ogół na rysunkach jego trudno rozpoznać przeciwnika, cel ataku artysty nigdy niemal nie zostaje wymieniony. Aluzje i metafory Goi wiele pozostawiają domyślności widza. Krótkie podpisy pod rysunkami niczego w istocie nie wyjaśniają, są raczej zagadkowe i zmuszają do myślenia. Uchwytny jest tylko wspólny nastrój, który jak czerwona nić przewija się przez cały cykl. Chcąc zataić sens swojej społecznej krytyki, posługiwał się Goya symbolami. Wszelkiego rodzaju alegorie, fantastyczne stwory i obrazy ludzkiego wynaturzenia występowały już i w dawniejszej sztuce, ale symbole Goi ani nie wywodzą się z powszechnie obowiązującego repertuaru, ani nie są zrozumiałe: stanowią wyraz nierozwiązalnych sprzeczności życia, jako płody osobistej postawy artysty, w której, podobnie jak w fantastycznych nowelach Edgara Allana Poe, obok płonącej fantazji znajdziemy i chłód rozumowania.

Rycina *Polowanie na zęby* przedstawia kobietę wyrywającą ząb wisielcowi; trup zdaje się wyciągać rękę i stroić miny w grymasie, budząc w kobiecie straszliwy lęk. *Widmo krąży* — owinięta białym prześcieradłem postać straszy dzieci tulące się do matki. *Próby* — goła wiedźma pośród garnków, trupiej czaszki, kotów i ogromnego bębna uczy nagiego mężczyznę sztuki latania. *Prawda umarła* — martwą, wpółobnażoną kobietę tratuje tłum ludzi, pomiędzy którymi widać mnichów i księdza z potężnym brzuchem.

Na rycinie *Habit robi mnicha* ukazana została scena, w której kobieta z dziećmi IV, 50
modli się do obłamanego drzewa tak przystrojonego, że wydaje się mnichem o rozpostartych ramionach. W głębi lekko rysują się jeszcze inni czciciele, a dalej fantastyczne postacie, unoszące się w powietrzu. Pracę tę uznać można za przejaw oburzenia artysty na oszukiwanie „prostych serc". Podpis pociąga do odpowie-

dzialności sprytnego aranżera, lecz sam artysta sympatyzuje z młodą Hiszpanką, składającą ręce tak szczerze i pokornie. Upiorność drzewa sprawia, iż patrzymy na nie jak na wytwór owego uniesienia. Kontrast pomiędzy potężną sylwetą mnicha i utrzymaną w czerniach i bielach figurą kobiety nadaje całości charakter jakiegoś wewnętrznego przymusu. Ten sposób obrazowania wynika ze zmieszania elementów obserwacji i fantazji, prawdy i iluzji, przerażenia i żartu. Wszystko wydaje się niesamowite, ale zarazem pokazane jest tak rzeczowo, że nawet dla widza drzewo przybiera kształt ludzkiej postaci. Goya nigdy nie potępiał ludowych przesądów, żałował tylko, że uciskani nie zdają sobie sprawy ze swych możliwości.

Ryciny Goi nie nadają się do tak szczegółowego rozpatrywania jak ryciny Rembrandta. Cała ich siła polega na zaskoczeniu, które artysta osiągał specyfiką swej graficznej wypowiedzi. Nie posługiwał się bogactwem półtonów, które mają tak wielkie znaczenie w grafice Rembrandta. W pośpiechu wykonania łączył akwafortę z akwatintą, dzięki czemu tło uzyskiwało równomierną tonację czerni lub szarości. Pozwalało mu to także, podobnie jak w malarstwie, również i w grafice wyraziście kształtować zwracające uwagę sylwetki i plamy.

Środki wyrazu, którymi posługiwał się Goya w swej fantastycznej serii *Caprichos*, spożytkował również w cyklu *Desastres de la guerra* (*Okropności wojny,* 1810 — —1820) i w ściśle z nim związanym obrazie *Rozstrzelanie powstańców madryckich* (Prado). Według własnych słów artysty wiele tych scen powstało pod bezpośrednim wrażeniem, na miejscu walki. Wyraził w nich swój entuzjazm dla oporu stawianego przez lud — na przykład ukazał kobietę przy armacie: *Co za odwaga!* Lecz i tu rzeczywistość ociera się o świat fantastyczny, a na ostatnich kartach serii element ludzki pojawia się na przemian ze zwierzęcym.

IV, 51 Na jednym z rysunków serii *Desastres* na tle ciemnych drzew widzimy postać wisielca, przed którym w pozie, jak gdyby chciał go przesłuchiwać, siedzi wsparty por. III, 180 na łokciu żołnierz, w oddali słabo majaczą sylwetki dalszych ofiar. Callot oglądał wojnę z oddali, na wszystkie jej niedole patrzał oczami kronikarza. Natomiast Goya z przenikliwością człowieka nowoczesnego dostrzegał w postaciach jednostek dramat wydarzeń dziejowych i dlatego przybliżał widza, jak tylko mógł najbardziej, do straszliwego dialogu obu przeciwników. Oszczędność środków technicznych wzmaga jeszcze siłę wyrazu tych prac. Wisielec jest tak ukazany, jakby stał na baczność przed swoim dręczycielem — dwuznaczność ta przydaje scenie szczególnego napięcia. Spośród wszystkich ówczesnych artystów jedynie David w swoim *Maracie* zdołał dorównać dramatyzmem rycinom Goi. Męka jeńców dochodzi u hiszpańskiego artysty do szczytu, lecz opór człowieka nie zostaje złamany: nie zwraca już oczu ku niebu, jak męczennicy z dawnych malowideł.

Posiedzenie rady Filipinów (Berlin) jest późnym dziełem Goi, który owo wydarzenie ukazał z całą dokładnością. W obrazie tym, również niesamowitym i niepojętym, nie ma ani śladu dekoracyjnej świetności Tiepola. Sala wygląda jak pusta skrzynia, a światło nie jest w mocy rozproszyć nagromadzonych po jej kątach ciemności. U Rembrandta światło jest aktywne, jego znaczenie polega na przezwyciężaniu ciemności. Natomiast w malarstwie i grafice Goi dominuje ciemność, a świetlne promienie nie mogą pokonać nocy.

Goya, typowy Hiszpan, miał bardzo wielki wpływ na całą sztukę europejską XIX wieku. Zadziwiające, że malarz ten, pochodząc z kraju opanowanego przez reakcję, mógł tworzyć dzieła tak doniosłe dla naszego rozwoju sztuki. Goya pojął i docenił sens fantazji. ,,Naśladownictwo natury — twierdził — jest równie trudne, co godne podziwu, jeżeli naprawdę można je osiągnąć i przeprowadzić. Lecz i ten chyba na odrobinę szacunku zasłuży, kto całkowicie od natury się oddali i przed oczami naszymi zdoła odtworzyć kształty lub ruchy, które po dzień dzisiejszy istniały jedynie w wyobraźni''. Owe nierozłączne a wzajemne wpływy obserwacji i fantazji uwidaczniał Goya w swojej twórczości, posługując się przy tym swobodniejszą malarską formą. W czasie, gdy w całej Europie panował akademizm, Goya bronił poglądu, który dopiero znacznie później miał zyskać znaczenie elementarne. ,,W Naturze — mówił — nie ma konturów; ja widzę jedynie płaszczyzny, z których jedne wysuwają się naprzód, a inne się cofają, wypukłe lub wgłębione''.

Jeszcze na długo przedtem, zanim francuscy pisarze i artyści opowiedzieli się po stronie romantyzmu, kierunek ów wyraźnie pojawił się w Niemczech. Przedstawicielami wczesnego romantyzmu byli w literaturze niemieckiej Novalis i bracia Schlegel, do których przyłączyli się inni artyści. Romantyków interesowały niezmiernie problemy sztuki, traktowali je też bardzo wnikliwie i głęboko.
Romantycy interpretowali przebieg rozwoju sztuki europejskiej oraz historyczne jej miejsce w kulturze całego świata. Uważali, że indywidualność artysty wyraża się silniej w sztuce nowożytnej niż w starożytności: człowiek nowoczesny nie może tak bez reszty usunąć w cień własną osobowość, jak starożytni — zawsze bowiem jest świadom swej twórczej gry z wyobraźnią — i świadomość ta napełnia go uczuciem niczym nie ograniczonej swobody. Domagali się także dokładnego i skupionego oglądania dzieł sztuki. Wackenroder pisał w 1797 roku: ,,Sądzimy, iż wnikamy w nie [dzieła] coraz głębiej, a przecież podniecają nasze zmysły stale na nowo, a żadnej nie widzimy granicy, poza którą dusza nasza zdołałaby je wyczerpać''. Romantycy niemieccy cenili filozoficzną głębię sztuki i uważali muzykę za praprzyczynę wszelkiej twórczości artystycznej. Przygnębiała ich sytuacja sztuki i dola artystów w społeczeństwie burżuazyjnym, natomiast rzemieślniczy los artysty średniowiecznego wydawał się im nader pociągający. Wackenroder opisał legendę o Piero di Cosimo, który ponoć opuścił swój dom w poszukiwaniu prawdziwej sztuki.
Romantyzm wywarł w Niemczech znakomity wpływ na poezję, zwłaszcza na liryczny opis przyrody: mistrzami romantycznej noweli i romantycznego dramatu byli Tieck i Kleist, muzykę reprezentowali: kompozytorzy pieśni — Schubert i Schumann oraz twórca oper — Weber. Sztuki plastyczne mniej się nadawały do wyrażenia romantycznych ideałów.
Najwybitniejsze osiągnięcia niemieckiego malarstwa romantycznego notujemy w dziedzinie pejzażu. Kaspar David Friedrich (1774—1840) wzorował się na starych mistrzach niemieckich, których bardzo wówczas ceniono. Mówiąc słowami jego współczesnych, poszukiwał ,,duszy świata'' w pejzażu, w każdym jego zakątku, w każdym, najprostszym nawet motywie. Pociągały go szczególnie góry, wysokie, dalekie i stapiające się z linią horyzontu, nakłaniające człowieka

do myśli o swoim związku z przyrodą i o własnej nicości w porównaniu z jej wielkością. „Odkrył tragizm w malarstwie pejzażowym" — pisał o nim David. Na pierwszy plan obrazów tego artysty wysuwa się często postać człowieka, zatopionego w podziwie. Na tle jasnego nieba wszystko wydaje się przezroczyste i kruche, zwłaszcza maszty statków, sylwetki bezlistnych drzew, gotyckie ruiny lub krzyż na górskim szczycie pośród sosen. Bardziej tajemniczo wygląda to wszystko nocą, w blasku księżyca. Głębokim odczuciem przyrody i wyczuciem nieograniczonej przestrzeni pejzaże Friedricha zbliżają się w pewnym stopniu do malarstwa chińskiego, chociaż artysta niemiecki bynajmniej go nie naśladował.

por. II, 67, 68, 70

IV, 53 Znajdujący się w Moskwie *Pejzaż górski* Friedricha odtwarza wiernie fragment określonej okolicy w górach Harzu. Motyw ów zawiera wiele prawdziwej poezji: mały kościółek ze spiczastą wieżą i ledwo widoczny rolnik kontrastują ze stromo wystrzelającymi wzwyż górami, wyraźnie uprzytamniając niezmierną rozległość krajobrazu. Dech widzowi zapiera, gdy od miniaturowego kościółka zwróci oczy ku potężnym szczytom. Miękkie zarysy gór rozbrzmiewają w obrazie własną melodią. Tacy niemieccy romantycy, jak na przykład Eichendorff, chętnie opisywali wędrówki i nieświadomy pęd do zwiedzania dalekich krajów, a pieśń niemiecka z tej epoki wydaje się jakby stworzona, aby rozlegać się wśród górskich dolin i wąwozów. W pejzażach Friedricha, tak jak w poezji niemieckiej, zachwyt nad niezmierzoną dalą łączy się z ludzką potrzebą wolności. Lecz ich entuzjazm nie jest burzliwy ani rewolucyjny, nastrój łagodzi tu rozmarzony spokój, który tak u Friedricha pociągał rosyjskiego poetę Żukowskiego.

Jeszcze słabiej niż w sztukach plastycznych przejawia się romantyzm w architekturze. Co prawda, w Anglii już w drugiej połowie XVIII wieku pisarz Walpole, budując sobie zamek w stylu średniowiecznym, rozbudza zamiłowanie do gotyku, a w pierwszej połowie XIX wieku powstaje tam wiele neogotyckich wiejskich rezydencji, domów prywatnych, kościołów i gmachów publicznych. Do najwybitniejszych należy monumentalna siedziba londyńskiego parlamentu, wzniesiona przez Barry'ego. Zresztą okazało się, że gotyk dla dziewiętnastowiecznych architektów był równie obcy, jak dla wielu z nich formy klasyczne. Nie jest więc kwestią przypadku, że zwolennicy neogotyku często i chętnie stosowali też styl klasyczny.

por. IV, 38 W Niemczech Schinkel, reprezentant kierunku klasycznego i budowniczy Nowego Odwachu, próbował także form gotyckich.

IV, 54 W kaplicy w Peterhofie (Pietrodworec) zachował Schinkel w duchu architektury z XIX wieku obok spiczastych gotyckich wieżyczek formę sześcianu całej bryły budowlanej, a horyzontalny podział ścian z rozetą okienną pośrodku i płaszczyzny murów zaznaczył na sposób empirowy. Kaplica, stojąca na wzgórzu w angielskim parku, tworzy obraz malowniczy i pełen nastroju. Nieco później w pracach współczesnego Schinklowi Klenzego (1784—1864) przejawia się romantyczny stosunek do przeszłości w naśladowaniu stylów historycznych. Architekt ten wiele budował w Monachium: Stara Pinakoteka jest wzorowana na Bramantem, zamek — na florenckim palazzo; w stylu rzymskim zbudował Klenze dworski kościół Wszystkich Świętych, a w greckim — Propyleje.

Z początkiem XIX wieku grupa artystów niemieckich osiadła w Rzymie. Zamieszkali w klasztorze Sant'Isidoro i utworzyli bractwo namiętnych wyznawców sztuki przenikniętej uczuciem. Nazywano ich nazareńczykami. Dopóki byli młodzi,

zwalczali zaciekle wszelkie poglądy akademickie. Na modłę francuskich prymitywistów uznawali prekursorów Rafaela, darząc szczególnym entuzjazmem
Fra Angelica. Podejmowali sami próby przywrócenia malarstwa monumentalnego.
Obrazy ich często wyglądają jak naśladownictwo malowideł włoskich z piętnastego
wieku.
Wysiłki nazareńczyków miały jednak niewielkie znaczenie: brakowało im twórczej siły do wypełnienia zadań, jakie sobie postawili. Sztuka ich wkrótce uległa
zwyrodnieniu, a wielu z nich powróciło do zasad akademickich.

O prymat w romantyzmie mogła by Anglia współzawodniczyć z Niemcami.
Grunt dla romantyzmu był tam już przygotowany przez Reynoldsa i Gainsborougha. Człowiek stanowił główny temat malarstwa angielskiego u schyłku
XVIII wieku, a portret — główny jego gatunek. Ludzie przedstawieni na tych
portretach przejawiają więcej energii, niż kiedykolwiek mieliby okazję wykorzystać w życiu, i ta właśnie sprzeczność stanie się niebawem punktem wyjścia
buntowniczych umysłów romantyków. Romantyzm angielski odznaczał się
znacznie aktywniejszym charakterem niż niemiecki — angielskim romantykom
obca była nabożna pokora, rozmarzenie i religijność, które tak silnie dochodziły
do głosu w Niemczech, zwłaszcza po klęsce ruchu wyzwoleńczego.
Do rozwoju angielskiego malarstwa pejzażowego zasadniczo przyczyniły się
pejzażowe parki wraz z obudzonym zrozumieniem piękna swobodnej przyrody.
Ów zwrot ku naturze był również charakterystyczny dla właścicieli dóbr, którzy
dążyli do przywrócenia dawnych patriarchalnych stosunków. Z drugiej strony
tęsknota do sielskiej prostoty wyrażała także protest skromnych ludzi ze wsi
przeciwko miejskiemu rozluźnieniu obyczajów.
Graya i Thomsona, poetów z XVIII wieku, natura pobudzała do rozważań nad
sensem życia: w otoczeniu przyrody poeta jest sam ze sobą i swym lirycznym
przeżyciem. Poeci „lake-school" wysuwają naturę na pierwszy plan. W wierszach
Wordswortha dokładne przedstawienie szczegółów pejzażu łączy się z głębokim
uczuciem poetyckim i niemal religijną czcią dla przyrody:

> „Zasnute oto całe niebo
> gęstą zasłoną grubych chmur,
> ciężkich szarych i białych od światła księżyca;
> i mętną jego tarczę przez pokrywę chmur
> zaledwie widać i świeci tak słabo,
> że ani skała, ani drzewo, ani wieża
> jednego nawet już nie rzuca cienia..."

Poezję innego romantycznego piewcy natury, Shelleya, porównywano do staro-
indyjskich Wedów. Co prawda angielscy panteiści mieli do świata stosunek bardziej dynamiczny niż poeci Wschodu. Shelley jeden ze słynnych swych wierszy
poświęcił losom chmury w jej niezahamowanych przemianach, opiewając ów
nieustanny ruch jako symbol życia.
Angielskie malarstwo pejzażowe ukształtowało się już w XVIII wieku. Przyczyniły
się do tego wzorce francuskie, włoskie, a później i holenderskie. Obrazy Wilsona
przejrzystą kompozycją i proporcjonalnym wyrażeniem planów zdradzają jeszcze

wpływ Claude Lorraina, lecz silnie zaznaczona plastyczność form, gęsto kładzione farby i zróżnicowane natężenie światła stanowią już oryginalne cechy angielskiego malarza. Old Crome patrzył na ojczystą przyrodę oczami Holendrów: od nich to nauczył się zachwycać stadem owiec na łące, ciemniejącym pod wieczór niebem i rysującymi się na wzgórzach wiatrakami.

Na przełomie wieku XVIII i XIX angielskie malarstwo pejzażowe znalazło już drogę do wyrazu całkowicie samodzielnego. Na tym polu działali liczni artyści, między innymi Cozens, Girtin, Cotman, a później Bonington, wykształcony we Francji i bliski Francuzom w portretach i obrazach historycznych, lecz w pejzażach związany ze szkołą rodzimą. Wszyscy wymienieni twórcy doskonale umieli się posługiwać akwarelą.

Wśród pejzażystów angielskich pierwsze miejsce zajmuje John Constable (1776 — —1837), syn młynarza, który większą część swych dni spędził na wsi. Za życia nie zyskał uznania rodaków, a nawet narażony był na obraźliwe ataki kół oficjalnych.

Samemu zresztą artyście niełatwo przyszła decyzja zerwania z tradycyjnym kanonem malarstwa pejzażowego i rezygnacji z brunatnej tonacji, tak nieodzownej w dawnym sposobie malowania. Po długotrwałych poszukiwaniach znalazł własny oryginalny wyraz malarski, nadając swym studiom z natury nieporównaną siłę oddziaływania i czarującą świeżość. Obrazy jego cechuje wieczna młodość, ta sama, która przejawia się w pracach Piero della Francesca i Vermeera.

Constable posiadał rzadki a wspaniały dar: umiejętność obiektywnego widzenia świata i w postrzeganiu otoczenia nie był zależny od chwilowego nastroju. Nie popadł jednak i w bezduszną obojętność, jaką później miano cenić i uznawać za „obiektywizm". Wordsworth powiedział, że „szum gaju na wiosnę więcej nas może nauczyć na temat ludzi, dobra i zła niż wielu mędrców". Także i w pejzażach Constable'a czujemy wewnętrzną żarliwość artysty, który w najlepszych swych dziełach okazuje się prawdziwym poetą.

Ujmuje nas Constable jakością swej obserwacji, pozbawionej jakichkolwiek uprzedzeń: nie miał on tak zwanych ulubionych motywów z natury. Rozległy widok zalanych wodą łąk fascynował go w tej samej mierze, co porośnięte wrzosem wzgórza, grupy drzew, brzeg wzburzonego morza, góry lub wypróchniałe, stare pnie. Pociągała go cała przyroda — żywe soki ziemi, których krążenie w drzewach i przekształcanie się w soczystą zieleń nieomal śledził, rosa na trawach, nasiąknięte wilgocią, nisko po niebie przemykające chmury, wszystkie przejawy życia natury w jej ruchu i przemianach. Nie darmo elementami pejzażów Constable'a są również i żywe istoty; na przykład schylony chłopiec gaszący nad potokiem pragnienie lub galopujące po drewnianym moście konie stanowią niepodzielną całość z naturą.

por. IV, 53 Podczas gdy w krajobrazach Friedricha wszelkie przedmioty wydają się przejrzyste, niemal niematerialne i dominuje w nich widok bezkresnej dali — Constable przedstawia przyrodę składającą się z ciał na wskroś uchwytnych — wonnych bądź dotykalnych, lecz zawsze rozpoznawanych zmysłami. Nastrój radosnej żywotności z pejzaży Constable'a daje się porównać tylko z liryką Goethego.

IV, 55 Constable zdawał sobie sprawę, że niebo ma w malarstwie pejzażowym wielkie znaczenie, dlatego też uważał je za motyw niezmiernie istotny. Mawiał: „Niebo musi być u mnie zawsze jednym z najsilniejszych elementów całości". Odtwarzał wielowarstwową pokrywę chmur, ruch obłoków pędzonych wiatrem, skłębionych, zwisających nad ziemią i zmieszanych z oparami mgły, przysłaniającej przedmioty na dalszym planie. Malował bystro płynące rzeki i stawy o wodzie stojącej. Na obrazach jego niebo odbijało się nie tylko w gładkiej powierzchni wody, lecz także w mokrej, soczystej trawie i w liściach drzew. Artysta wiedział, że odcienie zieleni są niezliczone i usiłował je wszystkie odtworzyć na płótnie.

Subtelnym wyczuciem zmian koloru i oświetlenia wyprzedził Constable próby, jakie podejmować będą malarze francuscy u schyłku XIX wieku. W przeciwieństwie do nich nie zapomina jednak nigdy, że drzewa, krzewy lub łąki muszą być zielone, a czyste niebo — błękitne, nawet jeśli w ich zabarwieniu występują liczne półtony. Początkowo zresztą wszystko nader starannie odrysowywał (powróci do tego później w obrazach przeznaczonych na wystawy Akademii). Z chwilą gdy zrezygnował ze stosowania asfaltowej farby brązowej, namalował najlepsze swoje dzieła (*Wóz z sianem*, 1821, Londyn; *Zboże na polu*, 1826), kładąc szerokimi, gęstymi pociągnięciami pędzla zdecydowane kolory, oddające soczystość i materialność przyrody, a także różnorakie nasilenie światła.

W studium *Katedry w Salisbury* Constable bynajmniej nie ukrywa, że obraz został IV, 56 namalowany gęstymi farbami olejnymi. Spożytkowywał materialne właściwości farb, aby najrozmaiciej nanosić barwne plamy i przez to uwydatniać charakter drzew, chmur czy budynków. Mimo tak wielkiej swobody w prowadzeniu pędzla artysta podporządkowywał kreskę głównemu zadaniu ukazania struktury każdej rzeczy. Z jednej strony — równo wyciągnięte piony spiczastego, gotyckiego dachu jakiejś wieży i topoli, z drugiej — rozłożysta korona wierzby, której kształt odpowiada chmurom przeciągającym po niebie. Szeroko ujmując obraz, niektóre drobne szczegóły odrysowywał Constable dokładnie i dopiero dzięki temu przeciwstawieniu można było należycie ocenić całość. Na przykład w głębi równiny malował niekiedy wieżę lub, innym razem, łódź z postaciami ludzkimi. W pozornej niedbałości studiów Constable'a kryje się poezja i wielkie mistrzostwo.

Turner (1775—1851) w licznych swych pracach spokrewniony jest z Constable'em, chociaż podążał za całkowicie innymi wzorami. Pociągał go krajobraz klasyczny w stylu Lorraina, efektowne ruiny, pinie i wodospady. Najulubieńszym jego żywiołem było jednak morze — stąd obrazy Turnera cieszyły się tak wielkim uznaniem w dziewiętnastowiecznej Anglii, kraju morskich żeglarzy.

Turner lubił zwłaszcza potężne, o brzeg bijące fale, czerwono płonące zachody słońca, a także przezierające przez chmury promienie, oświetlające żagle statków (*Zatonięcie statku Téméraire*). Ukazuje on przyrodę nie mniej sugestywnie niż późniejszy pisarz angielski, Meredith, w powieści ,,Beauchamp's career": ,,Adria zatopiona była w ciemności. Alpy przesłaniały całe świetliste niebo. Strome góry i wąwozy, różowe pagórki, białe zbocza i złotem połyskujące kopuły zalane były potokami jaskrawego światła... Mocne barwy masywem swym spoczywały na najbliżej widocznych górach, gdyż na bardziej oddalonych były już bledsze, a na zboczach ciemniejsze, niczym skrzydła ptaka, szybującego właśnie ku ziemi...".

Już w podeszłym wieku namalował Turner obraz *Rain, Steam and Speed* (1844, Londyn), gdzie, wśród niepogody, pociąg pędzi wprost na widza. Niestety, poszukując elementu heroicznego, artysta często popadał w fałszywy patos, przede wszystkim gdy posługiwał się przemyślnie wykalkulowanymi efektami świetlnymi (*Odyseusz szydzący z Polifema,* 1829).

Wysoką i niepowtarzalną perfekcję osiągnął natomiast Turner w dziedzinie malarstwa akwarelowego. Technika ta pozwala, by spod farby prześwitywała biel karty papieru, przez co obraz zyskuje wielką przejrzystość. Ponieważ akwarela rozpływa się na papierze, odtwarzać nią można doskonale wilgoć powietrza, światło, błękit odległych gór i odblask wieczornej zorzy na niebie.

Niektóre akwarele Turnera malowane są mokro na mokrym, przez co kontury przedmiotów zacierają się w zwiewnej mgle. Turner przeniósł technikę akwarelową także na malarstwo olejne, posługując się przy tym znaną już w malarstwie chińskim formą znaku: wystarcza mu kilka plam, a już na skale zarysowuje się błękitny zamek i na pierwszym planie sylweta krowy, której różowe odbicie oglądamy w wodzie — na niebie zaś widać słońce pod postacią żółtej, rozpływającej się plamy (*Zamek Norham*, Tate Gallery).

Malarze niemieccy i angielscy z początków XIX wieku niemal nie utrzymywali ze sobą kontaktów. Nie można ich zatem uważać za przedstawicieli jednego określonego kierunku artystycznego. Wspólny był tylko ich los, który kazał im wzrastać w społeczeństwach dążących wprawdzie ku nowym ideałom wolności, lecz nie przeżywających już wstrząsów tak silnych, jakie równocześnie przechodziła Francja. Artystyczne ich poszukiwania opierały się na wierze w geniusz twórcy, w wartość jego osobistych doznań, w jego liryczną wrażliwość i gotowość do podporządkowania piękna kwestiom charakteru, a konwencji — naturalności. W malarstwie tego okresu pejzaż zajmuje jedno z czołowych miejsc, z czasem miał się także wykształcić nowy typ malarstwa historycznego.

We Francji romantyzm jako samodzielny kierunek rozwinął się później niż w innych krajach Europy, choć jego prekursorów możemy znaleźć już w XVIII wieku. Diderot zachwycał się „barbarzyńską" poezją ludową, nawet Wolter, ów strażnik klasycznych gustów, w swoich filozoficznych powiastkach opisywał w żartobliwej formie strachy i senne zmory. Także i działalność Rousseau przyczyniła się wybitnie do powstania romantyzmu.

Już w okresie, kiedy w sztuce francuskiej przeważała szkoła klasyczna, opierająca się na surowo pedantycznym rysunku, niektórzy artyści, jak na przykład Fragonard, skłaniali się do swobodniejszego sposobu malowania. Z końcem XVIII wieku ów nowy kierunek, zakorzeniając się we francuskim malarstwie historycznym, wnosi weń świeże, żywe impulsy, które zapowiadają dalszy rozwój. Malarz Hubert Robert odkrywa melancholijne piękno starych ruin.

Tendencje te ulegają zahamowaniu w dobie rewolucji francuskiej z 1789 roku, która postulowała artystyczne odtwarzanie „ideału piękna". Znacznie dopiero później, w okresie Restauracji, nowe poglądy torują sobie drogę także i we Francji, a malarze francuscy prześcigają nawet w tej dziedzinie inne kraje europejskie. Dzięki książce Madame de Staël, a później krytycznym pracom Heinego, Francuzi mogli zapoznać się z niemiecką, romantyczną filozofią i poezją. Delacroix przemalował swoją *Rzeź na Chios* pod wrażeniem obrazów Constable'a, które ujrzał wystawione na Salonie. Akwaforty Goi cieszyły się we Francji wielkim uznaniem, przede wszystkim podziwiali je Delacroix i Daumier.

Ruch romantyzmu przybrał we Francji jednak formy nieco odmienne niż w pozostałych krajach Europy. Początki jego przypadły bowiem w czasie, gdy w niektórych warstwach społeczeństwa, zawiedzionych rezultatami rewolucji burżuazyjnej, wyraźnie obudziły się nastroje melancholii, osamotnienia i zmęczenia, a u silniejszych indywidualności uczucia te przekształciły się w gniewne oburzenie. Romantyzm francuski miał silniejsze niż gdzie indziej zabarwienie polityczne, jego francuscy zwolennicy nie taili bynajmniej swych demokratycznych sympatii. Delacroix w obrazie *Wolność wiodąca lud na barykady* wyraził ludowy charakter rewolucji 1830 roku, która obaliła rządy Bourbonów. Prasa i publicystyka również przyczyniły się w istotny sposób do rozpowszechnienia romantyzmu. Podczas przedstawień sztuk Wiktora Hugo, zwłaszcza dramatu ,,Hernani'', dochodziło do burzliwych starć pomiędzy zwolennikami klasycyzmu i romantyzmu.

Specyficzne uwarunkowanie romantyzmu francuskiego wynikało również z klasycznych podstaw szkoły francuskiej, których nowy kierunek nie mógł po prostu pominąć. Człowiek, działacz publiczny, osobowość ludzka i jej stosunek do innych ludzi, stanowił we Francji nadal centrum zainteresowań, także i dla romantyków, którzy zwracają się przede wszystkim do sztuki wielkiej, monumentalnej. Francuskie malarstwo romantyczne przejawia w swych środkach wyrazu pewne podobieństwo do baroku. Bogate tradycje malarskie użyczyły romantyzmowi we Francji szczególnej wartości, mimo iż zasadnicze cechy romantyzmu nie przejawiły się tu tak dobitnie, jak w innych szkołach.

Antoine-Jean Gros (1771—1835) był uczniem i zwolennikiem Davida, lecz w obrazach jego znajdujemy nową nutę. Oddawał on hołd Napoleonowi ogromnymi, wielofiguralnymi kompozycjami; bohatera swego przedstawiał zawsze w budzących grozę okolicznościach — to wśród wijących się w męczarniach zadżumionych w Jaffie (1804, Luwr), to na polu bitwy pod Eylau (1808), gdzie trupy, przysypane śniegiem, wyglądają niemal równie przerażająco, co postaci z *Okropności wojny* Goi lub z późniejszego obrazu Boissarda de Boisdenier *Odwrót spod Moskwy* (1835, Rouen). W kompozycji swych historycznych malowideł Gros trzyma się jeszcze ścisłych reguł proporcji, a postaci rozmieszcza jak na płaskorzeźbach, choć niektóre z nich, oblane jaskrawym światłem, wyraźnie odbijają od całości.

Przedstawiając Napoleona na moście Arcole (1796, Luwr; replika w Ermitażu) — Gros dał mu namiętne, niepohamowane ruchy romantycznego bohatera. Obraz ten wykazuje wiele punktów stycznych z portretami angielskimi, forma jego jest jednak surowsza, a barwy bardziej przytłumione. Zresztą wszystkie te romantyczne zadatki zatracił Gros, gdy stał się nadwornym portrecistą Bourbonów.

Następny krok w kierunku romantyzmu uczynił Théodore Géricault (1791—1824). Był to malarz żarliwie zaangażowany i wykazujący niezwykłe zdolności, zmarł jednak młodo w tragiczny sposób, u samego zarania epoki romantyzmu, i jego znakomity talent nie mógł się rozwinąć. Podobnie jak Gros i Géricault otrzymał wykształcenie akademickie, ale to go bynajmniej nie zadowoliło.

Już we wczesnych pracach Géricaulta dostrzegamy wyraźnie cechy oryginalne. Malarz ten lubował się szczególnie w nie ujeżdżonych koniach (namiętność ta stała się przyczyną jego śmierci). Widział w koniach ucieleśnienie nieposkromionych, dzikich sił natury. Pod wpływem fryzu partenońskiego pragnął wskrzesić tradycje antycznych wyścigów, pokazać ujarzmianie dzikich rumaków przez nagich młodzieńców; ta zależność od wzorów klasycznych wyraźnie jego obrazom zaszkodziła. Malował także pędzące konie, jakby unoszące się w powietrzu, z dżokejami, którzy wydają się zrośnięci z ich grzbietem. Obrazy te powstawały

IV, 57 pod bezpośrednim wrażeniem wyścigów. Studium *Oficer szaserów* — to oczywisty „culte de l'énergie", hołd złożony sile, w duchu Stendhala. Ani konie Rubensa,
por. III, 143 i IV, 31 ani rumak *Miedzianego jeźdźca* nie są tak dzikie i nieokiełznane, jak konie Géricaulta, który podniecenie zwierząt i ich postawę przedstawiał w sposób wręcz nieprawdopodobny. Jeździec i koń łączą się w jedną, niezwykle efektowną sylwetę, panującą nad przestrzenią, konkretną, niemal dotykalną, niczym posąg. Opisywane dzieło wykonane zostało swobodnie i z wielkim temperamentem, co potęguje jeszcze siłę jego wyrazu. Rozpoznajemy doskonale każde „touché", czyli dotknięcie płótna pędzlem. Bonapartysta Géricault nasycił swe małe studium takim rewolucyjnym nastrojem, że zapowiedź nadciągającej burzy społecznej wyczuwamy tu lepiej niż w pracach Davida i Prud'hona.

Gros sławił człowieka, którego całe pokolenie uznało za swego największego bohatera; ta cześć dla niezwykłej osobowości czyniła go jeszcze bliskim klasycyzmowi. Na obrazie Géricaulta *Tratwa Meduzy* (1819) nie ma bohatera, widzimy jedynie bezimiennych ludzi, cierpiących i godnych współczucia. Artysta przejął się niezmiernie losem statku „Meduza", który zatonął z winy francuskiego rządu u wybrzeży Afryki i uratowało się z niego zaledwie paru ludzi na tratwie. Ujrzał w nim symbol tragicznej rozpaczy, jaką w okresie Restauracji przeniknięta była młoda Francja. W tym samym czasie podobne sceny na wzburzonym morzu i przeżycia ginących ludzi opisywał Byron w „Don Juanie".

Przygotowując się starannie do tego obrazu, wykonał Géricault również szereg szkiców zwłok. W kompozycji pozostał jeszcze wierny tradycji klasycznej: cały obraz wypełniają ugrupowane w kształt piramidy, plastycznie wymodelowane ciała rozbitków, którzy nawet w chwili rozpaczy, wyciągając ramiona i wstecz odrzucając głowy, zachowują godność wzorem bohaterów malarstwa klasycznego. Nowatorstwo Géricaulta polega na namiętnym ruchu, jaki przenika tę całą grupę i zakłóca jej równowagę. Artysta długo męczył się nad swą kompozycją, zanim zdołał przeciwstawić wewnętrzne uczucia owych ludzi, płynących na spotkanie widocznego już w oddali statku, żywiołowi wichury wydymającej żagiel i spychającej tratwę. Kontrast ten uwydatniony został wyraźnie w obu przekątnych obrazu. Nowością było również światło padające z góry, zacierające niepokojąco kontury przedmiotów i wnoszące element napięcia.

W rysunkach i litografiach zajmował się Géricault tematami rodzajowymi, uprzedzając w tym realistów z połowy XIX wieku. Prekursorski jest szczególnie cykl litografii, w których artysta ukazuje życie w Anglii: robotników, biodotę, sceny uliczne — najróżniejsze sprzeczności burżuazyjnego społeczeństwa, które podówczas we Francji jeszcze nie tak silnie rzucały się w oczy.

Géricault przez całe życie zajmował się losami ludzi cierpiących. W sto pięćdziesiąt lat po Velazquezie, twórcy *Wariata z Coria*, artysta podjął znowu temat choroby psychicznej. Namalował wiele studiów ludzi obłąkanych, o spojrzeniu nieprzytomnym, to znów gorączkowo podnieconych, z nieodzownym, blaszanym szyldzikiem szpitalnym na piersiach. I chociaż lekarzowi, który owe studia u niego zamówił, chodziło jedynie o ścisłe uchwycenie cech patologicznych, Géricault zdołał w postaciach tych nieszczęśliwców dostrzec znamiona ludzkich cierpień i nadać im artystyczny wyraz.

Po śmierci Géricaulta na czoło malarzy romantycznych wysuwa się Eugène Delacroix (1798—1863). Klasyk z wykształcenia, ulegał korzystnemu wpływowi Géricaulta, zachwycał się Tycjanem i Veronesem. Prawdziwym jego ideałem był jednak Rubens, którego rozumiał znacznie lepiej niż francuscy entuzjaści tego malarstwa z początków XVIII wieku. Obraz Delacroix *Barka Dantego* (1822) stał się wielkim wydarzeniem w artystycznym życiu Paryża. Dzieło powitała z uznaniem młodzież i wszyscy ci, którzy w okresie Restauracji należeli we Francji do środowisk aktywnych i postępowych. Wokół *Barki Dantego* rozgorzała walka poglądów artystycznych, za którą kryła się także walka światopoglądów i sympatii politycznych. Przeciwnicy Delacroix przez wiele lat udaremniali jego przyjęcie do Akademii.

W dziewiętnastowiecznych warunkach było dla Delacroix rzeczą trudną, wręcz nawet nieosiągalną, rozwinąć swój geniusz tak doskonale i wszechstronnie, jak czynić to mogli artyści w dobie renesansu. Ulegał pośrednio wpływom swojej epoki: musiał toczyć walkę nie tylko ze swymi przeciwnikami, lecz także ze samym sobą, aby uniknąć obcych naleciałości i w całej pełni wyrazić własny, wysoki i szczytny, artystyczny ideał. Pragnienie wielkości prowadziło go często do fałszywego patosu i teatralnych efektów, był jednak człowiekiem szlachetnym, o czystych intencjach; znał doskonale stan prawdziwie twórczego uniesienia i udręki niedosytu, a jego idee były szczerze i jasno określone. Przez całe życie czuł się bardzo samotny.

Wrogo nastawiony do burżuazyjnej rzeczywistości, Delacroix koncentrował się całkowicie na malarstwie historycznym. Był jego inspiratorem, by nie rzec promotorem, w sztuce nowożytnej. W starej Grecji i Rzymie nie znano malarstwa historycznego we właściwym znaczeniu tego słowa. Sztuka antyczna służyła albo ukazywaniu jakiegoś mitu — czyli ideału — albo też, niczym w kronice, poprzestawała na dosłownym odtwarzaniu historycznych wydarzeń, nie usiłując por. I, 175 wyjaśniać ich ogólnego znaczenia. W gruncie rzeczy również i renesans, mimo historycznych zainteresowań humanistów, nie rozwijał owego gatunku w jego współczesnym sensie: bez namysłu przenoszono jedynie wydarzenia z odległej przeszłości w teraźniejszość, nie troszcząc się bynajmniej o „historyczny kostium".

Jedynie Rembrandt w swoich obrazach biblijnych dążył do odtworzenia orientalnego kolorytu, studiował w tym celu wschodnie miniatury, zbierał starą broń por. III, 166 i egzotyczne ubiory. Najważniejsze dla niego były ogólne prawa ludzkiego postępowania, które śledził w świętych legendach, historycznej tradycji i w zwykłej codzienności.

Przejawem literatury romantycznej były głównie powieści historyczne i ballady. Główni przedstawiciele powieści historycznej, Walter Scott i Wiktor Hugo, usiłowali pokazywać wpływ dziejowych sił, odtwarzali nie tylko ludzi, lecz również obyczaje, środowisko i wszystkie zasadnicze cechy danej epoki. Powieści historycznej od samego początku groziło jednak niebezpieczeństwo, że zostanie przeładowana szczegółami archeologicznymi i wskutek tego spadnie do rzędu ilustracji lub dokumentu.

Delacroix pozostał w swych historycznych obrazach artystą i nie odstąpił od swojej myśli przewodniej: nie uważał historii, jak klasycy z XVIII wieku, za zbiór budujących przykładów bohaterstwa, szlachetności i piękna, bowiem dostrzegał w niej przede wszystkim dynamiczny proces, wieczną a tragiczną walkę człowieka o wyzwolenie i zachowanie własnej godności. Zdaniem krytyka Theophile Silvestre'a głównym tematem historycznego malarstwa Delacroix jest człowiek prześladowany, człowiek — niewolnik losu.

W *Zdobyciu Konstantynopola* (1841, Luwr) widzimy wkroczenie okrutnej armii rycerzy o groźnie nastawionych włóczniach, których bezbronni mieszkańcy miasta we wzruszający sposób proszą o łaskę. Treścią obrazu jest tu kontrast pomiędzy brutalną siłą zdobywców i piękną szlachetnością zwyciężonych. *Stracenie Marina Faliero* (1826, wg Byrona) przedstawia ostatnie chwile weneckiego doży, który wzywał lud do buntu przeciw sprawującym władzę. Obraz *Dwaj Foscariowie* (1845, wg Byrona) ukazuje scenę pożegnania doży z synem, którego musiał skazać na wygnanie — osobliwy to rodzaj męczeństwa. W *Porwaniu Rebeki* (1846, wg Tassa) uroczą dziewczynę uprowadzają z płonącego miasta brutalni krzyżowcy, a w *Barce Dantego* (1822) potępieńcy czepiają się łodzi, błagając poetę o ratunek.

Delacroix bynajmniej nie miał zamiaru użalać się nad smutnym losem człowieka. Walkę i cierpienie, których XVIII wiek prawie nie przyjmował do wiadomości, uważał za tragiczną konieczność. Przekonany był, że życie w całej swojej piękności i dojrzałości, w całym bogactwie form polega na sprzecznościach i starciach różnych ludzkich charakterów.

Delacroix nazywał wyobraźnię „najważniejszą z cnót artysty". Zapewne dostrzegał własną pod tym względem słabość, z chwilą bowiem, gdy podejmował jakiś temat, musiał sztucznie podniecać swe nerwy, zanim zdołał go zobaczyć „oczami duszy", opowiadał go nawet wierszami, aby dać się porwać patosowi, lecz patos ów pozostawał częstokroć napuszony i nienaturalny. Delacroix wiedział doskonale, że na wielkich malowidłach drobne szczegóły, zwłaszcza archeologiczne, mają znaczenie jedynie drugorzędne i odwracają uwagę widza od istotnej treści, rozumiał, że „dodawanie takich szczegółów nie tylko nie wzmaga zasadniczego wrażenia, lecz nawet je... niweczy". Często też udawało mu się uchwycić najważniejsze sprawy już w jednym z pierwszych szkiców czy studiów. Jednakowoż w przeciwieństwie do wielkich mistrzów, jak Rembrandt lub Tycjan, Delacroix często odstępował od powziętego zamysłu, zatracał poczucie zgodności z prawdą i liryzm obranego tematu przekształcał w chłodną pedanterię.

IV, 58 Wielki wczesny obraz Delacroix *Masakra na Chios* wzbudził ogromną sensację na Salonie w 1824 roku. Malarz zwrócił się w nim nie ku Grecji starożytnej, która tak bardzo urzekała klasyków z Ingres'em na czele, lecz ku żywej a cierpiącej Grecji współczesnej. W przeciwieństwie do Géricaulta, który nagim postaciom na *Tratwie Meduzy* nadał charakter ponadczasowy, Delacroix więcej uwagi poświęcał szczegółom określającym czas i miejsce wydarzenia. W *Masakrze na Chios* grupa popadłych w turecką niewolę mężczyzn i kobiet ukazana została w całej specyfice ubioru i zachowania. Historyczne wydarzenie potraktował Delacroix jako stan wiekuisty, jako obraz tragiczny i wzniosły, wyrażający odwieczne oburzenie człowieka na widok każdej przemocy.

W kompozycji swoich dzieł opierał się Delacroix na przykładzie Rubensa, wy- por. III, 14⁝
bitnego twórcy scen wielofiguralnych. Lecz podczas gdy u Rubensa obraz walki,
wojny i rabunku jest apoteozą zdrowych, pełnych siły i życia ludzkich ciał, Delacroix
daje wyraz tragicznemu napięciu. Na całość składają się dwie grupy ukształtowane w piramidy — jest to koncesja na rzecz kanonu klasycznego. Obydwie
grupy wiążą się ze sobą, jasne i ciemne przedmioty występują na przemian rytmicznie, potwierdzając tak bardzo dla francuskich romantyków typowe umiłowanie
kontrastów.
Półnadzy i pohańbieni, nieszczęśni Grecy są uosobieniem szlachetnej godności
w cierpieniu. Niektórzy pospuszczali głowy, stara kobieta unosi wzrok, jakby
przyzywała na pomoc niebieskie moce, obok niej leży inna, młoda, bezwładna
i obnażona, ale dziecko nie umie znaleźć jej odkrytej piersi. Usta wielu spośród
tych ludzi są na poły otwarte, w istocie, choć wzburzeni, poddali się już swemu
losowi. Nad nimi stoją brutalni zwycięzcy, okrutni a nieugięci ujarzmiciele. Delacroix energicznymi pociągnięciami pędzla namalował zarówno brązowe ciała Greków, jak i bogate ozdoby zwycięzców. Kontrast dobra i zła wydaje się jednak
na tym obrazie cokolwiek wymuszony. U Tycjana tragizm jest głębszy niż u De- por. III, 57
lacroix, podobnie jak tragedie Szekspira głębsze są od dramatów Wiktora Hugo,
od ich retoryki i przeciwstawień.
Delacroix nigdy nie było dane odwiedzić Włochy, ruszył jednak do Algieru
(1832) i podróż ta wywarła znaczny wpływ na jego twórczość. Było to wprost
odkrycie Wschodu dla malarstwa. Delacroix zobaczył tam patriarchalne obyczaje,
silne charaktery — całe barwne codzienne życie, jakie już wówczas nie istniało
w cywilizacji Zachodu. Pod orientalną osłoną znalazł jednak Delacroix grunt
antyczny i starożytność ukazała się jego oczom od nowej strony, nie znanej kla-
sykom XVIII i XIX stulecia. Urzekała go siła i odwaga Beduinów, pierwotna gracja
tunezyjskich dziewcząt, nieposkromiony pęd dzikich koni, których zajadłe walki
ukazał na jednym ze swych obrazów. Entuzjazmował się też jasnymi i jaskrawymi
barwami Południa. W dzienniku swym, obok rysunków, zamieszczał notatki
o tych wszystkich wrażeniach. Zachwycał go algierski pejzaż — błękitne niebo,
jasnoniebieskie cienie, żółtość piasku. Szczególnie piękne są jego opisy zachodów
słońca.
W swych z lekka akwarelą podmalowanych rysunkach z Algieru odszedł Delacroix
od tradycyjnych form i światłocienia, stosując wyłącznie kontrasty barw, jak na
przykład w wizerunku leżącego Araba. Jeden z najlepszych obrazów Delacroix, IV, 60
Kobiety algierskie (1834, Luwr), ze szlachetną prostotą przedstawia zadumane
kobiety Wschodu z czarną niewolnicą, przybrane w barwne szaty, przebywające
w jakiejś luksusowej komnacie. Idąc za przykładem starych mistrzów weneckich,
połączył tu szmaragdowe zielenie, jasne błękity i malinowe czerwienie o różnych
natężeniach.
Delacroix nie uprawiał portretu ani z zamiłowania, ani też zawodowo — lecz
jego portret Paganiniego jest na wskroś romantyczny. Narzuca się nam tu natych- IV, 59
miast porównanie z Ingres'em. Ingres narysował słynnego wirtuoza jako pewnego por. IV, 41
siebie, wymuskanego światowca, z ledwo dostrzegalnym znużeniem na twarzy.
Natomiast Paganini Delacroix jest dziwakiem, zatopionym we własnej grze
i przypominającym „poszukiwacza nieskończoności" (le chercheur de l'infini)

Eugène Delacroix,
Attyla na koniu, rysunek

Balzaka. Upiornie wynurza się z ciemności, a tajemnicza siła sztuki wydaje się tutaj bardziej uchwytna niż na wyrazistym i niezwykle dokładnym rysunku Ingres'a. Romantycy lubowali się szczególnie w postaciach artystów i cała romantyczna twórczość była w istocie „sztuką o sztuce". *Paganiniego* Delacroix uznać należy za nader wybitną pracę na ten temat.

„Ciekawe byłoby stwierdzić, czy linia doskonała istnieje jedynie w mózgu człowieka", pisał Delacroix, i pod tym względem zgadzał się z poglądami Goi, sam jednak uważał świat za splot plam barwy i światła o różnym nasileniu. Usiłował także w swych obrazach unikać konturów, zadowalając się jednym tylko ruchem, przenikającym ciała. W malarstwie Delacroix dostrzegamy nieraz pewne odchylenia od poprawnego rysunku: na przykład jedna noga Paganiniego jest niewątpliwie za długa. Lecz nawet przeciwnicy Delacroix zmuszeni byli przyznawać, iż te właśnie „niepoprawności" nadawały jego obrazom niezwykłą siłę wyrazu.

s. 78 Z punktu widzenia akademików rysunki Delacroix wyglądają jak gryzmoły dyletanta. Kontury przecinają się dowolnie, granice są zamazane, wiele szczegółów robi wrażenie przypadkowych, można je nawet uznać za „bezsensowne". Lecz właśnie te „gryzmoły" odtwarzają puls życia. Siła, ruch, duchowe napięcie stają się uchwytne, w istocie zaś także i formę plastyczną odczuwamy intensywniej niż w starannych i gładkich rysunkach malarzy akademickich.

Delacroix wprowadził już ostatecznie swobodny sposób malowania, w którym pociągnięcia pędzla i światło na obrazie pozostają w tym samym stanie, w jakim artysta je naniósł. Urzekał go koloryt Rubensa i Wenecjan, świadomie też usiłował go stosować. Przykład Constable'a nauczył go zestawiania płaszczyzn z drobnych pociągnięć pędzla, jakby z nici, tworzących różnobarwną tkaninę obrazu.

Już Baudelaire zauważył, że marzeniem Delacroix było malarstwo monumentalne: godził się na wszelkie trudności związane z wykonywaniem tak wielkich zamówień, byle tylko móc wyjść poza sztalugi. Malarskie propozycje Delacroix na ścianach Izby Deputowanych oraz w kościele Saint-Sulpice zasługują na uwagę rozmachem koncepcji i na wskroś niekonwencjonalnym usiłowaniem jej rozwiązania, lecz artysta nie zdołał tu osiągnąć takiego bogactwa form i twórczej swobody, jakimi cieszyli się całkiem nawet przeciętni przedstawiciele ściennego malarstwa renesansowego.

W spuściźnie Delacroix godny największej uwagi jest jego dziennik. Podobnie jak romantycy niemieccy na przełomie XVIII i XIX wieku, i on także chętnie snuł rozważania na temat różnych zagadnień artystycznych. Prowadził ów dziennik przez całe życie: rozpoczął od księżycowego krajobrazu, a skończył wołaniem o piękność sztuki. Nie był on pierwszym malarzem przeświadczonym o tym, iż sztuka nie polega jedynie na poetyckiej inspiracji, iż jest to także „poszukiwanie prawidłowości, naukowych podstaw i słuszności" (Constable). Lecz żaden artysta w XIX wieku nie realizował owej myśli w sposób tak uparcie konsekwentny, jak Delacroix. Miał też prawo być dumnym z posiadania zasad, jakich nie mieli nawet tak przez niego ubóstwiani starzy mistrzowie.

„W sztukach pięknych wyobraźnia powinna zawsze budzić się pierwsza i z kolei pobudzać myśl". Lekcję tę przejęła już od niemieckich romantyków Madame de Staël, a Delacroix również przypisywał wielkie znaczenie wyobraźni, twierdząc, iż nie odwraca ona uwagi od świata realnego, lecz pozwala człowiekowi dostrzec w naturze wiele z tego, czego nie zauważy ktoś wyobraźni pozbawiony. Natura według Delacroix jest niejako słownikiem, z którego artysta wyszukuje odpowiednie słowa, aby z ich pomocą twórczo ukształtować własne dzieło. W dzienniku Delacroix jest także mowa o doniosłej roli mglistych i nieokreślonych wrażeń, takich właśnie, jakie potępiali i jakich unikali klasycy. Śladem romantyków niemieckich, którzy muzykę uznawali za rodzicielkę wszelkiej sztuki, upatrywał Delacroix w „barwnym ornamencie" (arabesque) obrazu jego muzyczne podłoże, występując zarazem gwałtownie przeciwko bezdusznemu kopiowaniu z natury, tak zalecanemu przez wielu jemu współczesnych. „Wszelką prawdę w sztuce — pisał — osiągnąć można środkami pozwalającymi rozpoznać rękę artysty, a więc za pomocą określonych form, współcześnie powszechnie przyjętych". Pojmował, iż artysta wypowiedzieć się może jedynie w języku własnej sztuki, nigdy też nie zapominał o jej poznawczej sile. Głosił potrzebę świeżości wizji: „Artysta powinien tak ukazać ludziom morze, jakby go nigdy przedtem nie widzieli".

Oczywiście interesowało go zwłaszcza malarstwo. Żądał, aby obraz był ucztą dla oczu i aby je cieszył. Mówił o „touche", o dotykaniu płótna pędzlem, o działaniu farb i werniksów. Wszelkie kwestie techniczne traktował jako środki umożliwiające dotarcie do prawdy artystycznej.

Delacroix miał gust niezwykle wszechstronny: entuzjazm dla Rafaela bynajmniej nie przeszkadzał mu ubóstwiać Rubensa. Czuł także pociąg do Mozarta, Poussina, Woltera i Boileau. Własną twórczością zbliżał się jednak do Byrona, Wiktora Hugo i Berlioza, chociaż ich tak wysoko nie cenił.

Oprócz znakomitego portrecisty zwierząt, Barye'a, spośród wszystkich rzeźbiarzy francuskich porównać można z Delacroix jedynie François Rude'a (1784—1855). Jego *Marszałek Ney* jest najlepszym ze wszystkich pomników, jakie wystawione zostały na cześć towarzyszy walk Napoleona. Postać Neya ze wzniesioną szablą zdaje się zagrzewać do boju żołnierzy. Rodin twierdził, że w jednej postaci zostały tu połączone różne momenty ruchu.

IV, 62 Płaskorzeźba *Marsylianka* na Łuku Triumfalnym jest najwybitniejszym z monumentalnych dzieł poświęconych rewolucji francuskiej. Namiętnością ruchu płaskorzeźba ta przewyższa nawet *Wolność wiodącą lud na barykady* Delacroix, jak również i płaskorzeźby innych artystów, umieszczone obok niej na Łuku Triumfalnym.

Alegorie, zatracając stopniowo znaczenie w sztuce europejskiej, stały się zwyczajnymi ozdobami. Z końcem XIX wieku zanikły niemal całkowicie i nawet Rodinowi już nie udało się ich wskrzesić. Płaskorzeźba Rude'a jest ostatnim wielkim dziełem sztuki zachodniej, w którym alegoria robi wrażenie integralnej części całości. Jeżeli wyobrazimy sobie tylko sam kroczący tłum, cała scena utraci przekonującą swą siłę. Uskrzydlona kobieta wyprzedza patriotów, wyruszających ku obronie ojczyzny: pędzi naprzód i pociąga za sobą ludzi. Z ruchu całej tej grupy poznajemy, jak głęboko zakorzenił się wśród ludu rewolucyjny patriotyzm: brodaty, silny mężczyzna z wyciągniętym ramieniem wiedzie za sobą tłum, za nim żywo stąpa młodzieniec, przyłącza się do nich wojownik z tarczą. Ruch ów znajduje zakończenie w grupie pierwszoplanowej. Rude nie przełamał płaszczyzny płaskorzeź-
• by, a mimo to odnosimy wrażenie, iż ludzie osłonięci głębokim cieniem występują ze ściany. Klasycystyczna forma ujmuje postaci płaskorzeźby jak pancerz, różni się jednak od innych, oficjalnych prac tego rodzaju tkwiącą w niej i zdolną budzić entuzjazm siłą oraz rytmem, któremu wszystko zostało podporządkowane.

Najlepszym portrecistą wśród rzeźbiarzy romantyzmu był Dawid d'Angers (1788—
—1856). Goethe zachwycał się jego medalionami. Rewolucjonista Filippo Buo-
IV, 61 narroti ma na portrecie d'Angers'a charakterystyczny zakrzywiony nos i mocno zaciśnięte wargi. Pod tym względem Dawid d'Angers nawracał niejako do tra-
por. IV, 13 dycji XVIII wieku. Porównując wizerunek Buonarrotiego z *Popiersiem Woltera* Houdona, wyczuwamy jego głęboką powagę, skupienie, a nawet pewien odcień tragizmu, a więc cechy, których wiek XVIII nie uznawał.

Rozwój sztuki francuskiej w okresie romantyzmu przebiegał w warunkach społeczeństwa kapitalistycznego. Gildie i cechy zniesiono już od dawna — ani państwo, ani prywatni mecenasi nie byli w stanie w pełni nad nimi czuwać. Sztuka uzyskała więc wolność, lecz była to wolność kapitalistycznej konkurencji. Wiemy, że w sztuce XVII wieku istniały najrozmaitsze kierunki: we Francji konkurowali ze sobą artyści tej miary, co Vouet i Poussin, we Włoszech — Caravaggio i Carracci, Bernini i Borromini. Lecz dopiero w XIX wieku zróżnicowanie poglądów artystycznych doprowadziło do zaciekłej walki różnych orientacji, do nieubłaganej wojny, prowadzonej za pomocą prasy, opinii publicznej, często nawet i skandalu; walka ta podzieliła artystyczny świat Francji na kilka obozów.

Jeden kierunek reprezentowali klasycy pod przewodem Ingres'a, czepiając się kurczowo zasad szkoły Davida i obstając przy precyzyjnym klasycznym rysunku; co prawda sam Ingres w niektórych swoich portretach ulegał nastrojom romantycznym, a w *Łaźni tureckiej* zwrócił się ku egzotyce. Drugim z kolei kierunkiem był romantyzm, którego zwolennicy pod wodzą Delacroix bronili w malarstwie kolorytu, oskarżali swych przeciwników o chłód i sztuczność, choć sami, w po-

49. Francisco Goya, Cud św. Antoniego, fragment plafonu

50. Francisco Goya,
Habit robi mnicha,
rycina nr 52 z cyklu „Caprichos"

51. Francisco Goya,
Non plus, Tampoco,
rycina nr 36 z cyklu „Desastres de la guerra"

52. Francisco Goya,
Markiza de Solana →

53. Caspar David Friedrich, Pejzaż górski

54. Karl Friedrich Schinkel, Kaplica, Pietrodworec (Peterhof)

55. John Constable, Zatoka Weymouth

56. John Constable, Katedra w Salisbury

57. Théodore Géricault, Oficer szaserów, studium do obrazu

58. Eugène Delacroix, Masakra na Chios

60. Eugène Delacroix, Leżący Arab, rysunek

59. Eugène Delacroix, Paganini

61. Pierre-Jean-David d'Angers, Medal z Filipem Buonarroti

62. François Rude, Marsylianka, płaskorzeźba na Łuku Triumfalnym

63. Camille Corot, Wenecja

64. Camille Corot, Wóz z sianem

65. Camille Corot, Przerwana lektura

66. Honoré Daumier, Ulica Transnonain, dnia 15 kwietnia, litografia

67. Honoré Daumier, Emigranci

68. Piotr Michałowski, Dwa zaprzęgi konne

69. Honoré Daumier, Wspomnienia, litografia

70. Honoré Daumier, ,,Biedna Francja! Pień zdruzgotany, lecz korzeń jeszcze dobry'', litografia

71. Honoré Daumier, Rzeźnik

72. Honoré Daumier, Don Kichot

73. Paweł Fiedotow, ,,Encore, jeszcze raz, encore''

74. Aleksander Iwanow, Wyznawcy Chrystusa, akwarela

75. Aleksander Iwanow, Zatoka Neapolitańska

szukiwaniu wielkiego stylu, często popadali w teatralność i upodobniali się przez to do klasyków. Wielu współczesnych sądziło, iż sprzeczności obu tych szkół nigdy nie dadzą się ze sobą pogodzić. I doprawdy, jedynie geniuszom tej miary co Goethe i Puszkin udało się w swoich dziełach łączyć pierwiastki klasyczne z romantycznymi.

Obok obydwu wymienionych kierunków istniało też wielu artystów, którzy nie przyłączając się do żadnego z tych ugrupowań, starali się przede wszystkim zadowolić najszersze gusty i uzyskać rozgłos. Nie znanego dzisiaj nikomu, przeciętnego malarza Jean Alaux protegował Ludwik Filip; Horace Vernet, koniunkturalny twórca efektownych, choć bezdusznych scen batalistycznych, otrzymywał dobrze płatne zamówienia, między innymi brał udział w ozdabianiu galerii w Wersalu. Ary Scheffer, sentymentalny narrator, lecz malarz nadzwyczaj oschły, umiał się jednak przypodobać publiczności odwiedzającej paryskie Salony.

Wielkie sukcesy odnosił Paul Delaroche: wielu krytyków uważało go za prawdziwego artystę. Malował obrazy historyczne, jak Delacroix, umiał zaś być tak zajmujący i wzruszający, jak żyjący w tym samym czasie dramaturg Scribe. Obrazy Delaroche'a: *Synowie Edwarda IV* (ok. 1830) i *Zabójstwo księcia de Guise* (1835), wzbudziły powszechny podziw historyczną ścisłością, jak i sposobem malowania — zręcznym, choć pozbawionym wyrazu. W obrazach jego nie ma wprawdzie ani fantazji, ani prawdziwej poezji, lecz zdobył sobie poklask i uznanie, jakie nadzwyczaj rzadko w dziejach sztuki osiągali artyści tak mało zaangażowani. Trzeba uzmysłowić sobie tę sytuację, aby docenić odwagę Delacroix i Ingres'a, którzy wysoko wówczas trzymali sztandar sztuki prawdziwej.

W tym samym czasie, gdy we Francji na oczach wszystkich toczyła się zacięta walka antagonistycznych kierunków, z dala od jej wrzawy rozwijała się twórczość Daumiera i Corota, dwóch w istocie największych malarzy połowy XIX wieku. W gruncie rzeczy nie należy ich, podobnie jak Stendhala i Prospera Merimée, zaliczać do romantyków, a tym bardziej do klasyków. Wyrośli jednak w okresie romantyzmu, który rozbudził w nich żywe poczucie rzeczywistości. Mogli byli powiedzieć wraz z E.T.A. Hoffmannem, że nie ma na świecie nic cudowniejszego nad samo życie. Stendhal pogrążony był całkowicie w studiowaniu obyczajów swojej epoki, obnażał jej namiętności i wewnętrzną bezsilność i jedynie w swej na poły awanturniczej ,,Pustelni Parmeńskiej" oddał się własnym marzeniom. Merimée fascynował się egzotyką obcych krajów i romantyczną gwałtownością uczuć, lecz treściom tym poświęconą opowieść ,,Carmen" utrzymał w stylu klasycznie przejrzystym i zwięzłym. Zarówno Stendhal, jak i Merimée odznaczali się zresztą bystrością obserwacji, dowcipem i bujną poetycką wyobraźnią. W dziedzinie malarstwa podobni do nich byli Daumier i Corot.

Honoré Daumier (1810—1879) rozpoczął artystyczną działalność jako grafik. Zarówno pochodzenie, jak i poglądy polityczne związały go ściśle z klasą robotniczą, która w tym właśnie czasie wystąpiła otwarcie do walki z burżuazją. ,,Pracować i żyć lub walczyć i· umrzeć" — to hasło francuskiego proletariatu było również hasłem Daumiera. Jego wczesne karykatury trafiały w najsłabsze miejsca monarchii lipcowej. Satyra polityczna, która szeroko rozpowszechniła się we Francji w okresie rewolucji 1789 roku, w Anglii już w XVIII wieku, a w pracach Rowlandsona uzyskała nieco jeszcze niezręczną, lecz wielką siłę oddziaływania, w rękach Daumiera przekształciła się w najprawdziwszą sztukę. Wynaleziona na krótko przedtem technika litografii, szeroko już we Francji stosowana, umożliwiała odtwarzanie mistrzowskiej grafiki Daumiera w całej jej bezpośredniej świeżości, a niska cena poszczególnych odbitek ułatwiała szerokie ich popularyzowanie.

Daumier, twórca graficznego eposu XIX wieku, wyprowadził sztukę na ulice, nauczył się przemawiać zrozumiałym dla wszystkich językiem, kochany był przez lud, a znienawidzony i prześladowany przez reakcję.

IV, 66 Młodzieńcza litografia Daumiera *Ulica Transnonain* (1834) przedstawia leżące zwłoki robotnika, skrycie zamordowanego przez policję. Grafika ta z dokumentalną niemal ścisłością odtwarza wszelkie szczegóły morderstw, organizowanych przez paryską policję dla stłumienia robotniczego powstania. Obraz wywiera wstrząsające wrażenie: skrót ciała stanowi tutaj, jak u Mantegni, oznakę śmierci. Zamordowana ofiara wzywa do sprawiedliwej zemsty. Mała litografia wygląda niemal jak monumentalne malowidło, a ciało trupa przypomina posąg wykuty z kamienia. Daumier dorównał tu niemal dramatycznej sile wymowy *Marata* Davida. W licznych karykaturach nie omieszkał Daumier atakować także i Ludwika Filipa: nadawał wielkiej jego głowie (tej, jak powiadał Gogol, „nasadzonej rzepie") kształt gruszki i opracował wiele wersji tej celnej a złośliwej metafory.

Gdy karykatura polityczna została zakazana (1835), Daumier na dłuższy czas przechodzi do karykatury rodzajowej, godząc za jej pomocą w porządek społeczny lipcowej monarchii. Tworzy duże cykle litograficzne, poświęcone zawsze wspólnej tematyce: *Obyczaje małżeńskie, Typy paryskie, Z historii starożytnej, Bas-bleus, Ludzie palestry, Dobrzy obywatele, Kąpiący się* i wiele innych. W rysunkach tych zdumiewa nas niebywała obfitość szczegółów z epoki i bezbłędna trafność widzenia. Artysta nie ogranicza się zresztą do pojedynczych śmiesznych lub odrażających zjawisk drobnomieszczańskiego życia, lecz chwyta zawsze elementarne choroby burżuazyjnego społeczeństwa w jego całokształcie lub też w takich szczegółach, jakie odsłaniają jego prawdziwy charakter. Nade wszystko interesuje go burżuazyjny wymiar sprawiedliwości i jego skomplikowana procedura, nadęci sędziowie i fałszywy patos adwokatów. Prowadzi nas także do teatru, gdzie afektowani aktorzy produkują na scenie swe umiejętności, zamożni amatorzy spokojnie drzemią na parterze, podczas gdy tłum na galerii szaleje z podniecenia; przedstawia drobne scenki z życia rodzinnego, kłótnie małżeńskie i próżność rodziców, ślepo zakochanych w swej rozkapryszonej i źle wychowanej progeniturze; śledzi z bezlitosnym szyderstwem zadowolone oblicze francuskiej burżuazji, która zdobywszy klasową hegemonię, chciwie wchłaniała wszelkie przyjemności życia. W dziełach Daumiera człowiek wygląda niemal jak owe potwory, które malowali Bosch, Bruegel i Goya: dziwna jest to istota, w swej wiecznej ruchliwości, w minach swych, zakłamaniu, napuszeniu, zmysłowości, ma policzki odęte, potężne szczęki, do dzioba podobny nos i niewielkie świńskie oczka. Niekiedy Daumier wywołuje u widza kpiący uśmiech, innym razem budzi moralny wstręt, który często urasta do granic szczerego oburzenia. Marzycielskość romantyków przekształciła się tu w złośliwą ironię — nasuwa się porównanie z „Atta Trollem" Heinego lub z jego hymnem do Morza Północnego. Przed XIX wiekiem nie spotykaliśmy równie celnej satyry społecznej, jak w dziele Daumiera. Nawet Hogarth wydaje się przy nim zbyt ciężki: jego przeładowane obrazy nie poruszają podstawowych problemów ludzkiej egzystencji, które odsłonić umiał jedynie Daumier.

Niezwykłą siłę oddziaływania zawdzięczają prace Daumiera swej artystycznej jakości i twórca nigdy ich nie traktował wyłącznie jako ilustracji. Zawsze napomykał o tym, co już się było dokonało, albo też o tym, co stanie się w przyszłości. Przede wszystkim jednak szukał takich sytuacji, w których akcja i cechy bohaterów wyraźnie się zaznaczały. Rysunków jego nie trzeba odgadywać ani tłumaczyć. Posiadał rzadką umiejętność pokazania komizmu wydarzenia lub groteskowej postaci za pomocą środków czysto graficznych.

Rysunek pt. *Wspomnienia* ukazuje starego filistra, który słodkie marzenia o dawnej   IV, 69
miłości umie połączyć z przytulną wygodą własnego łoża; Daumier nie zadowolił się tu wyliczeniem godnych uwagi okoliczności i przedmiotów, jak to zazwyczaj czynił Hogarth. Cel jego szyderstwa przedstawiony został w postaci już na pół zwierzęcej, śmieszność nabiera tu cech upiornych, komizm przekształca się w potworność. Dotychczas bywało tak tylko u Arystofanesa. Nawet w najmniejszych swoich szkicach i winietach nie zatraca Daumier ostrości charakterystyki. Dwaj pijacy, rysujący nogami jakieś zawiłe monogramy, sami splatają się w drze-   s. 83
worytniczy monogram. Drzeworyt *Pogarda* przedstawia lekko naszkicowaną   s. 84
scenkę uliczną: dozorczyni w podkasanej spódnicy, z miotłą w ręku przystanęła na chwilkę, przyglądając się paniusi w kapturku, która spiesznie obok niej przemyka. Ileż pogardy w spojrzeniu dozorczyni! Jak ostro skontrastowane tu zostały dwie społeczne klasy. Na innej małej winietce ukazuje Daumier tylko dwie miotły   s. 84
i wiadro, a już stawia przed nami atrybuty człowieka pracy tak wymowne, jakich nie spotykaliśmy ani u Holendrów, ani u Chardina. Jeden z drzeworytów z serii *Los poety* przedstawia scenę publicznego uwieńczenia: zmanierowanego, nisko   s. 85
kłaniającego się rymopisa łączy się z podającym mu laurową koronę prezydentem w płynną linię kształtu odwróconej litery „V", co jeszcze wzmacnia mimiczną

Honoré Daumier,
Dwóch pijaków, drzeworyt

Honoré Daumier,
Pogarda, drzeworyt

III, 180 siłę wyrazu obydwu postaci. Finezja kreski Daumiera dorównuje tu mistrzostwu sztychów Callota i gotyckich miniatur.

Podobnie jak Goya umiał Daumier we wszelkich rzeczach pospolitych i niepozornych znaleźć coś niezwykłego, wieloznacznego, niekiedy nawet groźnego. W „Kwiatach zła" Baudelaire'a jest wiersz o staroświeckich babulach, które przypadkowo spotkane na ulicy, objawiły się poecie niczym marionetki: garbate potworki, wykrzywione i podskakujące. Daumier, prowadząc widza na targ do IV, 71 mięsnej jatki, nadaje rzeźnikowi wzniosłość pogańskiego kapłana lub okrucieństwo kata. Daumierowscy adwokaci przypominają starorzymskich augurów lub drapieżne ptaki. Zapożyczona ze współczesnego teatru postać Roberta Macaire'a nabiera u Daumiera cech demonicznych; cyniczny oszust jest wszechobecny i nietykalny jak Cziczikow z „Martwych dusz" Gogola lub szkielet z drzeworytów Holbeina.

Zagadnienie wzajemnego oddziaływania sztuki i życia, które niezmiernie interesowało romantyków, nie było obce i Daumierowi. Bohaterem jego często jest artysta w swojej pracowni: oto na płótnie powstają już zarysy jakiegoś obrazu

Honoré Daumier,
Miotła i wiadro, drzeworyt

albo z nieforemnej bryły gliny wyłania się kształt ludzkiego ciała — materializacja fantazji i marzeń artysty. Daumier przedstawiał również miłośników i znawców sztuki, pogrążonych w kontemplacji nad starymi rycinami, w otoczeniu posągów i obrazów. Temat „sztuki i życia", potraktowany komicznie, powraca w litografii opatrzonej podpisem „Jak miło jest podziwiać własny portret na wystawie". Nadęty, zadowolony z siebie mieszczuch stoi tam z małżonką pod portretem, zwrócony do niego plecami. Malarz-pochlebca upodobnił go do wielkiego państwowego dostojnika, a on sam daremnie usiłuje przybrać pozę jeszcze większej godności. Litografie Daumiera mają wielką siłę oddziaływania; postaci rozmieszczone są w przestrzeni w sposób niezwykle wyrazisty. Daumier wybierał punkt widzenia, z którego najlepiej mógł uchwycić daną akcję, i energicznie modelował każdą bryłę. Jednocześnie wyczuwamy gwałtowny ruch ręki artysty prowadzącego kreskę („On ma gest" — stwierdził kiedyś Daumier, gdy chciał pochwalić rysunki innego grafika). Te z pozoru niedbałe, a jednak z wielkim wyrazem rzucane na płaszczyznę kreski Daumiera odtwarzają życie w jego całej różnorodności i nietrwałym pulsowaniu, a w porównaniu z jego pracami karykatury siedemnastowieczne wyglądają jak sztywne maski. III, s. 154

Wszelako Daumier był nie tylko satyrykiem. Wielkie jego znaczenie i na tym polega, że malarstwem swoim umiał także stworzyć pozytywny obraz człowieka. Do najbardziej ulubionych jego bohaterów należeli robotnicy, praczki, rzemieślnicy — a obok nich artyści, pogrążeni w zadumie amatorzy starodawnych zabytków i marzyciele w typie romantycznych bohaterów Gérarda de Nerval. Wszystkich pochłania praca i twórczy, ponadludzki wysiłek — jako że Daumier bynajmniej nie protestował przeciwko temu, że człowiek musi wytężać się w trudzie: uważał, że takie właśnie jest prawo życia. Niektórzy ówcześni artyści, jak przyjaciel Daumiera Jeanron lub Tassaert, starali się tak ukazywać biednych ludzi lub chłopów, aby budzić poniżającą ich litość. Inaczej Daumier: wydobywał na jaw wewnętrzną wielkość pracy, piękno pochylonego ciała brukarza, dźwigających ciężary praczek, balansującego na linie czeladnika malarskiego. W dobie rewolucji 1848 roku konieczne było połączenie wszystkich demokratycznych sił całego francuskiego społeczeństwa i Daumier, który sam wywodził się z ludu, spełnił postulat ukazywania w sztuce człowieka. W tym samym czasie robotnicy stają się tematem także i poezji.

Takie uogólnienie człowieka jak w obrazach Daumiera znaleźć możemy jedynie w antyku, renesansie albo u Rembrandta. Wnikliwością przewyższył artysta większość Holendrów i Hogartha. Monumentalny obraz *Republika* (1848) ujął w postać krzepkiej kobiety, podającej pierś swoim dzieciom; godne jest uwagi, że inspirując się wzorami klasycznymi, Daumier upodobnił swoją *Republikę* do robotnicy z jednego z własnych rysunków. Inny obraz Daumiera przedstawia długi pochód ludzi przytłoczonych jarzmem niedoli, ciężko idących swoją drogą. IV, 67 Poziomy format pracy podkreśla jeszcze bezkresny ciąg tego ludzkiego potoku. Cała scena zanurzona jest w półmroku, co wzmaga jej smutny nastrój. Obok kolumny ludzi biegnie pies i ten drobny epizod nadaje całości (jak często i u Rembrandta) wyraz jakiejś ufności. Dokąd zmierza ta rzesza uciekinierów? Kim są ci nieszczęśnicy, tak doświadczeni przez los? Obraz ów budzi uczucia nieopisanie przejmujące, podnosząc nędzę emigrantów do zjawiska o znaczeniu ogólnoludzkim. Artysta posłużył się środkami malarskimi tak oszczędnie, jak Poussin w najlepszych swych dziełach. W postawie ludzkiego tłumu odnajdujemy nastrój żałobnego marsza z „Eroiki" Beetho-

Honoré Daumier,
Wieńczenie poety, drzeworyt

vena — w skromnym swym obrazku dociera Daumier do głębszych warstw życia niż Delacroix w kompozycjach przesadnie patetycznych.

Daumier zyskał u swych współczesnych opinię przede wszystkim znakomitego litografa — podstawą jego egzystencji była grafika. Obrazy tworzył dla siebie, niemal nikt nie znał jego malarstwa, a przecież był to jeden z najlepszych malarzy XIX wieku, obdarzony niezwykłym talentem kolorystycznym. Nie stosował co prawda niemal wcale barw czystych i jasnych, do ulubionych przezeń tonów należały przytłumione ochry, sepia, oliwkowa zieleń i zgaszony błękit, a także czerń. Oglądane z bliska — malarskie jego prace wydają się nieudolne, wykonane pobieżnie i nie dokończone. Lecz „brudne" kolory i „toporne" światła umiał artysta łączyć w podstawowej tonacji obrazu, harmonizując sąsiadujące barwne plamy. Istotne szczegóły promieniują u niego zazwyczaj świetlną aureolą albo rzucają blask na pobliskie przedmioty. Spośród wszystkich malarzy XIX wieku Daumier najlepiej odczuwał światłocień Rembrandta, chociaż nie posługiwał się światłem rozproszonym i roztapiającym kontury przedmiotów, ale silnymi świetlnymi kontrastami, które lepiej odpowiadały napięciu jego ostrego światopoglądu. Obrazy Daumiera są tak prawdomówne, jak jego malarskie przekonania. Odpychającą brzydotę adwokatów w czarnych togach lub ugięte pod ciężarem postacie praczek umiał przekształcać w rzeczywiste piękno malarskie.

IV, 72 Daumier długo interesował się postacią Don Kichota, którego głęboki, ludzki i filozoficzny sens odkryli właściwie dopiero romantycy. Daumierowskich Don Kichotów nie można uznać za ilustracje, ponieważ nie chodzi w nich nigdy o jakieś określone wydarzenia czy przygodę wędrownego rycerza. Don Kichot i Sancho Pansa są dla Daumiera dwoma biegunami tej samej ludzkiej natury. W swoim cyklu przypatruje się im z różnych stron, snując rozważania nad osobliwościami ludzkiej natury, nad jej komizmem i nad jej cechami wzruszającymi. Refleksja pojawia się tu na zmianę ze współczuciem, a dowcip miesza się z zachwytem. W obrazach tych skupia się więcej sprzeczności niż w *Ślepcach* Bruegla — Daumier, jako romantyk, obchodzi się ze swym bohaterem znacznie swobodniej. Szeroki sposób malowania „nie dokończonych" obrazów oznacza, iż artysta rezygnował z iluzyjności danego ujęcia. Rosynant przekształca się niemal w wielbłąda (bardzo rzadki wypadek karykatury zwierzęcia), a sam rycerz wygląda jak widmo. Szczególnie pociąga nas dobroduszność, z jaką artysta wykpiwa swych bohaterów, z którymi jednocześnie sympatyzuje.

W późnych litografiach porzuca Daumier satyrę i szyderstwo na rzecz powagi i tragizmu wielkiej sztuki. W porównaniu z pracami wcześniejszymi forma staje się bardziej oszczędna, a każdy obraz nabiera głębokiej symboliki.

IV, 70 Przedstawione na jednym z rysunków drzewo jest uosobieniem Francji, ale nie ma w nim nic ze sztucznej, konwencjonalnej alegorii, jego sens oddany został czytelnie i obrazowo, jak w przysłowiu. Wielka troska o losy ojczyzny łączy się z przeświadczeniem o jej wewnętrznej sile. Mała praca urasta do miary monumentu, niczym wyznanie wiary całego narodu.

W nowożytnej sztuce europejskiej istniało kilka określonych typów artystów: u jednych budziła entuzjazm fizyczna i duchowa siła człowieka — poprzednikami ich byli Masaccio i Donatello; inni, jak i Rafael, zachwycali się ludzkim wdziękiem i urodą; jeszcze inni, śladem Grünewalda, zwracali się ku cierpieniom człowieka; czwarta wreszcie kategoria malarzy umiała podkreślać ludzkie ułomności, przypominając tym Bruegla. Każdy na swój sposób służył ludzkości i czynił, co mógł, aby ją wzbogacić. Znaczenie Daumiera polega na tym, że w pracach swoich poruszał wszystkie wymienione tematy.

Camille Corot (1796 —1875) był bliskim przyjacielem Daumiera, lecz nie tak żywy i aktywny, odznaczał się miękkim charakterem i był naturą kontemplacyjną. Przypominał owych skupionych, pogrążonych we własnych myślach marzycieli, jakich Daumier przeciwstawiał głośnym tłumom na ulicach. Swoim zadumaniem i ukochaniem życia na wsi wyrażał jednak Corot swoisty opór wobec ciasnych burżuazyjnych horyzontów swojej epoki. Dzięki skromnym swym zasobom materialnym mógł, chociaż długo czekał na uznanie, rozwijać swe subtelne wyczucie poezji i talent pejzażysty i osiągnął stopień mistrzostwa, jakiemu nie dorównał żaden inny malarz XIX wieku.

W latach młodości Corota malarstwo pejzażowe w pełnej akademickich przesądów Francji było o wiele mniej popularne niż w Niemczech lub Anglii. Wszakże już prekursor Corota, Georges Michel, za przykładem Holendrów malował niepozorną przyrodę Północy: piaszczyste wydmy i szare, zasnute chmurami niebo. Corot ulegał wpływom Anglików, szczególnie Constable'a, a i pobyt za młodu we Włoszech miał dla niego wielkie znaczenie. Zachwyt nad klasycznym, rękami ludzi ukształtowanym włoskim krajobrazem nauczył go kompozycjom obrazów przyrody nadawać cechy ściśle architektoniczne.

We wczesnych włoskich pejzażach Corota zawsze wyraźnie widać kolejność następujących po sobie płaszczyzn i rytm podziałów obrazu, przy czym plastyka poszczególnych elementów uwydatnia się zawsze należycie. Młodego Corota nie nęciły stare ruiny, które budziły zainteresowanie w XVIII wieku i w epoce romantyzmu. Patrzył na włoski krajobraz spojrzeniem bystrym i nieuprzedzonym, tak jak Velazquez na willę Medici. Wiele jego pejzaży zalanych jest jasnym światłem por. III, 13 słońca, w nastroju niezwykle świeżych, czystych i radosnych (*Wenecja*, Moskwa). IV, 63 Na obrazie *Villa d'Este w Tivoli* na pierwszym planie widnieje balustrada, a pośrodku, w głębi, symetryczna grupa drzew. Obraz trzyma się dzięki temu mocno. Bardziej oddalone przedmioty rozmieszczone są całkiem swobodnie i osłonięte przejrzystą mgłą. Podobnie jak to czynił Chardin w swych martwych naturach, por. I, 1 Corot ukazywał strukturę wszelkich przedmiotów, jego młodzieńcze prace odznaczają się klarowną formą. Pobyt we Włoszech był dlań dobrą szkołą; w swych studiach z natury był ścisły i nic nie upiększał, a każdy jego szkic jest dziełem na wskroś samodzielnym i przepojonym poezją.

Przez całe życie malował Corot oprócz pejzaży także i portrety, zwłaszcza wizerunki kobiet. Nie zawsze są to portrety we właściwym tego słowa znaczeniu, przedstawiające jakieś określone osoby, lecz nie są to również obrazy rodzajowe. Nie był portrecistą w rodzaju współczesnego mu Ingres'a. Jego postacie kobiece należą w istocie do specjalnego gatunku, ponieważ personifikują pewne określone nastroje. Ukazywał zazwyczaj młode dziewczęta, powabne lecz skromne, w oto- IV, 65 czeniu przyrody albo w pracowni artysty. Raz zagłębione są w lekturze, innym razem przypatrują się pracy artysty na sztaludze, marzą albo spoglądają na nas z obrazu otwarcie i życzliwie. Dziewczęta te są pełne gracji, bez śladu osiemnasto-wiecznej kokieterii, naturalne i pozbawione jakiejkolwiek ckliwości. Obcy im jest także surowy, arystokratyczny i światowy wyraz kobiecych portretów Ingres'a. Ponieważ obrazy te nie były pomyślane jako portrety, Corot zrezygnował tu z malarskiej elegancji, natomiast znakomicie i przejrzyście prace te skomponował, podobnie jak wczesne swoje pejzaże. Takie typy kobiece, o podobnym uroku, podobnej czystości duszy i inteligencji, znajdujemy również w powieści francuskiej z połowy XIX wieku — u Stendhala i Balzaka.

W połowie stulecia zachodzi zwrot w twórczości Corota. Pogłębia się jego rozmarzenie, fantazja zajmuje miejsce obserwacji, świeżość i radość życia ustępują melancholii, jasny, czysty nastrój przyćmiewa smutek. Malarz odtwarza teraz przeważnie dobrze znane okolice na skraju Paryża lub lasy pod Fontainebleau. Pejzaże Corota z tego okresu powtarzają niemal wszystkie ten sam układ i są do siebie podobne jak zjawy z jednego snu.

IV, 64 Na pierwszym planie widzimy zazwyczaj jedno lub dwa drzewa o rozłożystych konarach, za nimi, w miejscach wolnych, zarysy dalekiego lasu, jezioro osłonięte poranną mgłą albo niebo zlewające się z linią horyzontu. Drzewa rozpościerają swe smukłe gałęzie, przejrzysta koronka liści migoce delikatnymi odcieniami i wtapia się w niebo. Pośród tej przyrody rozstawione są małe figurki chłopek zbierających chrust, pasterzy lub pasących się krów. Czasami w urojeniu artysty wokół wysokiego drzewa tańczą kozłonogie satyry albo kąpią się nimfy w południowej porze. Przeżywanie natury, wyczuwanie najlżejszych nawet leśnych szelestów i delikatnych odcieni listowia bliskie jest zwierzeniom, jakie współczesny Corotowi pisarz, Maurice de Guérin, włożył w usta swego centaura: „Leżąc na progu odległego mojego mieszkania, z ciałem we wnętrzu jego, a głową pod niebem, śledziłem grę mroków. Obce życie, jakim przez cały dzień przesiąkłem, stopniowo i powoli wyciekać jęło ze mnie na łono Kybele, niczym resztki deszczu, które po oberwaniu się chmury przylgnęły do liści, a później spadają łącząc się z wodami".

Klasyczny krajobraz, który dla Poussina był rzeczywistością, dla Corota stał się przedmiotem uroczych, lecz złudnych marzeń. Mimo więc, iż smakowite, wonne płótna Corota różnią się od bezcielesnych i niematerialnych widoków Friedricha, obydwaj mogą uchodzić za promotorów pejzażu nastrojowego. Równocześnie z przenikaniem nastroju do ówczesnego malarstwa pejzażowego jednostka ludzka wyzwala się z wiary w nadziemskie moce, jaką żywiła uprzednio, i gotowa jest już do samodzielnego bytowania w otoczeniu przyrody. Jest to jednak zarazem wyraz uczucia samotności dziewiętnastowiecznego człowieka, radego chronić się ucieczką z miast przed burżuazyjną cywilizacją.

Podobnie jak fortepian był dla Chopina posłusznym instrumentem, aby w nokturnach mógł wyznawać swą szczerą melancholię, tak też i odtwarzanie nastroju poprzez pejzaż stało się dla Corota możliwe dzięki opanowaniu precyzyjnej techniki malarskiej. Corot był znakomitym wirtuozem w stosowaniu walorów koloru i mistrzem barwnych przejść. W późnych pejzażach żadna niemal barwa nie pojawia się u niego w czystej postaci, nie znajdziemy w nich plam jaskrawych. Uprościł niezmiernie swą paletę, lecz w tak ograniczonej skali tonów pośrednich znajdował ogromne bogactwo srebrzysto-szaro-błękitnych, jasnoniebieskich, subtelnie oliwkowych i zielonych odcieni o różnym nasileniu, ożywionych gdzieniegdzie przejrzystą plamą cytrynową. Nanosił farbę szerokimi ruchami pędzla, lecz ulistnienie drzew odtwarzał drobniutkimi cętkami, uzyskując tym migotliwą powierzchnię obrazu. Wzajemne stosunki barw musiały więc być dla niego niesłychanie ważne, pod tym względem można porównać go z Daumierem. Lecz Daumier posługiwał się silnymi kontrastami, uciekał się do głębokich, basowych tonów, farbę nakładał grubo i soczyście. Malarska technika Corota jest natomiast subtelniejsza, faworyzująca tony średnie i jasne, łagodząca kontrasty, zmierzająca do większej harmonii całości. Godne uwagi jest, iż Corot przy całej swobodzie swego warsztatu zawsze zachowywał umiar i klarowność niemal klasyczną.

Kierunek romantyczny osiągnął apogeum już w drugim ćwierćwieczu XIX wieku, lecz echa jego znaleźć można i w późniejszej sztuce zachodnioeuropejskiej.

Romantycy w Niemczech, nie umiejąc wznieść się ponad drobiazgi życia codziennego, musieli wyrzec się buntu i zajęli pozycje ugodowe. Wśród malarzy niemieckich nie było ani jednego, który by dorównał Heinrichowi Heine, zawsze stawiającemu opór, zawsze nieprzejednanemu. Nie wydało tamtejsze malarskie środowisko swojego E.T.A. Hoffmanna, który by na skrzydłach wyobraźni umiał uciec z przytłaczającej atmosfery drobnomieszczaństwa. Odnotować możemy Moritza von Schwinda, interesującego twórcę obrazów rodzajowych i ilustracji do baśni, oraz Karla Spitzwega, autora dobrodusznie ironicznych scenek z życia dziwaków i filistrów.

Prekursorem romantyzmu w Anglii był poeta William Blake; uprawiał on również rysunek i w ówczesnej sztuce angielskiej zajmował osobne miejsce. W grafice ujawniał zdolności wizjonerskie, nie zdołał jednak, jak Goya, wyzwolić się z konwencji klasycystycznej. W połowie XIX wieku powstaje w Anglii związana jeszcze z romantyzmem grupa malarzy prerafaelitów. Utworzyli oni bractwo związane wspólnym entuzjazmem dla średniowiecza, a zwłaszcza dla prekursorów Rafaela. John Ruskin płomiennie i przekonująco obstawał przy moralnych podstawach sztuki. Rossetti zachwycał się Dantem i jego bohaterami, którym nadawał chorobliwe, tęskne rysy ludzi sobie współczesnych. Burne-Jones ilustrował baśnie i średniowieczne legendy, usiłując również owe obrazy realizować w stylu malarstwa średniowiecznego. Madox Brown miał bardziej realistyczny dar obserwacji, a niekiedy wykazywał umiejętność ukazywania ludzkiej psychiki. Prerafaelici pragnęli wskrzesić sztukę religijną, która od dawna już popadła w zapomnienie, lecz malarstwo ich pozostawiło w sztuce wątłe jedynie ślady.

O wiele ważniejsza była podjęta przez prerafaelitów próba odnowy architektury i rzemiosła artystycznego. Sztuką użytkową interesował się zwłaszcza William Morris, który w twórczości artystycznej widział przejaw radości z działalności człowieka. Prerafaelici, podobnie jak romantycy niemieccy, marzyli o ponownym połączeniu wszystkich gałęzi plastyki, entuzjazmowali się społecznymi utopiami i byli przeciwnikami szkodliwego dla sztuki kapitalizmu. Chcąc problemy swoje zrealizować w praktyce, usiłowali nadać produkcji artystycznej formy organizacyjne oparte na dawnych, jeszcze rękodzielniczych zasadach. Nie zdołali jednak sprostać kapitalistycznej konkurencji: wszystko, co sporządzane było ręcznie, okazywało się tak drogie, iż stawało się przedmiotem luksusowym. Idee prerafaelitów nie były, mimo wszystko, całkiem bezużyteczne: zwłaszcza w dziedzinie edytorskiej pomogły w zrozumieniu faktu, iż książka stanowi artystyczne połączenie tekstu, rodzaju czcionki i ozdób graficznych.

Romantyzm nadawał swoje piętno także i sztuce innych krajów Europy. Najwybitniejszym malarzem polskim był w tym okresie Piotr Michałowski (1800—1855), który przez dłuższy czas mieszkał we Francji. Podobnie jak u Géricaulta ulubionym jego tematem był koń: koń jako symbol sił natury, sławy wojennej, a także wyzwolenia podbitej wówczas Polski. Nieskończone warianty tego tematu wynikają zawsze w twórczości Michałowskiego z jego rozważań nad losem ojczyzny i z marzeń wygnańca — malarz ten umiał kształtować swoje wizje w sposób uchwytny i przekonujący. Złocisty ton i gra półmrocznych odcieni nadają jego obrazom harmonijną jednolitość i uduchawiają ukazane na nich sceny.

IV, 68

Romantyzm w Rosji był w sztuce wyrazem wyzwoleńczej walki z absolutyzmem i protestem przeciwko pańszczyźnie. W epoce reakcji i tłumienia wszelkiej rewolucyjnej działalności tendencje te mogły dochodzić do głosu jedynie w sztuce.

Aleksander Iwanow (1806—1858), wychowanek Akademii Sztuk Pięknych, wielbił Rafaela i Poussina na równi ze współczesnymi mu Francuzami. Jako młodzieniec pojechał do Rzymu i pozostał tam na całe życie. Wprawdzie zbliżył się do nazareńczyków, którzy utwierdzali go w dążeniu do zachowania rodzimej tradycji, szedł jednak własną drogą. Jego wielki obraz jeszcze klasycystyczny w formie — *Chrystus pojawia się ludowi* — rozpoczęty 1833 roku, przedstawia wydarzenie biblijne, ale wyraża ludzką tęsknotę do wolności i współbrzmi tym samym z duchowym życiem ówczesnej Rosji W licznych studiach z natury do tego obrazu, które niestrudzony artysta wykonywał przez całe życie, wykazał prawdziwe nowatorstwo, lecz nie zdobył uznania ani w kraju, ani za granicą. Jego szkice poszczególnych postaci stanowią szereg wyimaginowanych portretów, odznaczających się wielką, ludzką głębią. W pejzażach włoskich spokrewnia się Iwanow z młodym Corotem, choć w naturze nie szukał nastroju, lecz epickiej wielkości, wyrazistych układów, światła, rozległych przestrzeni i subtelnych refleksów barw: pod tym

IV, 75

względem zapowiadał już plenerowe malarstwo impresjonistów. W obrazie *Zatoka Neapolitańska* piękne, młodzieńcze ciała malowane są z natury; kompozycja jest zwarta i czytelna, a nagość zachowuje w pełni szlachetną niewinność. Artysta ukazuje tu trzy stany: spokój, przebudzenie, działanie. Jest to tradycyjny temat klasycznej pastorałki, symbolizujący szczęście ludzi na łonie natury. Ciała zanurzone są w świetle i powietrzu nasyconym refleksami barw. Swobodna, szkicowa technika malarska świadczy, iż artysta wyzbył się już akademickich uprzedzeń.

W szeregu akwarel o treściach biblijnych, pomyślanych jako szkice do fresków, osiągnął Iwanow wyraz prawdziwie monumentalny. Głównym tematem obrazu

IV, 74

Wyznawcy Chrystusa jest smutek świadków męczeństwa na Golgocie. Kompozycja jest tu starannie wyważona, rytm linii w postaciach płaczących niewiast pełen wdzięku, sylwetki ciał rozmieścił artysta na płaszczyźnie obrazu reliefowo. Iwanow starał się uwolnić od tradycyjnej, kościelnej interpretacji Pisma świętego, zajmował go przede wszystkim ludzki los. Surowym, epickim stylem przypomina tradycje bizantyjskie i ruskich malarzy ikon.

W ówczesnej literaturze rosyjskiej, obok jasnego, słonecznego geniuszu Puszkina, występuje piewca ludzkiej niedoli, Gogol, ze swym jawnym śmiechem i ukrytymi łzami. Podobnie i obok Aleksandra Iwanowa działa rosyjski malarz Paweł Fiedotow

(1815 —1852). W serii niewielkich obyczajowych obrazków (*Kapryśna narze-czona*, 1847; *Zadłużony major wybiera narzeczoną*, 1848 i in.), będących rodzajem społecznej satyry na życie mieszczaństwa, nie jest on wprawdzie tak kąśliwy, jak Hogarth, lecz i nie tak dobrodusznie sentymentalny jak Spitzweg. W pracach Fiedotowa wszystko, aż po najdrobniejsze szczegóły, opracowane jest starannie, niemal jak u „małych Holendrów", a lokalne barwy są wyraźnie określone. Późna praca Fiedotowa *Encore, jeszcze raz, encore* przekonująco a treściwie przedstawia IV, 73 scenę, w której ponury oficer, w izbie ledwie oświetlonej blaskiem świeczki, tresuje pudla. Światłocień wzmaga tę beznadziejność nastroju, podobnie jak w *Emigrantach* Daumiera. Obraz ten — to pełen rozpaczy krzyk człowieka w ciemnościach carskiej Rosji.

Romantyzm miał w XIX wieku wielkie znaczenie dla artystycznego życia całej Europy, był chyba największym, najdonioślejszym i najbardziej zwartym kierunkiem, jaki wówczas przeniknął we wszystkie dziedziny sztuki, a wpłynął także i na klasycyzm, który zwalczał. W połowie stulecia z kierunku tego wyłonił się realizm, a i impresjoniści mieli później wyciągnąć wnioski z jego doświadczeń. Przy całej wielorakości form wyrazu i poglądów w poszczególnych krajach i u różnych artystów podstawą romantyzmu pozostawał pewien określony światopogląd. Sztuka romantyczna nie była przemijającym, modnym zjawiskiem, jak na przykład rokoko. Chociaż istotny wpływ na powstanie tego kierunku w całej Europie wywarł rozwój Francji porewolucyjnej, postępowy odłam romantyzmu opierał się mimo wszystko na przekonaniu, że człowiek potrafi podporządkować świat swojej woli; w romantyzmie przejawiał się aktywny stosunek do życia, jaki w Europie zaczął się kształtować już w średniowieczu. Tym się też tłumaczy, że wielu myślicieli nazywało sztukę europejską w całym procesie jej rozwoju romantyczną — w odróżnieniu od antyku i twórczości Wschodu.
W swym osiągnięciach artystycznych romantyzm bynajmniej nie dorównuje epokom wcześniejszym. Dla wielu romantyków sztuka utraciła znaczenie twórczości żywej, lecz stawała się pretekstem do zajmowania się zagadnieniami artystycznymi. Byli też sprzeczni w swoich poglądach na istotę sztuki. Raz była dla nich tylko igraszką umysłu, który pragnął wzbić się ponad zmysłowo dostrzegalny i niedoskonały świat (były to jeszcze echa epoki Oświecenia), raz chcieli ją stawiać na piedestale religii, to znów widzieli w niej skuteczny środek na odnowienie całego życia i spodziewali się po sztuce więcej, niż mogła spełnić.
Pojęcie prawdziwie twórczego artyzmu, pełnego siły, witalnego i zmysłowego, z trudem mogło dotrzeć do romantyków. W dziedzinie sztuk plastycznych, które już z istoty swojej szczególnie przeznaczone są do tych zadań, osiągnięcia były najskromniejsze. Największe sukcesy odniósł romantyzm w dziedzinie poezji i muzyki i tam rzeczywiście stworzył trwałe wartości. Postać Delacroix jest co prawda wielka i szlachetna, ale przyznać trzeba, że nie zdołał on nigdy osiągnąć takiej siły i zwartości artystycznego wyrazu, jakie cechowały uwielbianych przezeń Wenecjan i Rubensa.
Romantyzm pozostawił jednak bogate i różnorodne dziedzictwo. Ironią swoją niszczył wiele dawnych artystycznych przesądów, wskazywał też artystom drogę ku sztuce zgodnej z prawdą. Dzięki namiętnej obronie wolności artysty

(„geniusza", jak wówczas mówiono) i immanentnych wartości sztuki przyczynił się do rozwoju takich form wypowiedzi, jakie umożliwiały przekształcenie w sztukę całego życia, z wszystkimi jego ciemnymi i jasnymi stronami. Ponadto kierunek ten objawił pełne poezji uroki natury, ostatecznie utwierdził rangę malarstwa pejzażowego jako samodzielnego rodzaju; opowiadał się także za szacunkiem dla ludzkiej osobowości. Dzięki swemu niezadowoleniu ze stanu aktualnego artyści epoki romantyzmu odkryli świat przeszłości, zwłaszcza średniowiecze i baśniowy świat Wschodu, a przyczynili się również do głębszego zrozumienia starożytności.

Abstrahując od szczegółów życia owej epoki, a śledząc raczej ogólne linie jej rozwoju, stwierdzić trzeba, że romantyzm i inne spokrewnione z nim prądy stanowią prawidłowy etap w rozwoju nowożytnej sztuki. Nie tylko w XIX wieku, lecz także i wcześniej, po czasie, w którym artyści zwracali się ku rzeczywistości z otwartym spojrzeniem i pełnym zaufaniem, występowały z kolei okresy, w których artysta szedł raczej tropami własnych swych marzeń i we własnym wnętrzu zaspokajał potrzebę rozwiązania dręczących go problemów. Takie odwrócenie się od rzeczywistości było jednak zazwyczaj tylko okresem przejściowym, po którym człowiek znów zwracał się ku konkretom. Tak też właśnie było ze sztuką dziewiętnastowiecznego romantyzmu.

IV. REALIZM W SZTUCE XIX WIEKU

> *Z ciekawością obejrzałem wszystkie jego*
> *szyby, a potem krzyknąłem na niego: „Co?!*
> *Kolorowych szyb nie masz? Okien różo-*
> *wych? Okien niebieskich? Okien czerwo-*
> *nych? Rajsko-baśniowych okien? Jakże*
> *śmiesz, bezwstydny łobuzie, wałęsać się*
> *w dzielnicy biedoty i nie mieć przy sobie*
> *nawet takiego szkła okiennego, przez które*
> *można by ujrzeć życie w pięknych bar-*
> *wach?*
>
> Charles Baudelaire, „Zły szklarz"

> *Na drugim końcu stał całkiem złoty, niczym*
> *ogromny relikwiarz w słonecznym pyle,*
> *kościół Św. Eustachego... Ale Forent zważał*
> *jedynie na wielki, otwarty i rozpłomieniony*
> *od blasku wschodzącego słońca sklep*
> *rzeźnika.*
>
> Emile Zola, „Brzuch Paryża"

Mimo iż rewolucja 1789 roku nie usunęła we Francji społecznej niesprawiedliwości, a hasła wolności, równości i braterstwa ozdabiały jedynie urzędy, ruch
wyzwoleńczy bynajmniej nie uległ zahamowaniu. Przybrał on jedynie w połowie
XIX wieku formy dojrzalsze: w tym czasie doszło na ulicach Paryża do otwartego
starcia burżuazji z proletariatem. Rewolucja 1848 roku została wprawdzie bru-
talnie stłumiona i Cavaignac narzucił się na stróża „moralnego ładu", który
doprowadził do monarchii Napoleona III. Burżuazja, która już przedtem opanowała
banki, a Ludwika Filipa i jego ministrów uważała za posłuszne swe marionetki,
uzyskała w Napoleonie III obrońcę swoich interesów i ustroju. Rok 1848 rozbił
wiele romantycznych iluzji i dlatego stał się nader istotnym punktem zwrotnym
w duchowym rozwoju tak Francji, jak i całej Europy. Klęska nie zdołała rozbić
ruchu rewolucyjnego, lecz od podstaw zmieniła charakter walki klasowej. W tym
okresie ruch robotniczy jął przyjmować zorganizowane już formy naukowego
socjalizmu. Karol Marks stał się twórcą materializmu dialektycznego, światopoglądu
owego rewolucyjnego proletariatu.
W połowie XIX wieku w całej Europie przejawia się niechęć do metafizyki. Nauki
ścisłe, które mimo wcześniejszych swoich sukcesów nie wydostały się dotąd
poza obręb pracowni uczonych, obecnie jęły budzić zainteresowanie szerokiej
publiczności. Karol Darwin książką „O powstawaniu gatunków drogą doboru
naturalnego" (1859) wpłynął zarówno na studia przyrodnicze, jak i na badania

dotyczące człowieka i społeczeństwa. Claude Bernard odrzucił naukę o sile witalnej i usiłował za pomocą eksperymentów znaleźć materialne przyczyny powstania wszelkich przejawów życia, a publiczne jego przemówienia przyciągały w Paryżu ogólną uwagę. Idee te zaczęły także przenikać do nauk humanistycznych. Heroldem ich był Hippolyte Taine, który próbował rozwój sztuki wyjaśniać wpływem naturalnego środowiska.

Przeświadczenie o wielkim znaczeniu nauki nie było całkowicie nowe. Już w XVI wieku Bacon uznał ją za środek opanowania przyrody. Lecz istotne znaczenie owej tezy zrozumiane zostało dopiero w XIX wieku, nazwanym erą pary i elektryczności. Odkrycia naukowe wywarły decydujący wpływ na przemysł i gospodarkę rolną, a koleje żelazne w zasadniczy sposób zmieniły pojęcie przestrzeni. Postępy techniki przejawiały się dosłownie we wszystkim, aż po takie drobiazgi codziennego życia, jak stalówki, które dopiero teraz zastąpiły gęsie pióra.

W różnych warstwach społecznych nowy światopogląd przejawiał się w rozmaity sposób. W gronie obrońców ustroju burżuazyjnego postulat badania rzeczywistości zmierzał do jej afirmacji, a nawet apoteozy; opozycja widziała w owych dociekaniach środek ujawniający odrażające cechy ówczesnego burżuazyjnego porządku i ukazujący społeczeństwu nowe drogi. Tym też tłumaczyć należy rozbicie na wiele odłamów kierunku artystycznego, który nazwano wówczas realizmem.

Określenie to ma swoją długą historię. W średniowieczu realistami nazwali się filozofowie, którzy za prawdziwą rzeczywistość uważali wszelkie ogólne pojęcia, stworzone przez ludzki rozum. W czasach nowożytnych przyjęto nazwę realistów dla artystów z różnych historycznych epok i kierunków, którzy w rozmaity sposób usiłowali odtwarzać w sztuce obiektywny świat. W tym więc sensie można by uznać za realistów Homera i Fidiasza, Rafaela i Michała Anioła, Szekspira i Rembrandta, Rubensa i Cervantesa i jeszcze wielu innych. Niektórzy dziewiętnastowieczni krytycy pojmowali realizm w tym właśnie szerokim znaczeniu. Zazwyczaj jednak przez realizm rozumiano w XIX wieku wprowadzony przez Courbeta kierunek artystyczny, który zdobył sobie licznych protagonistów. Courbet przyznawał zresztą, iż nazwę tę mu narzucono, a przyjaciel jego, Champfleury, nazywał to słowo dzwoneczkiem, który krytyk zawiesza na szyi artysty.

Realizm w połowie XIX wieku opierał się na niektórych tradycjach XVI i XVII stulecia: prekursorów jego widzieć można w Caravaggiu i Holendrach, a w wieku XVIII — w Chardinie. Realiści XIX wieku mogli także powoływać się na portrety Davida, po części również na młodego Ingres'a, a w malarstwie pejzażowym w znacznej mierze przygotowali im grunt Constable i Corot. Nawet Delacroix, przywódca szkoły romantycznej, mimo negatywnej postawy wobec nowego kierunku, który określał jako naturalizm, był w wielu swoich dziełach, zwłaszcza w studiach z natury z Algieru, poprzednikiem realistów.

W podobny sposób poszukiwania realistów wyprzedzili też niektórzy pisarze, żyjący w okresie szkoły romantycznej: Stendhal wprowadził do powieści analizę psychologiczną, a Balzak ukazywał bezlitośnie, choć zgodnie z prawdą, społeczeństwo stolicy i prowincji francuskiej. W tym czasie poznano w Europie pisarzy rosyjskich: Puszkina, Gogola, a później Turgieniewa. Budzili oni powszechny zachwyt, przede wszystkim dzięki swej prawdomówności. Realizm jako kierunek artystyczny ukształtował się zresztą dopiero w połowie XIX wieku, a wkrótce potem teoretycy podali jego krytyczne uzasadnienie.

Nowy ów kierunek domagał się dostępu w sferę sztuki dla całego ówczesnego życia codziennego. Codzienność ta istniała już, jako jeden z „niższych rodzajów", w sztuce XVII i XVIII wieku. Obecnie współczesność uznana zostaje za główny temat w sztuce, dla niej wielu zwolenników realizmu odrzuca wszelkie inne rodzaje, między innymi również malarstwo historyczne. Ów zwrot ku teraźniejszości, opierający się na krytycznym do niej ustosunkowaniu, urasta niekiedy do namiętnego piętnowania banału życia burżuazyjnego. Wkrótce wielu realistów XIX wieku zaprze się wzniosłych ideałów romantycznych.

Z niechęci do upiększającej łatwizny niektórzy artyści przerzucili się w drugą ostateczność: zaczęli lubować się w brzydocie, a nawet w zjawiskach odrażających. Negacja fałszywego kanonu klasycznej piękności kobiecej tłumaczy u Courbeta jego szczególne upodobanie do ciał pozbawionych wdzięku i ociężałych. Nawet Baudelaire, autor „Hymnu na cześć piękna", napisał wiersz pod tytułem „Trup" i pokazał w nim ohydne zwłoki zżerane przez robactwo. Takiej śmiałości nigdy jeszcze dotąd nie było: w dawniejszej sztuce szkielety i trupy traktowano jedynie jako symbole śmierci. Artyści XIX wieku, wprowadzając do sztuki owe potworności, widzieli w tym sposób na ukazywanie całokształtu życia. Inne, własne poglądy mieli na ten temat realiści rosyjscy: chcieli, by obraz był zgodny z prawdą, lecz jednocześnie szukali w życiu piękna i wzniosłości i znajdowali je.

Nowe pokolenie pozostawało w gwałtownej opozycji do swych poprzedników. Chociaż realiści wiele romantykom zawdzięczali, oskarżali ich jednak o rozmarzenie i nieznajomość świata. Generacja z lat pięćdziesiątych i sam nawet Baudelaire ruszyli do boju przeciwko fantazjom i marzeniom:

> „Dzieckiem byłem, gorąco teatru spragnionym,
> Kurtyną, co go skrywa, szczerze oburzonym.
> Aż wreszcie naga prawda już się objawiła:
> Umarłem bez zdziwienia. I wtedy, w oddali
> Zorza okrutna wzeszła — ona tylko była!
> I teatr się rozpoczął. A ja czekam dalej."

Podobnie i Flaubert z niewzruszonym chłodem analityka ukazywał nieprzydatność urojeń swej bohaterki, Emmy Bovary. To, co romantycy uważali za szlachetne uczucie i płomienną namiętność, dla realistów było godnym wzgardy sentymentalizmem, wyrachowaniem i przejawem niskich instynktów. Ograniczając pierwiastek liryczny, realiści domagali się, by artysta był przede wszystkim obiektywny. Zola miał później zarzucać nawet Balzakowi, że zbytnio polegał na wyobraźni. Warto tu znowu przypomnieć, że pisarze rosyjscy myśleli nieco inaczej: Gonczarow, a zwłaszcza Dostojewski, bronili prawa artysty do fantazji i ideałów.

W walce z romantyzmem realiści szukali oparcia w naukach ścisłych: Zola cenił je tak wysoko, iż gotów był dla nich poświęcić twórczość artystyczną. Wprawdzie nie wszyscy realiści dzielili te przekonania, przeniknęły one jednak w dziedzinę sztuki. Delacroix cenił w sztuce jej obszary nieuchwytne — jak na przykład muzykę — podczas gdy nowe pokolenie występowało zdecydowanie przeciw wszelkiej nieokreśloności: idea miała być w sztuce wyrażona konkretnie i zrozumiale.

Zasady te łączyły w XIX wieku zwolenników najrozmaitszych kierunków. Realizował je przede wszystkim Courbet, później jednak przeniknęły także na wystawy Salonu; nawet fantastyczne w założeniu obrazy Böcklina malowane są z chłodną, niemal fotograficzną precyzją. Flaubert, nie chcąc polegać na spontanicznym wyczuciu, jakim kierował się Stendhal — zadawał sobie niezmiernie wiele trudu, aby każdą ze swych postaci zdefiniować z nieskazitelną dokładnością. Nawet opisy przyrody Leconte de Lisle'a, który to poeta nie należał do szkoły realistycznej, są ścisłe jak ostro wysztychowany rysunek.

W wyniku tych naukowych tendencji groziło sztuce osłabienie środków wyrazu. W XIX wieku niebezpieczeństwo to było jeszcze większe niż w dobie renesansu, wszakże najlepsi artyści zdołali się przed nim uchronić. Baudelaire już w połowie stulecia apelował do twórców, aby na prozę świata czarnych surdutów i cylindrów patrzyli oczami poety. Tak też się i działo u wielu artystów i pisarzy.

W połowie XIX wieku grupa malarzy paryskich, których łączyła wspólna miłość do przyrody, wziąwszy szkicowniki wyruszyła z miasta w poszukiwaniu motywów. Wszyscy oni urodzili się około drugiego dziesiątka lat XIX wieku, byli przyjaciółmi, nie zaznali sławy za życia, a na co dzień poprzestawali na małym. Jako miejsce pobytu obrali sobie gęsty las przy Fontainebleau, który zachował jeszcze całą swoją dziewiczość, i zamieszkali w Barbizon, wiosce położonej na skraju owego lasu. Przeszli też do historii sztuki pod nazwą barbizończyków.

Corot odwiedzał niekiedy barbizończyków, którzy mieli wiele z nim wspólnego — on sam trzymał się nieco na uboczu. Był poetą, barbizończycy natomiast byli zwolennikami prozaicznego realizmu w malarstwie pejzażowym. Zazwyczaj uważa się ich za odkrywców uroku rodzimej francuskiej przyrody, którą swą sztuką odtwarzali, lecz zachowywali własne spojrzenie na świat i odzwierciedlali go w sposób nieuczuciowy. Pejzaże ich są ważnym ogniwem w rozwoju stosunku twórczości artystycznej do natury, dotyczącym również dziewiętnastowiecznej literatury francuskiej.

Przy opisywaniu nocnego krajobrazu pustyni Ameryki Północnej Chateaubriand posługiwał się patetycznym, a nawet afektowanym językiem romantyków: „Księżyc stał wysoko na niebie; tu i ówdzie widać było świetlne smugi wielu migocących gwiazd. Niekiedy księżyc przesłaniany był przez chmury, podobne do ośnieżonych wierzchołków wysokich gór, stopniowo jednak owe chmurki rozpraszały się, rozpływały w przejrzyste a rozfalowane smugi białego atłasu lub przekształcały się w lekkie płatki piany, które niezliczonymi stadami wędrowały po błękitnym sklepieniu niebios". Opis ten zawiera wiele dobrze zaobserwowanych szczegółów i jest nader plastyczny, lecz deklamatorski patos Chateaubrianda zakłóca ciszę przyrody.

Maurice de Guérin, jako przedstawiciel następnego pokolenia romantyków, bardziej wnikliwie przysłuchiwał się niewyraźnej, lecz jakże przejmującej mowie natury: „O, jak urocze są owe dźwięki natury, owe w powietrzu rozproszone dźwięki. Chodząc, zawsze ich słucham. I gdy ktokolwiek spotka mnie w rozmarzeniu, zastanawiam się nad tą harmonią. Skłaniam ucho ku tysiącom głosów, ich śladem idę brzegiem strumyka, słyszę je w przepaścistych wąwozach, wchodzę na drzewa, a wierzchołki topól kołyszą mnie ponad ptasimi gniazdami. O, jakże wspaniałe są te tony, te przez niebo wylane tony".

76. Gustave Courbet, Pogrzeb w Ornans, fragment

77. Gustave Courbet, Fala

78. Gustave Courbet, Pogrzeb w Ornans

79. Jean-Baptiste Carpeaux, Flora, płaskorzeźba z brązu

80. Constantin Meunier,
Rębacz

81. Jean-François Millet, Siewca, rysunek

82. Jean-François Millet, Listopadowy wieczór

83. Théodore Rousseau, Las w Berry

84. Charles-François Daubigny, Sad oliwny

85. Charles Garnier, Westybul Opery

86. Gustave Eiffel, Wieża, Paryż

87. Léon Frédéric, Handlarze

88. David Octavian Hill,
Handlarka ryb z Newhaven,
fotografia

89. Adolph Menzel,
Przy świetle lampy

90. Wasilij Surikow, Bojaryni Morozowa

92. Ilja Riepin, Burłacy na Wołdze, szkic

93. Ilja Riepin, Garbus, studium do obrazu ,,Procesja w kurskiej guberni''

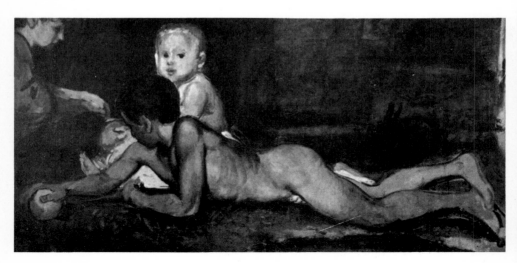

94. Wilhelm Leibl,
Niedobrana para

95. Hans von Marées,
Leżący chłopcy,
studium do fresków
w Stacji Zoologicznej
w Neapolu

Niejasną, nieprzetłumaczalną, muzyczną mowę romantyków zastępuje w prozie Flauberta ścisły i jasny opis: „Było to w okresie pięknych dni na początku października, lekka mgła unosiła się nad krajobrazem, cienki welon przesłaniał zarysy gór, unosił się wzwyż i rozpływał na niebie. Niekiedy przez warstwę mgły przedzierał się promień słońca, Yonville leżało wówczas w złotym blasku przed wami, wraz ze swymi dachami, podwórzami, murami, wieżą kościelną i ogrodami nad brzegiem rzeki". Dopiero po tak ściśle opisanym widoku mówi autor o tym, jak przedstawia się on oczom Emmy Bovary, która zachwyca się nim stojąc obok Rudolfa: „...ze wzgórza bowiem, na którym stali, cała dolina podobna była do ogromnego, mlecznobiałego, kipiącego jeziora, z którego tu i ówdzie wynurzały się grupy drzew, niczym czarne, skalne bloki; szeregi wysokich topól, wynurzające się z mgły, wydawały się jakby nawianymi wiatrem piaszczystymi wydmami".

Barbizończycy widzieli przed sobą zadania podobne co przedstawiciele realistycznej prozy. Radowali się, że właśnie oni pierwsi zobaczyli ojczyste krajobrazy oczami malarza: niebo, okryte chmurami, gęstwinę lasu, otwarte polany z pasącymi się na nich stadami, ciche, zamulone zatoczki, obrzeżone szerokopiennymi wierzbami rzeki, niskie domki, piaszczyste wydmy czy porośnięte wrzosem łąki. Z zapałem przystąpili do „portretowania" tych cichych zakątków. Na obrazach ich już same motywy pełne były poezji: widzieli, jak nadciąga burza, jak nadchodzą ołowianej barwy chmury, jak na tle owych, miejscami jaskrawo oświetlonych przez przenikające promienie słońca, chmur ostro zarysowują się ciemne drzewa, jak niekiedy pod wieczór na zachodzie gromadzą się obłoki i zaczynają płonąć różowym blaskiem, zapowiadającym nieszczęście; obserwowali również, jak po ożywczym deszczu postrzępione chmury pędzą po niebie, jak przeziera przez nie słońce, jak drogi zalewa woda, a trzoda, powoli idąc przez błoto, powraca do wsi. Barbizończycy nauczyli się patrzeć na te widoki uważnym, gospodarskim spojrzeniem chłopa, który w czystym lub zachmurzonym zachodzie słońca odczytuje zapowiedź, czy dzień będzie pogodny, czy wietrzny. Pojmowali jednak również, że trzeba nadać tym wszystkim obserwacjom formę artystyczną.

Większość malarzy z Barbizon spożytkowała doświadczenia siedemnastowiecznych Holendrów, a po części i Constable'a. Podjęli nić rozwoju w tym właśnie miejscu, gdzie przerwał ją wiek XVII, lecz powracając do tematów po raz pierwszy opracowanych już przez malarzy holenderskich, byli od nich bogatsi o dorobek całych stuleci; okres romantyzmu nie pozostał bez wpływu na malarstwo pejzażowe. Barbizończycy częściej posługiwali się przeciwstawieniem, ich krajobrazy były też efektowniejsze od holenderskich; silniej doszły w nich do głosu uczucia, nastroje i rozważania artystów. Dla Delacroix natura była wielkim słownikiem, Dupré uważał ją za pretekst („la nature n'est qu'un pretexte").

W przeciwieństwie do romantyków, a zwłaszcza do Corota, usiłowali malarze z Barbizon zharmonizować swój stosunek do przyrody z samym życiem tejże przyrody i napełnić swoje pejzaże mnogością obserwacji. Było to zadanie trudne, któremu niektórzy z nich nie mogli sprostać, ponieważ istniało przy tym niebezpieczeństwo zatracenia poetyckiego stosunku do świata. W gronie barbizończyków nie było ponadto ani jednego malarza, który by mógł zmierzyć się z Constable'em czy Corotem. W porównaniu z pracami Constable'a kompozycje barbizończyków były najczęściej prawidłowsze, ale wykonane bardziej drobiazgowo i oschlej.

Wspólność dążeń artystycznych nie udaremniała bynajmniej ujawniania indywidualnych cech w dziełach poszczególnych twórców z Barbizon. Przywódcą szkoły barbizońskiej był Théodore Rousseau (1812—1867), który ze wszystkich gatunków drzew najbardziej ukochał dęby, z ostro rysującym się na tle nieba, filigranowym ornamentem liści. W przeciwieństwie do późnych pejzaży Corota o romantycznie zatartych konturach drzew, u Rousseau rysunek jest dokładniejszy i nawet nieco pedantyczny, a marzycielskość zastępuje odpowiednio obiektywna i spokojna kontemplacja przyrody. Prozaiczna trzeźwość tego dziewiętnastowiecznego artysty przewyższa nawet rzeczowość pejzażystów holenderskich z XVII stulecia.

Nie wolno przy tym zarzucać Rousseau fotograficznie obiektywnej obojętności. Richard Muther nie darmo porównuje pejzaże tego artysty z pełnymi poezji opisami przyrody Turgieniewa. Obrazy Rousseau są przeważnie dobrze skomponowane, a wyraźnie zarysowane szczegóły na pierwszym planie podporządkowują się jednak wrażeniu ogólnemu i sylwetom drzew. W zgodnych z prawdą krajobrazach Rousseau przeziera jeszcze klasyczna czytelność, przypominająca francuskie pejzaże z XVII wieku. Niektóre dzieła Rousseau, zwłaszcza przedstawiające skraj lasu obramowany drzewami jak kulisami, konstruowane są prawdziwie w duchu klasycznym. Niestety, wskutek nadużywania farb asfaltowych, utrzymane w złocistej tonacji obrazy poczerniały wraz z upływem czasu.

Dupré (1811—1889) przyłączył się do Rousseau, mniej jednak od niego skromny i powściągliwy, pokrywał swoje płótna skłębionymi chmurami i kędzierzawymi koronami drzew, wywołując nieco niespokojne i patetyczne wrażenie; niekiedy też efekty świetlne wypadają u niego sztucznie. Troyon (1810—1865) lubił ożywiać pejzaż stadem owiec albo wołów. Diaz de la Pena (1808—1876) malował najchętniej gęstwinę leśną lub polany, na które przedzierały się promienie słońca, igrające na pniach i zielonej trawie. Migotanie świetlnych plam daje tu niespokojny a różnorodny rytm, jakiego nie znali Holendrzy. Daubigny (1817—1878) rzeki, jeziora i stawy odtwarzał z łodzi, która służyła mu za pracownię na wolnym powietrzu. Mógł dzięki temu podpatrzeć najrozmaitsze stany w przyrodzie.

W pejzażach Rousseau drzewa, ich liście i konary, są zazwyczaj ostro okonturowane. Obrazy jego wydają się zestawione z licznych i wyraźnie od siebie oddzielonych brył, co jeszcze podkreśla ich prozaiczną opisowość. W studium *Sadu oliwnego* Daubigny ukazuje osobliwe, baśniowe niemal sploty konarów, zachwyca go kapryśne migotanie świateł nieustannie walczących z cieniami i dzięki temu uzyskuje poetycki wyraz. Szerokie i soczyste jego malarstwo zdaje się odzwierciedlać tajemne siły przyrody. Stąd Daubigny wydaje się nieco romantyczny, lecz romantyk ten brał pod uwagę poglądy współczesne.

Jean-François Millet (1814—1875) także często odwiedzał barbizończyków, był jednak malarzem innego rodzaju. Interesowała go nie tyle przyroda, ile raczej mieszkańcy wsi: temat ten zajmował go przez całe życie. Sam pochodził z chłopskiej rodziny i nie patrzał na wiejski byt oczami mieszczucha, lecz człowieka ściśle z wsią związanego, dobrze znającego niedole i cierpienia, ale również i osobliwej poezji pełne piękno tej egzystencji. Jako wielki, humanistyczny artysta zachowywał zawsze umiar, lubił też równomierny rytm, doskonale dostosowany do spokojnego toku życia na wsi.

por. IV, 64

IV, 83

por. III, 162

por. III, 189

IV, 84

Z obrazem pracy spotykamy się w sztuce od czasów najwcześniejszej starożytności, dawni artyści nie czynili jednak jej ludzkich i etycznych treści centralnym punktem swoich rozważań. Nawet u Bruegla prace i troski rolników przyćmiewa życie „nieczułej przyrody" (Puszkin), dlatego też sławny jego cykl nosi tytuł *Pory roku*. Natomiast braci Le Nain interesowały przede wszystkim charaktery chłopów, por. III, 18 sceny rodzinne i posiłki, a nie roboczy chłopski dzień. Nawet w *Kuźni* Le Naina ukazana grupa chłopów bezczynnie otacza kowadło. Później życie wiejskie opisywać będą także liczni dziewiętnastowieczni pisarze, ale Millet pozostał najlepszym malarzem francuskim, który to życie, a zwłaszcza tę pracę, ukazywał.

Wszędzie u Milleta wyczuwamy dokładną znajomość wsi. Sam mówił z entuzjazmem o „nieskończonej wspaniałości" wiejskiego życia, o jego „prawdziwej ludzkości" i „wielkiej poezji". Poszukując jednak środków artystycznych dla wyrażenia tego wszystkiego, nie gardził przykładami starych mistrzów. Gottfried Keller wzruszającą opowieść Milleta o dwojgu nieszczęśliwie zakochanych nazwał „Romeo i Julia na wsi". Malarz szukał również klasycznych wzorów dla scharakteryzowania rzeczywistości, na którą patrzył własnymi oczami. „Mógłbym przez całe życie mieć przed sobą dzieła Poussina i nigdy bym nie miał ich dość" — powiadał. Udowodnił też tę sympatię własnymi, szeroko pomyślanymi pracami. Zarzucano mu, iż na jego obrazie ludzie dźwigający cielaka wyglądają tak, jakby nieśli byka Apisa. W istocie, na wskroś powszednie sceny uzyskują na płótnach Milleta uroczysty klimat sakralnych obrzędów z malowideł klasycznych.

Millet sam stwierdził, że w swoim *Drwalu* bynajmniej nie chciał ukazać przypadkowej, rodzajowej scenki, lecz odtworzyć wrażenie, jakie u widza wywołuje postać człowieka obładowanego wiązką chrustu, „skierować myśli na smutny los ludzkości i na jej zmęczenie". Dołożył starań, aby postać drwala ukształtowana została w sposób równie typowy, co bohaterowie bajek Lafontaine'a. Trzy pochylone postacie z obrazu *Zbieranie kłosów* (1857, Luwr) są wymownym przykładem, że w mądrym swym umiarze umiał Millet tworzyć wizerunki pracy nie poniżającej człowieka. *Anioł Pański* (Luwr) ukazuje znów pokorną pobożność dwojga wiejskich ludzi; Millet zwraca się ku jeszcze patriarchalnym obyczajom chłopów. Niektóre jego płótna, wykonane tzw. manierą kwiecistą, świadczą, że artysta nie uniknął wpływów scen pasterskich z XVIII wieku, w innych natomiast dziełach, jak na przykład w *Człowieku z motyką* lub *Odpoczynku kosiarza,* przedstawił twarde prawa uprawy ziemi wymagającej nadludzkiego nieraz wysiłku — wyprzedzając tym sposobem niejako Zolę z powieści „Ziemia". Praca na roli ukazana została w tych obrazach jako współczesne niewolnictwo.

W najwybitniejszych swych dziełach Millet unikał jednak zarówno idealizacji, jak i deprecjacji pracy na wsi. *Siewca* idzie przez pole równym krokiem, z rytmicz- IV, 81 nym rozmachem wyciągniętej ręki, podkreślonym układem nóg. Malarz zrezygnował tu z wszelkich szczegółów, uwidaczniając przejrzyście budowę postaci. Zapewne i tutaj czerpie ze spuścizny dawnych mistrzów — zwartość i rytmiczność ruchów *Siewcy* upodabnia go do klasycznego posągu. Lecz omawiane dzieło nowożytne por. I, 114 silniej wyraża aktywność człowieka, a przyczynia się do tego ogólna koncepcja obrazu; zwłaszcza stroma linia horyzontu zdaje się popychać naprzód kroczącą postać. Kapelusz chłopa namalował Millet jako ciemną plamę, odcinającą się na tle jasnego nieba; pozostałe partie obrazu utrzymane są w jaśniejszej tonacji, przez

Jean-François Millet,
Saboty, rysunek

co postać zyskuje na wyrazistości, sylwetkę jej ogarnąć można jednym spojrzeniem. Oczywiście najważniejszym osiągnięciem tego rysunku są te jego właściwości, dzięki którym postać siewcy uosabia godność człowieka i wzniosłe piękno jego niestrudzonego życia.

W pejzażach Millet zbliżał się do barbizończyków, lecz zawsze nade wszystko absorbowała go myśl o człowieku, a więc i w przyrodzie interesowały go w pierwszym rzędzie te jej elementy, które pozostają w bezpośrednim kontakcie z rolnikiem. Na obrazie *Komornice* (Moskwa) widzimy strome zbocze, nagie pnie drzew i postacie dwóch ubogich kobiet, z trudem wlokących jakąś belkę. *Stóg siana*

IV, 82 (Moskwa) — to obraz plonu ludzkiej pracy. W *Listopadowym wieczorze* artysta z kolei ukazuje jesienne pole, które, niczym u Niekrasowa, „jako szmat pola nieskoszony nasuwa myśli pełne melancholii". Niskie chmury, mroczne niebo, wcześnie zapadająca ciemność, odlatujące ptaki — wszystko to wywołuje uczucie samotności, które jeszcze potęguje widok umieszczonej w oddali, drobnej ludzkiej postaci. Brona, zapomniana, czy też porzucona między polami na miedzy, stanowi niejako klucz do treści tego malowidła, przypomina bowiem o ciężkiej pracy, jaką człowiek wykonał na tym zagonie. Już sam dobór motywów służył wywołaniu nastroju poetyckiego, podkreślonego jeszcze kompozycją: pole wznosi się stromo, dostrzegamy zaledwie wąski skrawek nieba, ogromna brona na pierwszym planie przytłacza rozmiarami nikłą figurkę człowieka na horyzoncie. Jedynie oświetlone niebo wydaje się tu pociągające.

Millet potrafił nawet w obrazach o całkiem prostych motywach stworzyć nastrój poetycki, związany z tematem zasadniczym. Para drewnianych sabotów obok

s. 100
por. s. 84 dwóch leżących kłosów wywiera u Milleta równie wielkie wrażenie, jak przedmioty na obrazach Holendrów, Chardina czy Daumiera. Jest w nich zarówno bieda, jak i ciężki znój — całe zatroskane życie ojców rodzin. W przeciwieństwie do graficznego stylu Daumiera podporządkowywał Millet na swych rysunkach rodzaj kreski charakterowi przedmiotów, jakie miał zamiar przedstawić: kreski biegnące równolegle i kreski zagęszczające się w plamy, kształtujące wyrazisty modelunek.

Barbizończycy i Millet należą do wybitnych przedstawicieli realizmu w sztuce francuskiej połowy XIX wieku, ale, uznanym przywódcą nowego kierunku był Gustave Courbet (1819—1877). Pochodził on z zamożnej chłopskiej rodziny z południowej Francji, jako młodzieniec przybył do Paryża i jego talent malarski wzbudził niebawem wielkie zainteresowanie. Był człowiekiem krzepkiej budowy ciała, krępym, jakby uosobieniem witalnych sił ziemi; był człowiekiem nieugiętej woli, zdrowego ducha, odważnym i obdarzonym wielką samowiedzą. W malarstwie szedł własnymi drogami, opierając się na doświadczeniach realistów z XVII wieku, Holendrów i Hiszpanów. Przyjaciele jego, filozof socjalistyczny Proudhon, krytyk Champfleury i poeta Baudelaire, pomogli mu w rozpoznaniu własnej drogi. Starał się służyć swoją sztuką politycznym ideałom epoki, wyrażać ich treści demokratyczne, antyklerykalne i rewolucyjne.

W książce „O podstawach sztuki" Proudhon omówił kilka obrazów Courbeta w świetle ideologii socjalistycznej. Trudno jednak byłoby przyznać, że krytyk w pełni pojął istotę analizowanej sztuki malarza. Courbet był w swych artystycznych poglądach zdecydowanym indywidualistą: malarstwo oznaczało dla niego przede wszystkim ukazywanie tego, co twórca oglądał własnymi oczami. Mawiał żartobliwie: „Pokażcie mi anioła, a namaluję go". Sądził, że znaczenie wyobraźni polega na jej zdolności ujawniania piękna, ukrytego w naturze, a piękno utożsamiał z prawdą. Naturę zaś stawiał wyżej od sztuki, nie biorąc bynajmniej pod uwagę, iż chodzi tu o dwie odrębne kategorie. W okresie Komuny Paryskiej przyłączył się Courbet do komunardów (1871), uczestniczył w ich artystycznych imprezach i był potem narażony na ciężkie prześladowania ze strony reakcji. Courbet entuzjazmował się licznymi ideami nurtującymi sztukę współczesnej mu epoki, lecz w ustach jego owe tezy brzmiały raczej przesadnie. Wyczuwał obłudę uznanych wielkości Salonu, protestował jednak nie tylko przeciw nim, lecz chciał również obalić autorytet takich mistrzów, jak Tycjan, Leonardo i Rafael. Pełen podziwu dla nowoczesnej techniki, roił, aby muzea sztuki zamienić na dworce. Posiadał wielki malarski talent i dar bystrej obserwacji, inspirujące go przy pracy z modelem i przy przeprowadzaniu studiów, wyobraźnię jednak miał niewielką i to niezmiernie mu utrudniało realizację jego szeroko zakrojonych zamierzeń.

Od najwcześniejszych lat twórczości marzyło się Courbetowi malarstwo monumentalne, sprawa jednak nie była łatwa, ponieważ jednocześnie chciał ukazywać życie swojej jedynie epoki i malować tylko to, co zobaczył na własne oczy. Przejęty widokiem dwóch robotników, tłukących na skraju ulicy kamienie na bruk, zaprosił ich do swej pracowni i namalował słynny obraz *Kamieniarze* (1849, do 1945 r. w Dreźnie). Nie upoetycznił tematu pracy w tak silnym stopniu jak Daumier lub Millet, natomiast obydwie naturalnej wielkości postacie, w prostej odzieży i drewniakach, zmonumentalizował, nadając ludziom wielką szlachetność, wyraz siły i wytrwałości. Jako konsekwentny realista, nie chciał Courbet uzewnętrzniać współczucia, jakie ci ludzie w nim budzili. Epickość obrazu wywarła wielkie wrażenie na współczesnych, którzy zrozumieli go jako protest artysty i demokraty przeciw nierówności społecznej. Na obrazie *Popołudnie w Ornans* (1894, Lille) ukazał Courbet grupę krewnych i sąsiadów, słuchających gry skrzypka — w istocie jest to scena rodzajowa, która przedstawiając ludzi prostych uzyskuje znaczenie społeczne.

Spośród wielkich obrazów Courbeta do najwybitniejszych zaliczyć trzeba *Pogrzeb* IV, 78
w Ornans. Jest to cała galeria portretów mieszkańców rodzinnego miasteczka artysty, którzy zgromadzili się, aby oddać ostatnią posługę jednemu ze swych krajanów. Wybór momentu nadaje temu grupowemu portretowi doniosłość wydarzenia historycznego. Postaci zostały tu rozmieszczone swobodnie i po prostu, lecz także zręcznie i logicznie: artyście udało się połączyć prawdę poszczególnych postaci z uroczystym wyrazem całości. Wszystkie sprawy powszednie

uzyskały tu głębszy sens, mimo iż naturalność nie doznała przy tym uszczerbku. W środku obrazu widzimy pusty jeszcze grób, do którego zostanie spuszczona trumna. Wokół dołu zgromadziły się postacie, z których każda posiada rysy indywidualne. Poważny, wytworny prokurator stoi tam obok otyłego mera, dwaj starzy wolnomyśliciele w staroświeckich strojach z 1789 roku znaleźli się obok chudego, surowego księdza i ministranta z czerwonym nosem. Twarze figur ze skraju obrazu

IV, 76   są już ledwo widoczne. Smutny widok starych, płaczących kobiet równoważy młodzieńczą świeżość dzieci. Barwy, stosownie do nastroju obrazu, użyte są z umiarem, a dzięki wyszukanym odcieniom czerni, bieli, czerwieni i jasnego błękitu koloryt posiada wielką siłę oddziaływania. Chcąc uzmysłowić materialność farb, artysta nakładał je grubo i soczyście.

por. IV, 58   W porównaniu z patosem Delacroix, rezerwa Courbeta, surowa rytmika jego kompozycji budzą wrażenie głębi i powagi. Courbet opierał się na dziedzictwie
por. III, 5   klasycznego malarstwa monumentalnego. Opisane dzieło wielkiego dziewiętnastowiecznego artysty śmiało może rywalizować z tak przez niego cenionym malarstwem Hiszpanów, a w szczególności ze znajdującym się w Luwrze obrazem Zurbarana. Podczas jednak gdy Zurbaran przy całej swojej zgodności z prawdą przejęty był jeszcze wiarą w życie pozagrobowe, Courbet, jako człowiek współczesny, nie taił obojętności w stosunku do samej ceremonii, a także wobec tajemnicy śmierci. Z tej niewzruszonej postawy twórcy obraz czerpie wyraz wielkiej godności. Doprawdy, owo płótno, gdzie zwykłe wydarzenie urasta do skali widowiska o znaczeniu ogólnoludzkim i o wielkiej sile oddziaływania, zaliczyć trzeba do najwymowniejszych arcydzieł malarstwa europejskiego.

Na płótnie zatytułowanym *W pracowni malarza* (1855, Luwr) przedstawił Courbet samego siebie, siedzącego przed sztalugami z pędzlem i paletą, w otoczeniu swych najulubieńszych modeli. Za nim stoi Muza: akt grubej kobiety, wstydliwie osłaniającej swą nagość. Biały, kudłaty piesek bawi się obok małego chłopczyka, który nie odrywa oczu od pracującego artysty. Z jednej strony ugrupowanych postaci widzimy strzelców z psami i kłusowników z gitarami, z drugiej — elegancką parę z wyższością przyglądającą się nagiej modelce, a całkiem na skraju obrazu dostrzegamy jeszcze zatopionego w lekturze Baudelaire'a. Także i tym razem nie zadowolił się artysta wycinkiem z życia. Nazwał swój obraz „realną alegorią", a chciał w nim powiedzieć, że twórczość artysty znajduje się w środku pomiędzy światem ludzi ubogich i prostych a towarzystwem eleganckim i wykształconym. Jeżeli nawet omawiana praca jest nieco przeładowana i nie odznacza się taką zwartością, jak *Pogrzeb w Ornans,* to jednak stwierdzamy, że wielkiemu malarzowi i tym razem udało się zamanifestować najróżnorodniejsze możliwości swojej palety. Dzięki pejzażom — rozległym i zwiewnym — ukazanym na tylnej ścianie pracowni i przeciwstawianym niemal uchwytnym postaciom, obraz staje się apoteozą potęgi malarstwa.

Courbet namalował jeszcze cały szereg innych, dużych obrazów: wiejskie damule na leśnej polanie, eleganckie damy, rozłożone nad brzegiem Sekwany, sceny łowieckie, a także spotkanie ze swym mecenasem, panem Bruyas, na przechadzce. W późniejszym okresie znalazł się Courbet pod wpływem malarzy Salonu, zwłaszcza gdy malował akty. W dawniejszych *Kąpiących się* (1853, Montpellier) oburzało współczesnych rozmyślne podkreślenie ociężałości i niezdarności nagiej kobiety, natomiast obecnie, na przykład w obrazie *Kobieta z papugą* (1866, Nowy Jork) przeznaczonym na sprzedaż, Courbet nie jest już ani tak śmiały, ani tak prawdomówny i dąży raczej do ukazania efektownej piękności.

Nieporównaną siłę twórczą ujawnił Courbet w studiach z natury. Poskąpił wprawdzie aktom renesansowego uduchowienia i owego wewnętrznego napięcia, które jak drżenie przenikało postacie na płótnach z XVII i XVIII wieku. Courbet widział przede wszystkim pospolitą, kipiącą nadmiarem sił witalnych, a przy tym ociężałą ludzką cielesność, a to, co dostrzegł bezpośrednio, czynił też uchwytnym na obrazie; odtwarzał tak znakomicie modelunek, ciężar materii i wzajemne przenikanie płaszczyzn, że nawet najbardziej niepozorny motyw przekształcał się w jego rękach w przykład malarstwa prawdziwego, odważnego, mocnego i zgodnego z rzeczywistością. Tendencja do pokreślania w ludziach pierwiastków zmysłowych i konkretu postaci skłaniała go do malowania osób spoczywających lub śpiących, które mógł swobodnie obserwować nie troszcząc się o mimikę albo zmianę pozy.

Courbetowi nie zawsze udawało się odtworzyć głębszą koncepcję obrazu wielofigurowego, ale w studiach z natury i w licznych martwych naturach osiągał niezwykłe wręcz prawdopodobieństwo. Umiał doskonale rozmieszczać przedmioty na różnych planach. Jego studia przenika też określony rytm, którego brakowało wielu malarzom z XIX wieku. Świadczyłoby to, że i w tej epoce istnieli jeszcze artyści, bynajmniej nie ustępujący dawnym mistrzom, choć sam Courbet najmniej zapewne myślał o naśladowaniu klasycznych wzorów.

Mocną stroną talentu Courbeta było wyczucie harmonii barw i zrozumienie jakości tworzywa, jakie miał do dyspozycji. Zalety te ujawniły się najpełniej w jego krajobrazach morskich. Fal z tak wyczuwalną siłą bijących o brzeg nie spotkamy nawet w marynistycznej twórczości Turnera, który morze malował zazwyczaj z oddali i nie wyrzekał się efektów teatralnych. Courbet podchodził natomiast aż na sam kraniec wybrzeża, tam gdzie morze opryskuje już człowieka pianą. Stamtąd rzucał żywiołom śmiałe wyzwanie, jak słynna strofa Baudelaire'a:

IV, 77

> „Człowieku wolny! morze zawsze cię urzeka.
> Zwierciadłem twoim morze. Dostrzeżesz w nim siebie
> I lęk, który w bezkresie jego fal kolebie
> I przepaść, co twej duszy równie niedaleka".

W tym samym czasie także i Wagner odtwarza w „Latającym Holendrze" (1843) wstrząsającą muzykę sztormu.

Burzliwe morskie pejzaże Courbeta urzekają widza wyrazem nieokiełzanej siły natury, brak im jednak patosu sztuki romantycznej. Gdy zaś porównamy je z filigranową, dekoracyjną falą Hokusai, stwierdzimy, jak uchwytnie i materialnie zachodni malarz umiał ukazywać żywioły. Owa atakująca brzeg fala wprawdzie pośrednio, lecz nie mniej efektownie niż figuralne kompozycje Courbeta, uzmysławia energię, odwagę i zmagania człowieka, bohatera nowej ery, któremu sam widok rozszalałej przyrody przysparza radości.

por. II, 76

W pejzażach marynistycznych podziwiamy doskonałość malarskiego warsztatu Courbeta. Kładł farbę na płótno grudkami, rozmazując ją na powierzchni płótna nożem. Silną ręką rzucane farby przekształcały się już to w ołowiane chmury, już to w śnieżnobiałe grzywy fal, zachowując przy tym swą konkretną materialność. Jego farba ma zapach zboża — mówił o Courbecie Cézanne. Wszelkie przedmioty odtwarzał Courbet znakomicie: góry, morze, fale, chmury, ziemię, owoce lub drzewa. Nie uwzględniał też wcale powietrza ani światła. Courbet był ostatnim wielkim malarzem zachodnioeuropejskim, który w malarstwie swoim opierał się na barwach lokalnych poszczególnych przedmiotów, łącząc je następnie w jasny, to znów ciemny, jednolity koloryt. Dla widoków morza wynajdywał wielką mnogość odcieni zielonych i błękitnych. Niestety, aby ową harmonię barw osiągnąć, stosował nader często farbę asfaltową w przyjemnym, złotożółtym kolorze, który później jednak ciemniał tak, że niektóre jego obrazy zmieniły się po pewnym czasie w czarne plamy. Światło barw osłabiał też malarz modelując — za przykładem zwolenników Caravaggia — bryły na czarnym tle, które w całokształcie malarskiego efektu odgrywało zasadniczą rolę.

Znaczenie Courbeta polega nie tylko na tym, że zwrócił się ku obrazom z życia ludu. Także w sposobie, w jaki traktował ludzkie ciało, poszczególne przedmioty i całą przyrodę, ujawniał swój światopogląd. Od czasów renesansu tworzyło w malarstwie europejskim wielu artystów, dla których plastyczność obrazu oznaczała wyznanie wiary w aktywne siły człowieka: wymieńmy choćby Masaccia, Donatella, Michała Anioła, Caravaggia, Rubensa, Delacroix czy Daumiera. Do nich należy również Courbet.

Już w XV wieku wynaleziono metodę rzucania odbicia przedmiotu na gładką powierzchnię przy użyciu wypukłych soczewek: artyści cieszyli się tym jak barwnym widowiskiem. Minęło jednak parę stuleci, zanim Daguerre odkrył możliwość utrwalania tych odzwierciedlonych wizerunków na płycie światłoczułej, wzbudzając niesłychaną sensację nie tylko urokiem nowości. Sam Daguerre oświadczył patetycznie, iż zmusił słońce, by stało się malarzem. Pokolenia z lat pięćdziesiątych i sześćdziesiątych interesowały się wspomnianym wynalazkiem zwłaszcza dlatego, iż dzięki niemu można było się pokusić o absolutnie obiektywne odtwarzanie rzeczywistości. W dalszej zaś nieuniknionej konsekwencji nowa metoda odtwarzania wpłynęła na możliwość postrzegania nowych stron świata, a to szczególnie zachwyciło malarzy.

Dagerotypy, jak nazywano pierwsze reprodukcje fotograficzne, odznaczały się ogromną obrazową siłą wyrazu. Niejednokrotnie próbowano mechaniczną odbitkę upodobnić do malowidła albo do ryciny: sfotografowani ludzie spoglądali z bogato ozdobionych ram i przyjmowali tradycyjne, „portretowe" pozy. Lecz tak wybitni mistrzowie fotografii, jak Francuz Nadar lub Anglik Hill, wypracowali niebawem własną formę artystycznego wyrazu: potrafili wybrać właściwy punkt patrzenia, rozmieścić postaci w naturalny sposób na płaszczyźnie i skoncentrować się na kwestiach najbardziej istotnych; dawali także odpowiednie oświetlenie, uwydatniające mimikę twarzy lub fakturę materiału, niemal jak u Holendrów z XVII wieku. IV, 88 *Handlarkę ryb z Newhaven* Hilla uznać trzeba za dzieło sztuki graficznej. Forma nie została tu wprawdzie stworzona bezpośrednio ręką artysty, por. IV, 81 jak u Daumiera czy Milleta, natomiast skontrastowanie jasnych i ciemnych smug pasiastego materiału, połyskujących włosów czy jasnej chustki przyczyniło się do uzyskania bardzo wyrazistej, plastycznej formy. Modelunek został osiągnięty za pomocą tych samych szerokich plam, które stanowią specyficzną cechę realistycznego malarstwa XIX wieku. Technika reprodukcji mechanicznej stała się środkiem służącym do powstawania utworów artystycznych.

W pierwszej połowie XIX wieku walka kierunków artystycznych toczyła się we Francji w ciasnym kręgu samych artystów. Natomiast od połowy stulecia za artystycznymi programami zwalczających się kierunków zaczynają się coraz wyraźniej zarysowywać poglądy społeczne i polityczne. Zwolennicy nowego, jak Courbet, Flaubert i Baudelaire, choć nie byli pomiędzy sobą zgodni we wszystkich sądach czy skłonnościach, czuli się złączeni wspólną nienawiścią do burżuazji. Wiele w ich sztuce wywodziło się ze świadomego dążenia do ,,zgorszenia mieszczucha'' (épater le bourgeois). Państwo i społeczeństwo surowo rozprawiały się z tymi wszystkimi, którzy zakłócali porządek. Flaubert stanął przed trybunałem z powodu swej powieści, ,,Kwiaty zła'' Baudelaire'a zostały zakazane, a Courbet, mając prawo wystawiania na Salonie bez oceny jury, nie był dopuszczany do wystaw międzynarodowych i własną indywidualną wystawę, którą nazwał ,,Realizm'' (1855), musiał zorganizować w skleconej z desek budzie. Wystawy tej szeroka publiczność niemal nie odwiedzała, doceniło ją zaledwie paru pisarzy i malarzy, jak Théophile Gautier i Delacroix. W tych latach pisał z goryczą Daubigny: ,,Najlepsze są te obrazy, których nie można sprzedać''.

Salony, akademie i uniwersytety nadal pozostawały bastionami artystycznej reakcji, która z kolei znajdowała oparcie w reakcji politycznej. Wbrew poglądom szukających w sztuce prawdy romantyków i realistów Victor Cousin proklamował ukazywanie piękna jako najważniejsze z zadań sztuki. Théophile Gautier, przy całej szerokości swych artystycznych horyzontów i sympatii, przeciwstawiał ideowości sztuki kult doskonałej formy i bronił hasła ,,l'art pour l'art''. W połowie XIX wieku, gdy ukształtował się realizm, podjęto we Francji próby ponownego ożywienia klasyki pod postacią tak zwanego stylu nowogreckiego. Ulubieńcami Salonów stali się tacy malarze, jak Gérôme, Baudry, Cabanel, Bouguereau i Couture. Gérôme w swych antycznych kompozycjach ukazywał zniewieściałe ciała, nieróbstwo, życie wygodne i nierzadko sentymentalne. Malarstwo jego, pedantycznie dokładne w szczegółach, było oschłe w wykonaniu. Nie ma u niego nawet śladu płomiennej namiętności, która przenikała twórczość Ingres'a. Jak większość malarzy Salonów, popadał często w erotyczną ckliwość. Wśród przedstawicieli kierunku akademickiego jako wybitnych można jedynie wymienić Chassériau, a później Puvis de Chavannes'a. Chassériau usiłował wzbogacić spuściznę Ingres'a doświadczeniami Delacroix, a Puvis de Chavannes zdołał nadać obrazom rodzajowym znaczenie ogólnoludzkie i monumentalną wielkość (Ubogi rybak). W ściennych jego malowidłach, zwłaszcza we fryzie w Sorbonie i w scenach z życia św. Genowefy w Panteonie, spokój łączy się z chłodem. Mimo więc, iż postaci na jego obrazach opierają się na wzorach klasycznych, odznaczają się w istocie znacznie mniejszą plastycznością niż studia z natury Courbeta.

W drugiej połowie XIX wieku realistyczne tendencje przeniknęły nawet do obozu antagonistów realizmu. W poezji Leconte de Lisle i Théophile Gautier domagają się, by powołane wierszami do życia postacie były prawdziwe i konkretne. W sztukach klasycznych nawet przedstawiciele starszego pokolenia nie zdołali uniknąć wpływu nowego kierunku. Ingres, uznany powszechnie kierownik Akademii, w późniejszych swoich portretach coraz bardziej interesuje się odtwarzaniem materialności zarówno ciał, jak i ubiorów, i nie łagodzi jej już elegancją, dominującą w jego wcześniejszych pracach. Także i młodych malarzy Salonów pociągać zaczyna realizm, co prawda spłycony i pozbawiony pierwotnej dynamiczności. W odróżnieniu od ideowej sztuki Milleta i Courbeta, nazwano owe tendencje Salonów realizmem „towarzyskim".

Podobnie jak Dumas, który w swych pozbawionych głębszych treści, lecz zajmujących powieściach przygodowych budził wspomnienia XVII wieku, Meissonier zręcznie naśladował w swych kunsztownie malowanych obrazkach starych Holendrów, ich subtelną technikę. Eleganckim zbieraczom brak jednak prawdziwej żarliwości wewnętrznej po trochu zdziwaczałych daumierowskich kolekcjonerów starożytności; sceny z okresu wojen napoleońskich malował Meissonier z chłodem protokolarnej rzeczowości, wyzutej z wszelkich uczuć. Portrecista Bonnat skłaniał się ku tym samym malarzom hiszpańskim z XVII wieku, którzy inspirowali realistów z obozu demokratycznego, lecz portrety jego są oschlejsze niż Courbeta i wydają się bardziej podobne do fotografii niż dagerotypy Nadara czy Hilla.

W drugiej połowie XIX wieku także i tematyka wiejska jęła przenikać do Salonów. Jules Breton był jednakowoż w porównaniu z Milletem obrzydliwie wprost zakłamany i ckliwy. Wyjątek stanowi Bastien Lepage, który w swej obrazowej serii odtworzył z uroczą i poetycką prostotą scenki wiejskie (*Miłość na wsi*, Moskwa, Muzeum im. Puszkina). Rodzajowe prace malarzy Salonów, jak na przykład Lhermitte'a, w niczym nie ustępują Milletowi z punktu widzenia wierności w przedstawianiu zewnętrznych warunków chłopskiego życia, brak im jednak malarskiej jednolitości, a zatem głębszej, ideowej treści. W istocie bowiem takim tylko malarzom jak Courbet i Millet dane było kontynuować wielkie tradycje starych mistrzów, choć prawa do tego rościli sobie akademicy z Salonów. Wynaturzony w ich pracach realizm przekształcił się w bezduszny naturalizm.

IV, 87 Późny obraz belgijskiego malarza Léon Fréderica *Handlarze* uchodzić może za skrajny przykład dziewiętnastowiecznych tendencji naturalistycznych. Trudno mu odmówić śladów pewnego współczucia w ukazaniu ciężkiego losu biedaka na ówczesnej wsi. Ponieważ jednak w ten sam sposób patrzy tu na wszystko: na człowieka, jego odzież i otoczenie, i wszystko w ten też sposób odtwarza, uczucia jego nie zostają wyrażone w mierze dostatecznie wyraźnej. Również i ten artysta bliższy jest zasadom fotografii Nadara i Hilla, tym bardziej że wierność szczegółów nie wyrasta u niego z wnikliwego, osobistego stosunku do świata, por. III, 62 jaki cechował wczesny realizm. Tak więc próba zastąpienia prawdy artystycznej naukową ścisłością i techniczną trzeźwością nie dała rezultatów.

Już w latach pięćdziesiątych i sześćdziesiątych rozprzestrzenił się realizm w całej Europie, lecz każda szkoła dorzucała coś nowego do urzeczywistnienia zasad, które wykształciły się we Francji. Ruch ten przenikał do wszystkich dziedzin sztuki, łącznie z literaturą i teatrem. Nawet w muzyce przejawił się w specyficzny sposób: we Francji — Bizet komponuje operę „Carmen", odznaczającą się żywością akcji i charakterystyki postaci; we Włoszech Verdi zrywa z wzorcami Rossiniego i Belliniego, a w odtwarzaniu namiętności osiąga niemal tę samą zmysłowość, do jakiej w malarstwie dążył Courbet.

Najbliższa szkoły francuskiej była Belgia. W okresie, gdy we Francji realizm Courbeta zastępowały już inne prądy, właśnie w Belgii ujawnia swoje zdolności inny wybitny realista, Constantin Meunier (1831—1905). Początkowo uprawiał malarstwo i dopiero w latach osiemdziesiątych jął się również pracy rzeźbiarskiej. Millet i Courbet pozostali dlań jednak z istoty swej najbliżsi. Był on pierwszym artystą, który spojrzał oczami rzeźbiarza na pracę górników i odtworzył ją w brązie; do klasyki tego rodzaju rzeźb zaliczyć też można jego *Tragarzy* i *Hutników*. Tematyka Meuniera pozyskała mu szczerą sympatię artystów radzieckich. IV, 80

Sztuka rzeźbiarska w drugiej połowie XIX wieku ulegała w stopniu nawet silniejszym niż malarstwo wpływom przesądów akademickich; z pojęciem „rzeźby" łączyły się nieuchronnie wyobrażenia antycznych bogów i sztucznych alegorii. Wśród rzeźbiarzy francuskich z połowy XIX wieku Carpeaux wyróżnia się żywym por. I, 3 temperamentem i wrodzonym poczuciem formy plastycznej, lecz jego *Młody rybak* uzyskał polor postaci kosztem wewnętrznego wyrazu i zmysłu rytmiki ludzkiego ciała. W płaskorzeźbie *Flora* (podobnie jak w słynnym *Tańcu* z Opery IV, 79 paryskiej) ruch i zwinność figur przedstawione zostały dekoracyjnie i efektownie, lecz w całości płaskorzeźba jest przeładowana, a forma jej poszarpana, w stopniu przez poprzedników Carpeaux nie praktykowanym. W XIX wieku klasyczna nagość, por. III, 191 która miała wyrażać wzniosłe człowieczeństwo, stawała się zasłoną, pod którą i IV, 28 już się nie wyczuwało życia. Meunier przedstawiał robotników w roboczej odzieży — spodniach, wysokich butach, prostych kurtkach i fartuchach, które same przez się piękne nie są. Postaci te jednak tchną spokojem pewności i ufnej samowiedzy, przekształcając się w prawdziwą apoteozę ciężkiej fizycznej pracy, obywającą się bez jakiejkolwiek afektacji. Człowiek pracujący odzyskuje tu plastyczność godną wyobrażeń starożytnych. Meunier umiał także ukazać giętką IV, 80 zwrotność ludzkiego ciała, uwydatniając kontrast nóg: na jednej człowiek się opiera, na drugiej stoi swobodnie; z postaci tych emanuje dynamiczna aktywność, i tym się różnią od spokojnie zrównoważonych posągów antycznych.

Od połowy XIX wieku realizm zdobywa uznanie w całej Europie. Nie sposób twierdzić, że francuska szkoła realizmu była jedynym wzorem dla twórców w innych krajach europejskich, lecz wszędzie, tak jak we Francji, kierunek ten wspierały rewolucyjne idee 1848 roku.
W sztuce niemieckiej realizm z połowy XIX wieku organicznie wiązał się z rozwojem poglądów demokratycznych i upadkiem ustroju feudalnego. Wielcy realiści cenili sobie przede wszystkim niczym nie maskowaną prawdę i humanizm, występowali przeciw konwencjom oficjalnej, konserwatywnej sztuki zdegenerowanego klasycyzmu (Piloty), przeciw pretensjonalnym efektom dekoracyjnym (Makart).
Niektóre cechy realizmu spotykamy od połowy XIX wieku u przedstawicieli tak zwanej szkoły düsseldorfskiej, spośród których najbardziej znany jest Ludwig Knaus. Podobne zasady przejawiają się w późnej twórczości starszego malarza austriackiego, Ferdynanda Waldmüllera. Düsseldorfczycy zajmowali się ukazywaniem swego kraju, wiejskich komorników, ludowego stroju i obyczaju. Prace ich świadczą o zdolnościach obserwacyjnych, są szczere, lecz brak im wielkości. Te obyczajowe obrazki bywają zabawne jak anegdoty, lecz z pewną przymieszką ckliwości. Z warsztatowego punktu widzenia artyści ci nie wznieśli się ponad przeciętność. Hegel nie szczędził rodzajowym malarzom z Düsseldorfu surowej krytyki i przeciwstawiał ich „małym Holendrom".

Jednym z najwybitniejszych przedstawicieli niemieckiego malarstwa realistycznego był Adolph Menzel (1815—1905), artysta nie ustający w poszukiwaniach, o świetnej inwencji, zawsze spragniony, by otaczające życie móc ogarnąć w całej jego różnorodności i wyrazić je własną sztuką. We wczesnych obrazach i studiach przewyższał Menzel świeżością malarskiego ujęcia wszystkich współczesnych mu niemieckich artystów. Pod wieloma względami był prekursorem impresjonistów. W jego scenach rodzajowych rzadko dzieje się coś interesującego, a jednak urzekają swą wiernością prawdzie i wnikliwością, z jaką odtworzone w nich zostało oświetlenie lub oddany ruch poszczególnych postaci. Pejzaże Menzla malowane są soczyściej od krajobrazów barbizońskich — pod tym względem bliższe są pracom Constable'a.

Od śmierci Delacroix historyczne malarstwo francuskie utraciło grunt pod nogami, a Courbet odrzucał je całkowicie. Menzel natomiast i do tej dziedziny malarstwa przeniósł metodę realizmu. Odtwarzał życie Fryderyka II w jego rezydencji Sans-Souci i choć nie pochwalamy jego zaangażowania w wysławianie pruskiej monarchii, przyznać musimy, że w sumie jego historyczne malarstwo jest poważniejsze i bardziej wnikliwe od twórczości rozgadanego Delaroche'a lub chłodnego Meissoniera.

Szczególnie wartościowa jest grafika Menzla. Seria jego ilustracji do „Historii Fryderyka II" Kuglera ma wielką siłę działania w swej zwartej ekspresyjności. Menzel ukazywał Fryderyka II podczas audiencji, grającego na flecie lub zabawiającego się w towarzystwie gości, wśród których zwraca uwagę charakterystyczna twarz Woltera. W drzeworytach tych nie ma ani śladu pompatycznej idealizacji bohatera, znajdujemy tam natomiast wiele trafnie podpatrzonych szczegółów. Jedna z ostatnich rycin przedstawia Fryderyka już postarzałego, jak siedząc na ławce przed pałacem, wygrzewa się w słońcu. Przez cały ów cykl przewija się przed oczami widza drobna figurka człowieka, który niegdyś rościł sobie prawo do miana „Wielkiego". Na wyżej wspomnianym drzeworycie potężna kolumnada, niczym uosobienie niespełnionych marzeń, stanowi ostry kontrast z pochylonym pod ciężarem lat starcem. Pod względem wyrazistości grafikę Menzla porównywać można z pracami Callota.

Wierny zasadom realizmu, malował Menzel sceny z życia swego ludu — wystawione zwłoki bojowników poległych w marcu 1848 roku lub kościelną procesję na wsi — ale także uroczyste audiencje u dworu,

s. 108

Adolph Menzel,
Fryderyk w Sans-Souci, drzeworyt,
ilustracja do „Historii Fryderyka II"
Kuglera, 1840–1842

sceny z kawiarni i teatru. Był jednym z pierwszych malarzy, którzy zwrócili uwagę na problematykę nowoczesnego przemysłu. Nie szczędził też wysiłków, aby kompozycję swych szeroko pomyślanych obrazów uwolnić od wszelkiej konwencji i osiągnąć największą ekspresję formalną.

Jeśli znaczenie *Walcowni żelaza* Menzla (1875) polega przede wszystkim na wybraniu i wiernym odtworzeniu nowego tematu, to szereg wcześniejszych i nie tak świetnych obrazów tego malarza posiada także niemałą wartość, ponieważ za pomocą najskromniejszych środków utrwalone na nich zostało świeże i bezpośrednie wrażenie twórcy. Dzieła te nie posiadają dydaktycznych i sentymentalnych przymieszek, jakie spotykaliśmy w scenach rodzajowych szkoły düsseldorfskiej. Są to studia z natury, w których motywy przewodnie nie zostały wymyślone, lecz zaobserwowane. Zapożyczonych z życia elementów Menzel nie deprecjonuje poszukiwaniem „czysto malarskich efektów". W *Pokoju z balkonem* (1845, Berlin) nic się nie dzieje, nie ma tam także ludzi. Głównym tematem obrazu jest wiatr, igrający lekko z zasłoną, oraz wpadające do pokoju promienie słońca — lecz wszystko to razem sprawia wrażenie głęboko ludzkie. Rzadki to i nader szczęśliwy wypadek w sztuce — spotęgowanie wartości wskutek pominięcia. Na obrazie *W Zoo* widzimy za ogrodzeniem jelenie, a barwnie ubrana publiczność jest tylko tłem dla owych pięknych stworzeń. Artysta, obierając pewien określony punkt patrzenia na odtwarzane przedmioty, umie przekonująco przesuwać akcenty. Na małym obrazku *Przy świetle lampy* przypadkowo rzucone do mrocznego IV, 89 pokoju spojrzenie otwiera nam dostęp do intymnej sfery życia. Przy stole siedzi kobieta, a w drzwiach stoi młoda dziewczyna ze świecą w ręku i na coś czeka. Wnętrza holenderskie wyglądają jakby umyślnie je uporządkowano i wyczyszczono — natomiast malarz dziewiętnastowieczny w bezpośrednim kontakcie z dniem powszednim zachowuje postawę swobodniejszą i dzięki temu nadaje skromnemu motywowi prawdziwie ludzki wymiar. Menzel nie opowiada nowel, lecz kształtuje jak prawdziwy plastyk. Światło świecy, padające od dołu, nadaje twarzy dziewczyny o bezradnym spojrzeniu szczególny wdzięk. Posłużył się tu Menzel formą wyrazu, jaką później logicznie i systematycznie rozwinie Degas.

Wilhelm Leibl (1844—1900) zachwycał się, podobnie jak Menzel, malarstwem francuskim, nigdy przy tym nie zatracał własnych cech narodowych. Widać to szczególnie w kilku jego portretach, a zwłaszcza w scenach rodzajowych z życia wsi. Jego *Niedobrana para* nie zawiera żadnych anegdotycznych napomknień. IV, 94 Dramatyczność osiągnięta została za pomocą środków czysto malarskich, przez ostry kontrast twarzy i postaci. Podkreślanie sylwetki w duchu niemieckiego malarstwa renesansowego łączy się u Leibla ze współczesnym już ostrym zestawieniem kolorów i swobodną techniką malarską. W przeciwieństwie do Courbeta, który umiał każdy szczegół podporządkować całości, malarz niemiecki usiłuje szczegółami wyrażać efekt ogólny.

W drugiej połowie XIX wieku pojawia się tak w Niemczech, jak również w innych krajach zachodniej Europy tendencja do przeciwstawienia bezpośredniego odtwarzania rzeczywistości dnia powszedniego — poszukiwaniom wartości ogólnoludzkich. Tendencja ta torowała drogę legendom i symbolom, a w malarstwie kierowała artystów ku monumentalnym formom wypowiedzi. Różni artyści odnosili na tej drodze mniejsze lub większe sukcesy.

W połowie XIX wieku Arnold Böcklin (1827—1901) opanował wyobraźnię i upodobania ówczesnego niemieckiego społeczeństwa. Popularność jego tym się przede wszystkim tłumaczy, że po długim okresie przewagi malarstwa rodzajowego i scen z codziennego życia artysta ten zwrócił się znowu do „wielkich tematów", po części zaczerpniętych ze świata antycznego. Jednakże malarski wyraz jego prac nie odpowiadał wielkości podejmowanych przezeń problemów, a ponadto przejawiały one tendencje do fałszywego rozmarzenia. Chcąc ukazać tragizm krajobrazu, namalował Böcklin pustą wyspę z czarnymi cyprysami, otoczoną wzburzonymi falami, ze stadem ptaków nad nią ulatującym, lecz obraz ten (*Wyspa umarłych*, Lipsk) ma w sobie coś z umowności dekoracji teatralnej. Malował także Böcklin tłuste trytony, zadowolone z siebie i droczące się z rozbawionymi nimfami; ciała trytonów, ich łuską pokryte ogony odtwarzał przy tym rzeczowo i dokładnie, co bynajmniej nie odpowiada istocie mitu (*Igraszki fal*, Monachium, Nowa Pinakoteka). Więcej szlachetności, choć także i chłodu, spotkać można u Anselma Feuerbacha, który znów odwołał się do klasyki.

Najmniej znanym, lecz najwybitniejszym z tych niemieckich malarzy był Hans von Marées (1837—1887), którego bynajmniej nie nęciła anegdotyczna mitologia Böcklina. Śladem mistrzów renesansu chciał on ukazywać całkowicie proste motywy ruchu nagich ciał — wymowne piękno rytmu i kształtu (*Wiodący konia z nimfą*, Monachium). Obrazy jego, wbrew ówczesnym akademickim metodom, malowane są szeroko i dobrze nasycone barwami.

IV, 95 *Leżący chłopcy*, w których Marées zbliża się najbardziej do Aleksandra Iwanowa, wyobrażeni jako idealne postacie ze złotego wieku, odtworzeni zostali z natury i dobrze wkomponowani w krajobraz. Rysunek i forma są u Maréesa swobodne i energiczne, odzyskał on dla współczesnego malarstwa tradycje kolorytu weneckiego. Przyczyną słabości tego dążącego do szczytnych ideałów i szlachetnej formy artysty było jednak czerpanie zbyt wielu wrażeń z muzeów, stąd dzieła jego sprawiają niekiedy wrażenie naśladownictw z malarstwa klasycznego.

Freski, jakie Marées wykonał dla Stacji Zoologicznej w Neapolu, zapewniły mu odrębną pozycję w rozwoju sztuki europejskiej.

Ścienne malarstwo monumentalne przeżywało w XIX wieku głęboki kryzys, obraz sztalugowy uzyskał wówczas całkowitą niezależność. Marées, dobrze znając architektonikę obrazu i kształtu ludzkiego ciała, umiał wkomponować człowieka w przestrzeń architektoniczną, stwarzając w ten sposób podwaliny dla ponownej integracji harmonijnej syntezy sztuk. Co prawda najbliższe pokolenia niewiele miały korzyści z tych owocnych założeń.

W Rosji pańszczyzna zniesiona została w połowie XIX wieku, ale społeczne sprzeczności działały w tym kraju nadal z wielkim napięciem. W zaciętej walce ludu przeciw władzy pisarze i artyści rosyjscy stanęli po stronie uciskanych. Sztuce przypadło w udziale odsłanianie przed społeczeństwem nagiej prawdy ówczesnego życia. Realistyczną sztukę w Rosji inspirowały więc siły rewolucyjne. „Bohaterem mojej powieści — woła młody Tołstoj — bohaterem, którego kocham z całej duszy, którego usiłowałem przedstawić w całym jego pięknie i który zawsze był piękny, jest piękny i piękny będzie — jest prawda". Czernyszewski zaś twierdził, że artysta powinien nie tylko być świadkiem, ale i sędzią tego, co sam widzi.

W drugiej połowie XIX wieku w życiu artystycznym Rosji wielką rolę odegrało zrzeszenie malarzy, przejętych ideami demokratycznymi, którzy organizowali ruchome wystawy w całym kraju i, jako „wędrowni artyści" (pieredwiżnicy), zapewnili sobie honorowe miejsce w dziejach rosyjskiej sztuki. W latach sześćdziesiątych malarze szkoły rosyjskiej atakują w swych pracach zło i niesprawiedliwy układ stosunków społecznych, ukazują cierpienia i udręki ludu. Te krytyczne tendencje z czasem słabną, a wędrowni artyści zwracają się ku powszedniemu życiu ludzi na wsi i w mieście. Ogromną zasługą pieredwiżników było spopularyzowanie i pozyskanie dla sztuki całej Rosji. Z wielkim zaangażowaniem, z wielką moralną czystością wysławiali rosyjskich chłopów, ich obyczaje i ubiory, a przede wszystkim ich głęboką mądrość, niestrudzenie przypominając współczesnym, że ów krzywdzony lud zasługuje na lepszy los. Pieredwiżnicy byli także pierwszymi malarzami, którzy opiewali urok rosyjskiego krajobrazu.

W ugrupowaniu pieredwiżników działali utalentowani, pracowici i szlachetni malarze, z oddaniem służący swoim wysokim celom. Uprawiali różne malarskie gatunki, przy czym czołową rolę odgrywało u nich malarstwo rodzajowe, przede wszystkim sceny z życia wsi i chłopów (Maksymow, Sawicki). Niektórych interesował portret (Kramskoj i Riepin), innych malarstwo historyczne (Gay, Surikow), batalistyczne (Wereszczagin), wreszcie pejzaż (Wasilew, Szyszkin, Lewitan). Wszyscy podporządkowywali się wspólnej zasadzie dokładnego i prawdziwego przedstawiania. Rysunki Szyszkina mogą uchodzić za przykład niemal wirtuozerskiej precyzji w odtwarzaniu widoków lasu.

Wśród pieredwiżników szczególnie wyróżniają się Riepin i Surikow. Ilja Riepin (1844—1930), który imał się wszelkich rodzajów malarstwa i umiał pokazywać sprawy najbardziej aktualne, osiągnął w kraju wielką popularność. Młodzieńczy jego obraz *Burłacy* (Leningrad, Muzeum Rosyjskie), podobnie jak *Kamieniarze* Courbeta, cechuje wierność prawdzie oraz głęboka sympatia dla ludzi pozostających w poddaństwie. Każda postać przedstawia typ wyraziście charakterystyczny. Szczególnie szkic do omawianego obrazu świadczy o kompozycyjnym talencie Riepina. Obraz jest malowniczy i soczysty, sugestywna powolność stąpających i rytmiczna kolejność ich sylwetek wzmaga efekt obrazu, który porównać można także z *Pogrzebem w Ornans*. Współcześni w *Burłakach* Riepina widzieli symbol Rosji tych lat. — IV, 92

Riepin odnosił sukcesy również w dziedzinie malarstwa portretowego. Dane mu było uwiecznić wizerunek genialnego muzyka Musorgskiego, obraz ten zyskał światową sławę. *Garbus* Riepina — to studium z natury do wielkiego obrazu *Procesja w kurskiej guberni*, rozwinięte do pełnego portretu dzięki wnikliwemu spojrzeniu artysty, chwytającego wszelkie charakterystyczne rysy. Podobnie jak w dziewiętnastowiecznej literaturze rosyjskiej, na przykład w „Zapiskach myśliwego" Turgieniewa, sympatia Riepina dla ludu nie prowadzi do sentymentalnej litości, która uraża ludzką godność. Porównanie Riepina z Leiblem dobrze nam uprzytomni różnice między szkołą rosyjską i niemiecką. Dla Leibla najważniejsze są typy szczególnie charakterystyczne, nie lęka się nawet cech odrażających, szuka ekspresji. Natomiast Riepin wybrał typ ludowy za przykład i miarę człowieczeństwa, jest w swym opisie łagodniejszy i unika przesady. — IV, 93

Wasyl Surikow (1848—1916) był największym rosyjskim i jednym z najwybit-

José Guadalupe Posada,
rycina z „Panteonu trupich czaszek"

José Guadalupe Posada,
Dwaj dobrzy przyjaciele, rycina

niejszych europejskich malarzy historycznych XIX wieku. O ile Menzel uczynił swym bohaterem jedną określoną postać — Fryderyka II, o tyle bohaterem Surikowa jest cały lud. Z tego punktu widzenia uznajemy jego bliskie pokrewieństwo z Musorgskim, twórcą opery „Borys Godunow". Na przeszłość swojego kraju spoglądał Surikow oczami demokraty, wiedzącego, iż lud jest rzeczywistą siłą napędową historii. Jeden z najsłynniejszych jego obrazów przedstawia należącą

IV, 90 do starowierów bojarynię Morozową, którą, skazaną na wygnanie, lud odprowadza. Tłum złożony z ostro zarysowanych postaci odgrywa w omawianym obrazie decydującą rolę, a jego podniecenie uzyskuje najpełniejszy wyraz w ekstatycznym przejęciu wywożonej kobiety. Nie tylko w poglądach, lecz także i w sposobie malarskiego widzenia był Surikow epikiem w całym znaczeniu tego słowa. Mimo iż każdą ze swych postaci namalował z natury jak portret, w całości kompozycja przypomina niemal gobelin, w którym każdy szczegół i każda barwna plama podporządkowane są całości. Podkreślanie dekoracyjnych pierwiastków malarstwa różni Surikowa od Riepina. Cenił on niezmiernie wielkich Wenecjan z XVI wieku, lecz jeszcze więcej zawdzięczał kolorystycznym osiągnięciom rosyjskich mistrzów sprzed stuleci.

Surikow nigdy zresztą nie stawiał ilustratorskich wartości wyżej od malarskich.

IV, 91 Jedno ze studiów do obrazu *Bojaryni Morozowej* przedstawia księżnę Urussową ubraną w ciemną aksamitną czapkę, białą chustkę i ciemnorude futro. Twarz ledwie jest widoczna, zarys ciała niesłychanie uproszczony, lecz odczytujemy w tej postaci całe jej oddanie, troskę, miłość i wytrwałość. Surikow nie przypisywał w obrazach historycznych decydującego znaczenia rekwizytom, umiał raczej swoje uczucie i idee najdobitniej wyrażać barwą, kształtem i rytmem.

Niemal wszyscy pieredwiżnicy studiowali malarstwo w Akademii petersburskiej. Niewiele wiedzieli o współczesnej sztuce na Zachodzie, znali jedynie szkołę düsseldorfską. W obrazach ich dominują momenty narracyjne, nowożytne formy wyrazu artystycznego niewiele ich interesowały. Nie udało im się też uogólnić własnych życiowych doświadczeń, co osiągnęli współcześni im pisarze — jak

Tołstoj, Dostojewski i Czechow, lub kompozytorzy — jak Musorgski i Czajkowski. W rozwoju sztuki europejskiej szkoła rosyjska XIX wieku zajmuje skromne miejsce, lecz dla historii sztuki rodzimej działalność pieriedwiżników miała ogromne znaczenie.

W drugiej połowie XIX wieku nie tylko w Europie, lecz także i w Nowym Świecie podejmowano próby uwolnienia się od dyktatury oficjalnych gustów i akademizmu. Sztuka zwraca się teraz ku uczuciom ludzi prostych i pragnie odpowiadać lokalnym tradycjom. Rzecz osobliwa, że te nowe tendencje były niekiedy najlepiej realizowane przez tych malarzy, którzy bynajmniej nie rościli sobie pretensji do wielkiego rozgłosu i zadowalali się skromnymi próbami na polu grafiki. W Meksyku należał do nich José Guadalupe Posada (1851—1913), twórca licznych rycin, w których odtwarzał charakterystyczne cechy życia i obyczajów swojego kraju. Prace te przenika nieposkromiona fantastyka (zwłaszcza w popularnym meksykańskim motywie kościotrupa), a ożywia humor. Z punktu widzenia „wielkiej sztuki" można było tych prac nie traktować zbyt serio, jako że Posada nie podporządkowł się zasadom „prawdziwego" odtwarzania

s.112–113

przedmiotów, zawierzając raczej bezpośredniemu doznaniu artystycznemu. Słusznie współcześni artyści Meksyku widzą w nim swego prekursora.

W połowie XIX wieku rozwój architektury warunkowały okoliczności niezbyt sprzyjające. Budowano wprawdzie dużo i z zapałem i wiele starych miast, jak Paryż, Monachium, Berlin czy Wiedeń, właśnie w drugiej połowie XIX wieku uzyskało swój kształt ostateczny, lecz właśnie te z europejskich metropolii, w których tendencje owe doszły do głosu najsilniej, nie ustrzegły się przed monotonią i beznadziejnie złym smakiem.

Ów upadek architektury jest tym bardziej zdumiewający, że muzyka, która z natury swojej spokrewniona jest z architekturą, wydała w XIX wieku wspaniałe dzieła. Geniusz muzyczny mógł jednak w tym stuleciu rozwijać się swobodnie, podczas gdy dojrzewanie architektów hamował cały ówczesny system kształcenia plastycznego. Połączenie studiów architektonicznych, rzeźbiarskich i malarskich na Akademiach nie gwarantowało rzeczywistej współpracy w tych dziedzinach: po opuszczeniu uczelni drogi architektów i malarzy rozchodziły się. W XIX wieku nie spotyka się niemal architektów, którzy, jak w epoce renesansu czy w wieku XVII, byliby jednocześnie malarzami

José Guadalupe Posada, Ilustracja do ludowej romancy, rycina

113

lub rzeźbiarzami. Wielu dziewiętnastowiecznych malarzy, jak Daumier czy Courbet, umiało przeciwstawić się panującym gustom — ton pracy artystów nadawały społeczne i polityczne ich poglądy. Architekci byli w XIX wieku bardziej ograniczeni, ponieważ twórczość ich uzależniona była od publicznych zamówień i hojności zleceniodawców.

Szybkie tempo rozbudowy miast, wymogi oszczędności, komfortu i dostępności doprowadziły do tego, że wiek XIX zaczął zapominać, iż architektura jest sztuką. Już w połowie stulecia smutną tę sytuację zauważył Gogol: ,,Wszystkie miejskie budynki otrzymywały kształt całkowicie płaski. Wysilano się, aby domy były o ile możności jak najbardziej podobne, lecz przypominały one raczej szopy lub koszary niż przyjemne ludzkie mieszkania. Ich wygładzone ściany zatracały resztkę śladów życia wskutek regularnego rozmieszczenia małych okien, które na tle całego budynku wyglądały jak przymknięte oczy. Taka to architektura do niedawna jeszcze wbijała nas w dumę, w takim duchu budowaliśmy całe miasta''.

W kapitalistycznych miastach XIX wieku niegustowne, choć luksusowe wille bogaczy ostro kontrastowały z rozpaczliwą nędzą dzielnic robotniczych. Oczywiście w ówczesnych warunkach miasta nie mogły tworzyć jakiejś artystycznej całości, lecz do dziewiętnastowiecznych budowli nie stosuje się już nawet pogląd, iż całość powinien stanowić dom jako taki. Jedną tylko stronę budynku, a mianowicie zwróconą ku ulicy fasadę, uważano za godną odpowiedniego opracowania: ustawione w jednym rzędzie elewacje owe miały zespalać się w jedną ścianę ulicy, lecz ponieważ ciągów nie zabudowywano według planu, nagie, ceglane mury boczne wysokich domów często wystawały ponad dachy sąsiednie. W handlowej części miasta partery, gdzie zazwyczaj urządzano sklepy ozdabiane ogromnymi szybami wystawowymi, tworzyły otwarte przejścia całkowicie oderwane od budynków.

Nowe miasta z korytarzami swych prostych ulic i nieskończonymi szeregami domów, z podwórzami ciemnymi i głębokimi jak studnie, gdzie człowiek czuł się jak w więzieniu, przedstawiały widok wręcz rozpaczliwy. Zapomniano już całkowicie o elementarnych artystycznych środkach architektury, o wymogach przejrzystości, o konieczności umożliwienia człowiekowi ogarnięcia wzrokiem wzajemnych stosunków poszczególnych partii budowli. Okazało się, że pod względem myślenia architektonicznego człowiek cywilizowany znalazł się na niższym stopniu rozwoju od człowieka pierwotnego. Dopiero poetyckim talentom impresjonistów udało się z wyglądu nowoczesnych miast wydobyć obraz pełen wdzięku.

Wiek XIX starał się zaradzić tak wielkim mankamentom, zwracając się przede wszystkim ku historycznej przeszłości. Dziedzictwo artystyczne potraktowano jak kapitał, z dochodów którego urządzają sobie życie spadkobiercy. Naśladowanie dawnych stylów, a także częste i dowolne ich mieszanie charakteryzują całą dziewiętnastowieczną architekturę; zmieniał się jedynie punkt wyjścia. W różnych typach budynków posługiwano się różnymi wzorami: pałace wznoszono renesansowe, kościoły gotyckie lub romańskie. Od połowy XIX wieku wystawy światowe zaczęły odgrywać rolę szkół stylizacji architektonicznej i eklektyzmu. Pawilony różnych krajów budowano w ,,stylach narodowych'', stąd ekspozycje przypominały przegląd historii architektury: były tam drewniane budynki z Północy, chińskie pagody, mauretańskie zamki i klasyczne kolumnady. Monachium, rezydencja króla Bawarii Ludwika I, już w pierwszej połowie XIX wieku przekształcone zostało w·miasto nieomal włoskie. Ludwik II, który marzył o sławie Króla Słońce, ślepo skopiował z Wersalu pałac i park w Herrenchiemsee.

W tej eklektycznej rzeszy wyróżnia się jednak kilku wybitnych architektów: w Niemczech będzie to Gottfried Semper (1803—1879), we Francji — Charles Garnier (1826—1898). Semper należał do pokolenia romantyków. Był to człowiek poszukujący, zatopiony we własnych myślach, architekt o wielkiej wiedzy historycznej. Interesowały go zasady sztuki dekoratywnej, znaczenie materiału dla powstania danego stylu, a także funkcjonalność kształtu przedmiotu, i tym właśnie momentom skłonny był nawet przypisywać rolę decydującą (napisał książkę „Styl w sztukach technicznych i tektonicznych", 1860—1863). W licznych swych dziełach w Dreźnie (Neues Hoftheater — gmach Opery, 1871—1878) i Wiedniu (Muzeum, 1872—1881) usiłował Semper przystosowywać do potrzeb współczesnych najważniejsze motywy architektoniczne włoskich budynków renesansowych. Twórczość jego cechuje powaga, umiar i dobry smak; jego kompozycje są należycie przemyślane, nie przejawiają jednak śmiałości rozwiązań ani nie świadczą o zaangażowaniu swego twórcy.

Garnier posiadał równie rozległą wiedzę co Semper, lecz prace jego były pompatyczniejsze i efektowniejsze i przyczyniły się do powstania we Francji oficjalnego stylu Drugiego Imperium. Jego Opera w Paryżu uznana być może za pomnik IV, 85 całej tej epoki. Fasada jej jest podzielona parami kolumn i tak bardzo jednak rozczłonowana i rozbita na cząstki, że w porównaniu z nią wschodnia elewacja Luwru wydaje się ucieleśnieniem szlachetności i prostoty. Szczególnie paradne jest wyposażenie wnętrza: schody, foyer, widownia o złoconych, wygiętych poręczach i kolumnach, z rzędami masywnych foteli, wysuwających się do przodu i przypominających ogromne muszle — wszystkie te formy obciążają się wzajemnie i wzajemnie się też znoszą, osłabiając wrażenie całości. Toteż cały ów przepych i luksus Garniera jest równie fałszywy, co schlebiające obrazy malarzy Salonów. Ani talent, ani inwencja nie zdołały uchronić tego architekta przed złym smakiem.

Sempera i Garniera zaliczamy do najwybitniejszych architektów z połowy XIX wieku. W dziełach przeciętnych budowniczych zły smak architektoniczny występował jeszcze jaskrawiej niż u Garniera. Nie ma w Europie ani jednej stolicy, która nie byłaby ozdobiona tego rodzaju budowlami. W Berlinie należy do nich Reichstag (parlament), istna karykatura pałacu barokowego, w Paryżu — niedawno dopiero zburzony pałac Trocadéro, w Rzymie — późniejszy, lecz równie szkaradny pomnik Wiktora Emanuela.

Za nader charakterystyczny przykład służy tu Pałac Sprawiedliwości Poelaerta w Brukseli (1866—1879). Tu, jak odbite w lustrze, skoncentrowały się wszystkie fałszywe pretensje i słabości dziewiętnastowiecznej architektury. Budowla stoi na wzniesieniu, skąd brzydka jej sylweta panuje nad obrazem miasta. Wieża miała gmach ów upodobnić do starej świątyni w typie Panteonu, w rzeczywistości jednak się nie tłumaczy i bynajmniej nie łączy z całością budynku. Masywne mury przy wąskich oknach Pałacu Sprawiedliwości określiły na zawsze jego ciemne i ponure wnętrza. Architektura XIX wieku nie potrafiła stworzyć form nowego typu, które wyraźnie ujawniałyby cel, któremu służą — jak w średniowiecznych

Henri Labrouste, Biblioteka Ste Geneviève, 1843–1850, Paryż

katedrach lub renesansowych pałacach. Gdy przyglądamy się dziewiętnasto-wiecznym budynkom, między nimi i brukselskiemu Pałacowi Sprawiedliwości, najczęściej trudno nam stwierdzić, jakie jest ich przeznaczenie: widzimy nagro-madzenie przejętych motywów, niby zapożyczonych cytatów, nie powiązanych żadną wspólną myślą. To samo już pozbawia owe budynki jakiejkolwiek mocy oddziaływania, abstrahując już od tego, że również w kompozycji są brzydkie i nieforemne.

Dziewiętnastowieczni budowniczowie obmierzali stare budowle, a i w bibliote-kach mieli do dyspozycji mnóstwo materiałów. Nie przywykli już jednak szukać żywych i wzajemnych stosunków form architektonicznych: przeładowywali swoje budynki wyosobnionymi, pedantycznie odtworzonymi fragmentami układu kolumnowego, wielekroć dzielili i łamali gzymsy i balustrady, udaremniając widzowi percepcję najważniejszych linii.

Na tle aż tak wielkiego upadku pozytywnie zarysowują się w połowie XIX wieku próby oparcia na nowych przesłankach architektury rozsądniejszej i prawdziw-szej, zgodnej z realistycznym duchem epoki. W okresie tym niektórzy architekci pojęli należycie zalety nowego materiału — mianowicie żelaza. Zalety te uwy-datniały się szczególnie przy pokrywaniu dachem wielkich przestrzeni, hal tar-gowych lub dworców. Architekci XIX wieku ujrzeli nagle nowe możliwości otwierające się przed budownictwem, choć w danej chwili nie mogli ich jeszcze zastosować.

Jako jednego z pierwszych wymienić należy architekta francuskiego, Henri Labrouste'a (1801 —1875). Pokrył on ogromną salę czytelni w Bibliotece Sainte--Geneviève wysokim sklepieniem, opartym na żelaznym szkielecie z cienkimi kolumienkami pośrodku. Labrouste naśladował wprawdzie dawną formę łuku, mógł jednak, posługując się żelazem, swobodniej niż inni architekci zrealizować swe dążenia do ukształtowania budynku zgodnie z jego przeznaczeniem, a nie z uwagi na jego fasadę.

s. 116 W elewacji owej biblioteki przejrzysta i logiczna konstrukcja łączy się z zapoży-czonymi „formami historycznymi", a ujęte w pilastry, zamknięte półkolem okna przypominają krużganek. Architektura fasady biblioteki odznacza się rzadką w XIX

116

wieku szlachetną prostotą, wytrzymuje też porównanie ze stojącym tuż obok Panteonem Soufflota.

W innym budynku z tego samego okresu, paryskim Gare du Nord (1861 —1865), Jacques-Ignace Hittorff uwypuklił w fasadzie przykrycia dachem peronów: środkowe szerokie oraz dwa węższe boczne, i zręcznie związał żelazną konstrukcją z elementami klasycznego układu kolumnowego. Budynki, przeznaczone na pewne wyraźnie określone cele, jak na przykład hale targowe w Paryżu (1852— —1859) — Baltarda i wystawiony pawilon, tak zwany Pałac Kryształowy pod Londynem (1852—1854) — Paxtona, wzbudziły sensację swymi ogromnymi rozmiarami i śmiałymi rozwiązaniami architektonicznymi ze szkła i żelaza, kompozycjom tym brak jednak jednolitości i siły architektonicznego wyrazu.

Znaczenie żelaza dla architektury nie od razu docenione zostało w należyty sposób. Jednym z prekursorów, walczącym o jak najszersze jego zastosowanie, był nie architekt i nie artysta, lecz inżynier — Gustave Eiffel (1832—1923). Ogromnemu domowi towarowemu „Au bon marché", posługując się żelaznymi konstrukcjami, dał on piękne, oszklone dachy, przezroczyste jak pajęczyny (1876). Krótko przedtem Viollet-le-Duc usiłował przeprowadzić analizę katedry gotyckiej, jako konstrukcji ściśle logicznej, aż po najdrobniejsze szczegóły. Dach sali „Au bon marché" pomyślany był na wzór gotyckiej rozety, chociaż ornament jego był uboższy i oschlejszy niż w budowlach średniowiecznych. Trzeba porównać taki budynek z pracami eklektyków, z ich niepotrzebnym nadmiarem materiału, ozdób i złoceń, aby móc docenić przełom, sygnalizujący narodziny nowej myśli architektonicznej. Wiara w zwycięstwo człowieka nad przyrodą, jaką żywiło całe pokolenie realistów, śmiało wyraziła się w tych konstrukcjach, nie sięgając bynajmniej do pomocy samych tylko środków artystycznych.

Wieżę, która dała sławę jego imieniu, inżynier Gustave Eiffel zbudował w latach 1887—1889. Odsuwając na dalszy plan kwestię przeznaczenia tej konstrukcji, dążył on do zademonstrowania możliwości nowej techniki i uznał to zadanie niemal za cel sam w sobie. Toteż pomyślana wyłącznie jako ozdoba światowej wystawy wieża uzyskała pełne usprawiedliwienie swego istnienia dopiero później, gdy uczyniono z niej maszt stacji nadawczej. Konstrukcja ma około trzystu metrów wysokości i składa się z dwunastu tysięcy metalowych części. W rękach zdolnego inżyniera w pełni doszły do głosu właściwości nowego materiału. Szeroki łuk podstawy owej wieży, poprzez który otwierają się widoki na Ecole Militaire z jednej oraz na Pont d'Jena z drugiej strony, przechodzi stopniowo w smukły korpus, zakończony płynnie w ruchu, jakiego nie znała architektura dawna — kamienna lub drewniana. Współcześni oburzali się wprawdzie na tę konstrukcję, lecz wieża Eiffla, nawet po upływie wielu lat, wciąż uchodzi za godną ozdobę miasta tak pięknego, jak Paryż.

Wiele jeszcze trzeba było czasu, aby docenione zostały prekursorskie poczynania XIX wieku; w epoce rozwoju wielkich miast przed architekturą staną nowe zadania, architekci otrzymają do dyspozycji nowe budowlane materiały i rozwiną nowe metody konstrukcji, będzie też musiała powstać nowa estetyka, zanim w pełnym świetle ukaże się dobroczynny wpływ dawnych prekursorów. Warto w każdym razie podkreślić, że drogę do nowoczesności torowali twórcy współcześni wielkim realistom XIX wieku oraz ich bezpośredni następcy.

IV, 86

Epoka realizmu trzeciej ćwierci XIX wieku zajmuje osobne miejsce w artystycznym dziedzictwie Europy: sztuka ta bowiem nie zagasła jeszcze do dzisiaj i, jak żywa, nadal uczestniczy w naszej rzeczywistości. Dla artystów radzieckich, którzy wkroczyli na drogę realizmu socjalistycznego, prace mistrzów dziewiętnastowiecznych są szczególnie interesujące. Mistrzowie ci byli bowiem żarliwymi wyznawcami poglądu, iż sztuka powinna ukazywać rzeczywistość w najróżnorodniejszych jej przejawach, że musi ściśle być związana z życiem i, o ile możności, zwracać się do jak najszerszych kręgów ludzi. W warunkach dziewiętnastowiecznego społeczeństwa burżuazyjnego wielu artystów skłonnych było odwrócić się od życia, które ich rozczarowało — inni z gorzkim szyderstwem przyznawali, iż nadają się jedynie do roli zręcznych akrobatów, jak ironicznie stwierdził Théophile Gautier. Natomiast realiści, zwłaszcza Courbet i rosyjscy pieredwiżnicy, przekonani byli, iż artysta, jako głosiciel prawdy w sztuce, stać się może aktywnym bojownikiem o sprawiedliwy ustrój społeczny. Dostrzegali odrażające strony życia swojej epoki, ukazywali je i otwarcie głosili, że na świecie nie wszystko jest tak piękne, jak sobie to ludzie wymarzyli. Nieustraszenie spoglądali w oczy nagiej rzeczywistości, nie tracąc nigdy przekonania, że każdy dowolny temat można w sztuce odpowiednio ukształtować. ,,Cukier znaleźć można wszędzie'' — mówił w związku z tym Flaubert. W stopniu większym jeszcze od romantyków gotowi do zerwania z wszelką artystyczną tradycją, mogli dzięki temu realiści wyzwalać w człowieku jego pierwotne zdolności twórcze.

Realizm XIX wieku był reakcją na romantyzm, powstał w walce z Salonami i Akademiami, dlatego też w pewnym sensie był kierunkiem jednostronnym. W dążeniu do obiektywności mylono często sztukę z nauką, traktując nieufnie wyobraźnię artystyczną. Courbet twierdził, iż jedynie rzecz bezpośrednio zobaczona stać się może przedmiotem sztuki. Zola usiłował zresztą bez rezultatu opierać się na teorii dziedziczności, co dało Taine'owi asumpt do usprawiedliwionego wniosku, że powieść zastąpiona zostanie medyczną rozprawą. W pogoni za naukowością artyści przecenili w człowieku elementy biologiczne i animalne, popadając wskutek tego w sprzeczność z dawnym ideałem humanizmu.

Usiłując spotęgować znaczenie treści w sztuce, realiści XIX wieku mniej się troszczyli o kwestię formy artystycznej. Champfleury, pragnąc dowieść, że zwłaszcza w poezji język nie odgrywa roli decydującej, twierdził, iż koncepcję autorską można przecież zachować nawet w przekładzie wiersza. W malarstwie XIX wieku tendencja ta przejawia się zubożeniem kolorytu. Formę plastyczną zaniedbywali nawet tak utalentowani rzeźbiarze XIX wieku, jak Carpeaux. Pragnąc uniezależnić się od tradycji, nie doceniali również nowatorzy znaczenia klasyki: Courbet występował przeciwko Leonardowi, Tołstoj gromił Szekspira, Zola zaś wyśmiewał się z ,,wielkich stuleci''.

Szczególne znaczenie sztuki z połowy XIX wieku polega na tym, że najlepsi jej przedstawiciele obrali sobie jako główny temat życie i pracę ludu. Przykłady takich prac spotykaliśmy także w sztuce średniowiecza, dawniej istniał jednak zawsze pewien dystans pomiędzy wykształconym artystą a mniej kulturalnym chłopem lub rzemieślnikiem. Arystokratyczne uprzedzenia wpływały hamująco nawet na takich twórców, którzy sami z arystokracją nie mieli nic wspólnego. Zasługą realistów było ukazywanie nie tylko ciężarów i cierpień krzywdzonych biedaków, lecz również odtwarzanie szlachetności i piękna w życiu ludzi pracy, które uznali za godne przyoblekać w formy artystyczne. Temat ludu wszedł w krąg zagadnień sztuki, artyści zbliżyli się do ludu — i to napełniło ich entuzjazmem oraz pomogło w przekroczeniu granic „artystycznej cyganerii".

Realiści XIX wieku przyczynili się niemało do społecznego rozwoju swoich krajów. Pokazując codzienne życie ludu kierowali uwagę współczesnych na sprzeczności ustroju burżuazyjnego i dzięki temu otwierali sztuce nowe perspektywy. Wszelako, wraz ze wzrastającym dążeniem do wiernego odtwarzania jedynie bezpośrednio postrzeganej rzeczywistości, ginęło w sztuce wiele pierwiastków symbolicznych, fantastycznych i ideowych, które od czasów renesansu aż po wiek XVIII określały jej ogólny charakter. Niektórzy dziewiętnastowieczni artyści usiłowali zwrócić symbolice jej artystyczne prawo: w malarstwie pejzażowym już samo podkreślenie nastroju oznaczało możliwość wyjścia poza czystą przedmiotowość. Niemniej poszukiwanie prawdy nie zadowalało się prawdopodobieństwem — mnożyły się więc przesłanki dla przewartościowania środków wyrazu malarstwa współczesnego.

V. IMPRESJONIZM

*Pomyśl, mój faunie, może wszystkie
kobiety, któreś posiadał, są tylko jak sen...*
Stéphane Mallarmé,
„Popołudniowy sen fauna"

*Mój Boże! Mój Boże! Życie płynie tam
Bez cierpień i bez zgryzot...*
Paul Verlaine, z cyklu *„Mądrość"*

Wezwanie do realizmu zachowało atrakcyjność w ciągu całego XIX wieku, ale w ostatniej ćwierci stulecia, gdy po klęsce Komuny Paryskiej we Francji doszła do władzy burżuazja, utraciło swój pierwotny sens. Sztuka nie angażowała się już tak bezpośrednio i otwarcie w walkę ugrupowań politycznych i społecznych, jak w połowie stulecia Daumier, Millet czy Courbet. Ten ostatni nawet oddalił się od tematyki społecznej, poprzestając na malowaniu pejzaży, scen myśliwskich i martwych natur. Oczywiście nie oznaczało to wcale, iżby w okresie trzeciej Republiki zmalały we Francji sprzeczności społeczne. Nie przejawiały się już jednak w sztuce pewnym określonym kręgiem tematycznym, lecz tylko różnorodnością przeciwstawnych nieraz sposobów artystycznego widzenia i artystycznej wypowiedzi. Wpływ na sztukę francuską burżuazyjnego ustroju i oficjalnych poglądów był oczywisty, nie rościła już ona pretensji do uczestnictwa w walkach rewolucyjnych. Mimo to nie ustał dalszy ciąg rozwoju, jaki rozpoczął się był w połowie stulecia, i właściwie teraz dopiero wyciągano ostateczne konsekwencje z zasad uprzednio ustalonych.

W latach sześćdziesiątych pojawili się dwaj wybitni malarze szkoły francuskiej. Należeli oni do pokolenia, które w młodości przeżywało twórczość Courbeta, czytało powieści Flauberta i „Kwiaty zła" Baudelaire'a. Edouard Manet (1832 — —1883) pochodził z zamożnej rodziny, wiódł życie spokojne i beztroskie. Nie był ani tak namiętny i wojowniczy jak Daumier, ani też tak opozycyjny w stosunku do świata burżuazji jak Flaubert. Nie miał też takiego przywiązania do ziemi ojczystej, jak Courbet. Manet pragnął, jak sam twierdził, być człowiekiem swojej epoki, co oznaczało, że patrzeć chciał otwartym spojrzeniem na otaczający go świat i szczególnie ważne wydawało mu się odtwarzanie własnych wrażeń w sposób możliwie świeży i nieskrępowany. Ten ostatni postulat doprowadzić go miał do konfliktu z panującą we Francji tradycją artystyczną i do zajęcia w sztuce pozycji nowatorskiej. Manet był uczniem malarza Salonów Couture'a, który odwrócił się od niego, gdy spostrzegł, że szuka własnych dróg.

Tendencje Maneta widoczne są już w jego wczesnych dziełach. W 1863 roku wystawił obraz przedstawiający leśną łąkę, na której w cieniu drzew rozmawiają ze sobą dwaj elegancko ubrani mężczyźni; pomiędzy nimi siedzi naga kobieta, a w głębi druga, tylko w koszuli, schyla się do strumienia; z boku leży pognieciona błękitna suknia i znakomicie namalowany kosz z owocami. Co ma znaczyć to *Śniadanie na trawie*? Pytanie takie nurtowało odwiedzających tak zwany Salon Odrzuconych, gdzie wystawiali swoje prace artyści, których nie dopuszczono na Salon oficjalny. Publiczność ta przyzwyczajona była, iż na każdym Salonie figurowały ,,akty'' pod mitologicznymi tytułami (Nimfy, Danae), stanowiącymi niejako wstydliwą osłonę ich nagości.

Obraz Maneta zaskoczył jednak widzów przede wszystkim nagością kobiecego ciała obok mężczyzn ubranych według ostatniej mody. Artysta mógł się powoływać na przykład Giorgiona, na jego *Wiejski koncert* z Luwru, gdzie również nagie kobiety zestawione są z elegancko ubranymi kawalerami. Mógł też stwierdzić, iż chodzi mu o proklamację wolności sztuki, o jej prawo do odtwarzania marzeń sennych, w których spotykać się mogą rzeczy tak od siebie odległe, jak nagość, symbolizująca klasyczny ideał piękna, oraz czarne surduty, będące atrybutami aktualnej teraźniejszości. Mógł wreszcie usprawiedliwiać się, że w swej ściśle klasycznej kompozycji szedł śladami Rafaela: układ postaci w *Śniadaniu na trawie* wzięty został bowiem z miedziorytu Marcantonia Raimondiego według Rafaela. Mógł też dowodzić, że czarne surduty i zielone liście należycie uwydatniają różowość nagich ciał. Wytworne towarzystwo paryskie oburzało się na widok *Śniadania na trawie* Maneta (Galerie du Jeu de Paume), lecz obraz ten stał się wzorem nowego, otwierającego na wskroś nowe perspektywy kierunku francuskiej sztuki.

Inny obraz Maneta, *Olimpia* (1863, Galerie du Jeu de Paume), ukazuje nagą kobietę, a obok niej czarną służącą ze wspaniałym bukietem w ręku oraz czarnego kota. Zdumiewało, że wulgarna kobieta zdawała się spoczywać na szerokim tapczanie, jak na ołtarzu; cały ten nieobyczajny motyw został przez artystę przekształcony w pełną harmonię barw. Były to trujące kwiaty sztuki, podobnie jak ,,Kwiaty zła'' Baudelaire'a.

Śniadaniem na trawie i *Olimpią* proklamował Manet nowe ideały artystyczne i wyraził je w sposób niezmiernie drastyczny. Większość swych sił miał poświęcić obrazowi społecznego życia swojej epoki.

Balkon Maneta powstał około dwudziestu lat po *Pogrzebie w Ornans* Courbeta. IV, 96
Podczas gdy Courbet opierał się na hiszpańskich zwolennikach Caravaggia, Manet skłaniał się raczej ku Velazquezowi. U Courbeta dominuje konkretne zdarzenie, natomiast osobliwy urok obrazu Maneta wywodzi się z aluzji: zamyślona, piękna kobieta, o smutnych, czarnych oczach (podobno Berthe Morisot) siedzi jakby osamotniona i oderwana od reszty towarzystwa; druga, młodsza, zajęta jest naciąganiem rękawiczek; w progu pokoju stoi wytworny i pewien siebie mężczyzna. Właściwie nie ma tu akcji, lecz tylko pewien stan, niezupełnie wyjaśniony i właśnie dlatego przykuwający uwagę. Świat niezrozumiałych przeczuć w duchu Baudelaire'a otwarty tu został dla sztuk plastycznych.

Poglądom Maneta odpowiada też jego wizja i technika malowania. Same przedmioty są u niego mniej efektowne niż ostro zarysowane sylwetki: kobiety siedzącej, bardziej zwartej kobiety stojącej, wreszcie mężczyzny, którego twarz i biała koszula świecą w mroku jasnymi plamami. Różnorodność rytmu ujawnia się dobitnie w paskach na sukni, okiennicach i kracie. Barwy nie są tu tak soczyste i uchwytne, jak u Courbeta, lecz naniesione lekko, zwiewne, a wskutek tego bardziej wyraziste. Czerń i biel zostały sobie przeciwstawione jako walory barwne. Dominująca w obrazie zieleń okiennic, liści, parasolki, a zwłaszcza kraty balkonu, wywołuje na białych sukniach uzupełniające tony fioletu. Jasnobłękitny kwiat i ciemnogranatowy krawat lśnią niczym drogie kamienie. Odnosimy wrażenie, że kolory te wydają subtelną woń. W obrazie tym głęboko ludzki nastrój w duchu XIX wieku łączy się z efektami malarskimi, a po takie związki poprzednicy Maneta jeszcze nie sięgali.

por. IV, 91

Manet nie poprzestał na wielkich obrazach, w których zyskiwał monumentalność równą niemal dziełom Velazqueza — *Las Meninas* i *Las Hilanderas*. Później namalował jeszcze sporo mniejszych obrazków rodzajowych. Ukazał koncert w parku Tuileries, odpoczywające w cieniu drzew towarzystwo składające się z eleganckich panów i pań słuchających muzyki (1860—1863, Londyn); kawiarnię, gdzie pyzata kelnerka spiesznie roznosi szklanki w czasie występów śpiewaczek (1877, Londyn); bar w Folies-Bergère z uroczą jasnowłosą barmanką przyjmującą zamówienia u zastawionego likierami szynkwasu (1880—1881, Londyn); hałaśliwe paryskie bulwary i jaskrawo oświetloną przystań parowca, wyrzucającego całe kłęby pary (Filadelfia) — scena ta przypomina początek ,,Edukacji sentymentalnej'' Flauberta. Namalował młodą parę w łodzi, na spokojnie płynącej rzece, dziewczynę w słomkowym kapeluszu i mężczyznę w koszuli z podwiniętymi rękawami (Nowy Jork); wielką grupę przy grze w krokieta (1873, Frankfurt nad Menem); damę rozmawiającą z jakimś panem na oszklonej werandzie pełnej zieleni (1876—1879, Berlin).

IV, 99

Do tych ukazujących życie burżuazji rodzajowych scen Maneta należy również obraz *Chez le père Lathuille*. Akcja toczy się tu w ogródku restauracji. Przy małym, biało nakrytym stoliczku na pół odwrócona od widza siedzi młoda kobieta. Ciemnowłosy młodzian, któremu zaledwie sypie się pierwszy zarost, zagląda jej w oczy pytająco. Dalej kelner, z serwetką pod pachą, w pozie pełnej uszanowania czeka na zamówienie. Na obrazie pokazano akurat tyle, żeby ze spojrzenia przechylonego do przodu młodzieńca i sztywnej postawy kobiety można było odgadnąć, co się tam dzieje. W okresie rządów Ludwika Filipa i Napoleona III burżuazję aktywizowała gorączkowa chęć zysku, którą Daumier wyszydzał tak bezlitośnie. Natomiast z końcem XIX wieku stosunek burżuazji do świata staje się ,,beztrosko konsumpcyjny''; ówczesne epikurejskie używanie życia dobitnie ujawnia się w twórczości Maneta. Każdy, z pozoru najbardziej nawet przypadkowy fragment życia umiał malarz przekształcić w dzieło sztuki i zamknąć w zwartej, malarskiej formie. Urok obrazów Maneta polega na bezpośredniości jego wizualnych spostrzeżeń.

Manet ukazywał ludzi najrozmaitszych, miał jednak swoich ulubionych modeli, po których zawsze łatwo go rozpoznać. Są to ludzie zdrowi i zrównoważeni, ani tak podnieceni, jak u Daumiera, ani też tak poważni, jak u Courbeta. Kobiety Maneta urzekają kwitnącym zdrowiem i bujną urodą. Twarz zadumana rzadko pojawia się wśród tych beztroskich i pewnych siebie postaci. Mężczyzn z obrazów Maneta cechuje prostota elegancji, stanowczość, ambicja i zdobywcza postawa wobec życia. W scenach rodzajowych podkreślone zostały te charakterystyczne rysy, dlatego też ich bohaterzy są do siebie podobni — za to w portretach potrafił

Manet wydobywać indywidualność niezmiernie przekonująco. Postać *Pijącego absynt* wynurza się z mroku w czarnym płaszczu i cylindrze (1858, Kopenhaga) — to dziwak w duchu Daumiera, a w duchu Fransa Halsa, z dobrotliwą ironią, namalowany jest portret angielskiego poety Moore'a, o zwichrzonej, rudej brodzie IV, 98 i zmąconym wzroku. Nie ma tu śladu nawet efektownej prezencji, do jakiej tak usilnie dążyli malarze oficjalni; swobodna technika malarska potęguje wrażenie niezafałszowanego wizerunku. Na małym intymnym portrecie poety Mallarmégo ostro uchwycona została wychudzona twarz poety, jego wysokie czoło, długie, zwisające wąsy i mądrość spojrzenia (1876, Luwr). W portrecie Rocheforta (1880, Hamburg) dał Manet obraz polityka aktywnego, żądnego władzy, dumnego, niemal okrutnego.

To, co osiągał Daumier energiczną kreską i światłocieniem, Corot — subtelnym stonowaniem barw, a Courbet wyrazistym modelunkiem, Manet realizował poprzez wzajemne stosunki barw i ich odcieni. Barwa urasta w jego obrazach do jednego z najważniejszych środków wyrazu, uzyskuje siłę, jasność i czystość przedtem w XIX wieku niemal nie spotykane. Artysta znakomicie opanował technikę delikatnych półtonów, umiał także stopniować przechodzenie od róży do szarego błękitu; raz po raz rzucał przy tym plamy granatowe, czarnobłękitne lub ciemnobrązowe, wzmagając nimi siłę działania i napięcie swoich płócien. Manet unikał światła padającego z boku — większość jego obrazów jaśnieje do tego stopnia, że można je niemal porównać do prześwietlonych fotografii. Artysta usiłował także odtwarzać światło rozproszone otaczające przedmioty, rezygnując ze sztucznego oświetlenia pracowni, które tak wyraźnie wyczuwamy jeszcze na obrazach Courbeta. Idąc śladami starych mistrzów, dążył Manet do równowagi kompozycji — nie tyle jednak przez odpowiednie rozmieszczenie przedmiotów, ile dzięki rozrzuceniu barwnych plam po całej powierzchni płótna w takim układzie, który by najsilniej przemówił do widza i najłatwiej utrwalił się w jego pamięci. Żywość wyrazu wzmagał techniką: swobodną, raz szeroką i pełną rozmachu, innym znów razem powściągliwszą. Nawet w małych szkicach tuszem uderza nas zdolność Maneta do tworzenia żywych obrazów za pomocą kilku zaledwie plam — i ten kunszt operowania plamą odróżnia go zasadniczo od twórczości Daumiera, mistrza ruchliwego konturu. Od grafików japońskich nauczył się Manet przypisywać istotną rolę ściśle obliczonym efektom plam koloru na obrazie.

Kiedy Daumier natrząsał się w swych litografiach zjadliwie z paryskich obyczajów, nikt nie czuł się tym dotknięty: w pracach jego widzimy jedynie pewien specyficzny rodzaj grafiki — karykaturę. Manet ukazywał w swoich obrazach życie społeczeństwa burżuazyjnego i gdy na przykład malował *Śniadanie na trawie*, przez myśl nawet mu nie przemknął zamiar atakowania swoich współczesnych. A jednak jego twórczość wyprowadzała widzów z równowagi, przed jego płótnami dochodziło do prawdziwych skandali, wściekli widzowie obrzucali je zgniłymi pomarańczami. Światopogląd tego malarza do tego stopnia pozbawiony był wszelkich uprzedzeń, iż zdawał się zuchwale wykpiwać uznane artystyczne autorytety; w dziełach jego dostrzegano elementy godzące w podstawowe zasady burżuazji — stąd też do końca życia nie znalazł poklasku.

Degas (1834—1917) był rówieśnikiem Maneta, lecz charakterem różnił się od od niego całkowicie, otrzymał też inne artystyczne wykształcenie. Tendencja Maneta do wykorzystywania bezpośrednich wrażeń, przejawiająca się szczególnie dobitnie w jego obrazkach rodzajowych, przypomina mistrzowskie nowele Maupassanta — tyle tylko, że Manet bywał zwykle w pogodniejszym, niż Maupassant, nastroju. Degas da się raczej porównać z Anatolem France'em, dzieląc z nim subtelny smak z jasnością umysłu analitycznego. Malarz ten zdradzał skłonność do powątpiewania o wszystkim, aby potem, żartobliwie, przywracać to, co sam obalił. Sztuka Maneta była zmysłowa i beztroska, sztuka Degasa mądrzejsza, bardziej dociekliwa, ale też i chłodniejsza. Manet uczył się u wielkich kolorystów weneckich i hiszpańskich, Degas umiejętność rysowania wziął od jednego ze zwolenników Ingres'a, a sam wysoko cenił Poussina. Te właśnie skłonności zadecydowały o wyborze najważniejszych jego środków wyrazu.

Zakres tematyczny obrazów Degasa był węższy niż u Maneta. Malował sceny rodzajowe z życia paryskiej cyganerii, poruszając się w kręgu tematów Daumiera, który go jednak przewyższał głębokim współczuciem dla ludzi pracy. Wśród takich prac Degasa wymienimy *Modniarkę* (1882, Nowy Jork), *Dwie praczki* i *Prasowaczki* (1884, Luwr). Jedna z prasowaczek całym ciałem schyla się nad żelazkiem, podczas gdy druga szeroko ziewa, a żartobliwy ów gest łagodzi społeczną ostrość całej sceny. Na innym płótnie, pod tytułem *Kieliszek absyntu*, ukazał Degas zaledwie kawałek marmurowego stolika w kawiarni, lustro na ścianie i dwoje pijących ludzi: kobietę pochłania beznadziejna zaduma, na co wcale nie zwraca uwagi palący fajkę mężczyzna (1876—1877, Luwr). Już we wczesnych swych pracach przejawiał Degas umiejętność wydobycia paru kreskami znaczenia delikatnej aluzji.

Świat teatru — przede wszystkim balet — zajmuje najwięcej miejsca w twórczości Degasa. Od teatru jedynie wyścigi konne potrafiły go odciągnąć. W porównaniu z Manetem oznacza to, oczywiście, znaczne zawężenie tematyki obrazów. Degas nie był malarzem swojej epoki, ukazującym rzeczywistość w jej wszystkich przejawach: sporo stron życia społecznego uchodziło jego uwagi. U ludzi interesował go przede wszystkim ruch — mniej ich życie wewnętrzne i doznania. Balet jednak stał się dla niego jakby magiczną kryształową kulą, poprzez którą widział i rozumiał świat i ludzkie losy. W scenach teatralnych przejawiał ten sam dar obserwacji co w obrazach rodzajowych, nigdy nie ograniczając się wyłącznie do wartości widowiskowych.

Degas ukazywał teatr z najrozmaitszych stron i dlatego mógł przekazać różnorodne o nim wyobrażenia, mimo iż całość rozpada się u niego zawsze na fragmenty. Artysta nie patrzał na scenę tak jak publiczność z widowni, szczególnym upodobaniem darzył te momenty, które raczej niweczyły przedstawienie. Na pierwszym planie ukazywał głowy widzów z parteru albo muzyczne instrumenty orkiestry, odtwarzał światło rampy, padające od dołu na twarze śpiewaczek, zniekształcone śmiesznym rozdziawieniem ust przy śpiewaniu arii. Lubił patrzeć na scenę z loży dyrekcji, mógł stamtąd bowiem dostrzec, jak czekające na występ baletnice wiążą sznurowadła trzewiczków i jak pojawia się w ich gronie mężczyzna w cylindrze: baletmistrz; podobnie jak w *Śniadaniu* Maneta, czerń surduta podkreśla tu delikatną nagość ramion i biel spódniczek niespokojnych tancerek. Prowadził nas także Degas na sale prób, całkowicie pozbawione dekoracji, gdzie rzekomą poezję aktorskiego życia wypiera twarda proza codzienności. Pokazuje i rozmównicę w szkole baletowej, i zatrwożonych rodziców, z drżeniem czekających na werdykt w sprawie postępów swych dzieci, które tej szkole powierzyli. Zmysł piękna artysty przeszedł tu zwycięsko ciężką próbę, bowiem balet, który z widowni wyda się królestwem czarodziejskich wróżek i światem rozmigotanych barwnych plam, u niego zyskał sens na wskroś ludzki; Degas pokazał ciężki trud, wysiłek, nieodzowne napięcie wszystkich mięśni i woli. W tym aspekcie sceny baletowe Degasa istotnie stanowią obraz życia ludzi pracy.

Degas obierał zazwyczaj za punkt wyjścia jakiś kąt, z którego patrząc nie od razu rozpoznaje się sens akcji. W *Lekcji tańca* (ok. 1874) widzimy pośrodku nauczyciela z batutą w ręku, w głębi, przed lustrem, baletnicę, z boku fortepian, a przed nim pozostałe tancerki, czekające swojej kolei. Na pierwszy rzut oka obraz sprawia wrażenie przypadkowego nagromadzenia niczym ze sobą nie powiązanych szczegółów. Gdy jednak przyjrzymy się bliżej, zrozumiemy, że postać w czerni uosabia zasadę dyscypliny, a trzepocące białe plamy są ucieleśnieniem rytmu, ruchu i swobody. I jeśli już pokonaliśmy trud rozwiązania tej zagadki, zaczynamy pojmować, iż ten sposób przedstawiania daje głębsze wyobrażenie o całej akcji niż tylko opisowe jej odtworzenie.

Skomplikowanej treści sceny odpowiada także jej konstrukcja: w obrazie wiele rzeczy sprawia wrażenie przypadkowych, lecz jednocześnie dostrzegamy równowagę barwnych wartości (czerń surduta i fortepianu na obu skrajach obrazu). Lustro daje głębię przestrzenną, choć zarazem respektowana jest płaszczyzna: postaci ukazane zostały w dziwacznych skrótach perspektywicznych, pospołu jednak tworzą uroczy ornament liniowy. Degas, tak śmiało grzesząc przeciwko wszelkim tradycjonalnym zasadom konstrukcji obrazu, okazuje się wszakże wierny kompozycji klasycznej, którą opanował za młodu.

Drezdeński pastel *Dwie tancerki* pomyślany został jak przypadkowy wycinek   IV, 102 większej całości. W gruncie rzeczy obydwu postaci nie łączy żadna określona akcja. Tancerkę z prawej całkowicie obsorbuje jej prawa noga, którą trzyma w prawej ręce. Każda z tych dwóch postaci stanowi organiczną jednostkę, lecz obydwie wyraźnie stapiają się w kryształową, rzec by można, arabeskę; nawet w postawie nóg odpowiadają sobie wzajem, a cień i światło także utrzymują wyważone proporcje.

Inny obraz przedstawia ubierające się tancerki, z których jedna zgina się, żeby zawiązać pończochę, a druga, odwrócona od niej, schyla głowę, aby zbadać pozycję swych stóp. Za dziewczętami widać żałosną głowę ubogiej staruszki i jakąś młodszą kobietę — dwa światy, w sprzeczności swojej zjednoczone. Niełatwo rozsupłać węzeł, w jaki splecione są te postaci.

Degas był wręcz znakomitym malarzem ruchu. W przeciwieństwie do wcześniejszych artystów, którzy usiłowali w jednej postaci połączyć różne momenty ruchu, Degasa interesowała najbardziej jego nieuchwytność, przelotność (w pewnej mierze inspirowała go w tym fotografia). Pojedyncze figury nie są u niego zwarte, zamknięte w sobie, często nawet obcinają je ramy. W obrazie *Cyrk Fernando* (1877, Londyn) odtworzył w skrócie postać unoszącej się pod kopułą cyrku woltyżerki, a ponadto przesunął perspektywę w taki sposób, że sami, na równi z widzami przedstawienia, odczuwamy zawrót głowy.

Pod wpływem japońskich drzeworytów Degas ukazywał także sceny z intymnego życia kobiet: malował je gdy wstają, myją się, ubierają lub czeszą. Jedyna to w swoim rodzaju detronizacja mitu o pięknie kobiety. Przykucnięte, plecami zwrócone do widza, przybierają pozy „najmniej korzystne". Artysta tu niejako eksperymentował, kazał chyba modelkom obracać się powoli, aby móc szczegółowo i dokładnie zaobserwować ich ruchy. Jeżeli też w obrazach Degasa nagie ciało kobiece nie ma w sobie już nic z klasycznej bogini, to jednak rysunki jego są pełne uroku:

IV, 101 szeroką kreską uwydatniał artysta organiczność, plastyczność i giętkość tych ciał — niczym antycznych, marmurowych posągów.

Portrety Degasa przedstawiają ludzi poważnych, spokojnych, pewnych siebie i nieco sceptycznych, świadomych także swej wartości; wydają się chłodni, niemal bez serca, godni i dumni. Nowe były podejmowane przez Degasa próby powiązania por-

IV, 100 tretu z malarstwem rodzajowym. Wicehrabiego Lepic pokazał na spacerze z dwiema dziewczynkami i z chartem, tak jakby właśnie wracał z Place de la Concorde.

Postać przechodnia, przecięta krawędzią obrazu, a także powóz w dali świadczą, że ruch uliczny toczy się z lewej strony w prawo. Jednocześnie postać, ta z lewego skraju, zamyka płaszczyznę obrazu. Zwracając obydwie dziewczynki i psa w stronę przeciwną owemu ruchowi w prawo, osiągnął malarz równowagę całości. Dobrze zostały znalezione stosunki między postaciami i wolną przestrzenią, szarym płaszczem i piaskowożółtym brukiem. Degas posługuje się bardzo zróżnicowaną skalą odcieni szarości i okazuje się znakomitym kolorystą. Rodzajowe prace Maneta przedstawiają się naturalniej i są bardziej bezpośrednie, ale Degasowi udało się w tym obrazie utrwalić sytuację o posmaku paradoksalnym: oto bohater akcji zdaje się opuszczać scenę; wyszukanie elegancki, nieco sztywny wizerunek arystokraty zyskuje osobliwie przekonywającą wymowę przez rozliczne jego powiązania z pozostałymi postaciami.

Niezwykły w koncepcji jest także portret Madame Jeanteaud, któremu malarz nadał charakter sceny rodzajowej. Pani jest wyprostowana, co tym się tłumaczy, że przygląda się sobie w lustrze — i twarz jej my także widzimy tylko w lustrze. Pozę odpowiednią do reprezentacyjnego portretu przybrała modelka przed zwierciadłem. Tak więc, wprowadzając element kokieteryjnej gry z widzem patrzącym na obraz, Degas wzmocnił siłę efektu. Oryginalność tego twórcy szczególnie rzuca się w oczy, gdy porównamy jego dzieło z portrecistami XVII wieku.

Nowy kierunek artystyczny najdobitniej ujawnił się we Francji, w latach siedemdziesiątych, w twórczości wielu młodszych malarzy. Podobnie jak barbizończycy utworzyli oni własne ugrupowanie; spotykali się zazwyczaj w Paryżu w Café Guerbois i wspólnie wysyłali prace na wystawy. Niektórzy byli blisko ze sobą zaprzyjaźnieni, co nie łagodziło jednak wcale ich artystycznych sporów: każdy ujawniał swym malarstwem własną osobowość, każdy upierał się przy słuszności własnej metody. Od wystawionego w 1872 roku przez Claude Moneta obrazu

IV, 107 *Impresja, wschód słońca* (*Impression, soleil levant*) krytyka całą grupę tych malarzy nazwała impresjonistami. Manet, znany już wówczas artysta, przyłączył się do nowego kierunku. Degas także brał udział w wystawach impresjonistów. Grupa impresjonistów składała się z przedstawicieli różnych narodowości, ale zasadniczo kierunek ten rozwijał się na gruncie malarskiej szkoły francuskiej.

Claude Monet (1840—1926), twórca obrazu *Impresja*, był najbardziej konsekwentnym reprezentantem tego kierunku. Nie od razu odnalazł swe powołanie pejzażysty i początkowo ulegał rozmaitym wpływom, zwłaszcza Maneta. W naturze interesowało go przede wszystkim światło słoneczne, migotanie przenikających powietrze promieni oraz różnorodne odcienie, jakie słońce nadaje niebu, chmurom, drzewom i kwiatom.

Najlepsze dzieła stworzył Monet w siedemdziesiątych latach w położonym niedaleko Paryża miasteczku Argenteuil, gdzie niestrudzenie i entuzjastycznie oddawał się studiom krajobrazu. Pociągnięcia pędzla wydają się na tych płótnach rzucone lekko i niedbale, lecz cytrynowożółte świty, niebo ze słońcem przedzierającym się przez pokrywę chmur, pomarańczowe zachody, w których słońce odbija się w zielonobłękitnej powierzchni wody, odtworzone są z nienaganną dokładnością. W Paryżu dostrzegł Monet piękno bulwarów z falującą na nich rzeką ludzi i pojazdów. Później w Londynie „odkrył" błękit mgły, spowijającej gmach parlamentu i Tamizę. Przychodził ze swym malarskim ekwipunkiem stale w to samo miejsce, aby o różnych porach — rano, w południe i wieczorem — studiować i oddawać niuanse światła, na stogach siana czy na katedrze w Rouen. Tak powstały całe szeregi wariantów tych samych motywów w tonacjach liliowych, złotych, błękitnych i różowych. Już barbizończycy zajmowali się kwestią odtwarzania światła słonecznego w naturze, lecz w zestawieniu z pracami Moneta obrazy ich wydają się ciemne i monochromatyczne, nawet w *Śniadaniu na trawie* Maneta jeszcze się wyczuwa ów brązowy ton. Płótna Moneta są natomiast całkowicie przepojone światłem, całą siłą jaśnieją na nich kolory, które artysta kładł jak najczyściej, możliwie bez żadnych tłumiących domieszek. Oto wydaje się, że obrazy same uzyskały zdolność promieniowania światłem — zdolność, o jakiej od wieków marzyły całe pokolenia malarzy.

Choć liczni poprzednicy przygotowali Monetowi drogę, *Impresja* stanowi śmiały krok naprzód, wobec którego bledną osiągnięcia nawet Constable'a i Corota. Nowa malarska metoda umożliwiała przede wszystkim ukazywanie lub sygnalizowanie całego mnóstwa zjawisk i ich właściwości — a więc światła słońca i niebios, połysku wody, mglistej atmosfery, oddalonej przestrzeni, rojowiska statków i żagli na rzece. Intensywność malarskiego efektu wzrastała dzięki zróżnicowaniu swobodnych pociągnięć pędzla, które uzyskiwały przez to wartości kaligraficzne, choć malarz niemal tymi samymi kreskami przedstawiał chmury, fale czy ledwo we mgle widzialne maszty. Opisany sposób malowania ujawniał szybkie tempo wykonania obrazu, a wyraźnie występujący rytm potęgował moment muzyczny tego malarstwa (podobne zjawisko zachodzi jednocześnie w poezji lirycznej, np. u Paula Verlaine'a). Ulubionym motywem Moneta, podobnie zresztą jak i innych impresjonistów, był obraz odbitego w wodzie słońca. W arcydziele Moneta rozjarzona tarcza wschodzącego słońca brzmi jak energiczny akord, którego echo powtarza się w czerwonawych chmurach i płomienistym śladzie na rzece. Pomarańczowa czerwień i malachitowa zieleń wraz z błękitnymi i fioletowymi tonami dopełniającymi dają niesłychany efekt kolorystyczny. Afirmująca świat energia przekształca przyrodę w radosne widowisko.

W późniejszym obrazie *Pole maków* (Leningrad) połączył Monet w pogodną harmonię różowe plamy kwiatów, błękitną dal i wszystko przenikające, złociste światło. Ulegamy wrażeniu, że czujemy, jak mile pachnie to kwitnące pole. Później jeszcze w cyklu *Lilii wodnych* (1899—1900) usiłował Monet odtwarzać nieokreślone migotanie barwnych tonów, lecz nie osiągnął już pełni przeżycia swych pierwotnych doznań. Tracił zainteresowanie do nieustannych przemian pulsującej natury, jął się skłaniać ku biernej kontemplacji, patrzeć na świat z daleka, w rozmarzeniu, jak na coś niepojętego. Dekoracyjne efekty jego barwnych symfonii, ich muzyczność wzrastały kosztem samego obrazu.

Analizując twórczość dwóch innych jeszcze pejzażystów z tej grupy, Sisleya (1839—1899) i Pissarra (1831—1903) — stwierdzamy, że Sisley, za przykładem Corota, nadawał swym krajobrazom nastrój niezmiernie subtelny. Tworzył poetyckie obrazy z najprostszych motywów przyrody — zarośniętego stawu z porzuconymi na nim łodziami, pustej drogi wiejskiej, oświetlonej pod wieczór promieniami zachodu, pożółkłego jesienią parku lub szarej godziny zmierzchu. Nie był w twór-

IV, 106

czości swojej tak świadomy jak Manet, raczej kontemplował — nieśmiało, lecz z pełnym zaangażowaniem, czule, nigdy chłodno lub obojętnie. Pejzaże jego często przenika nastrój przypominający liczne wiersze Verlaine'a. Sisley szczególnie doceniał znaczenie nieba na obrazie. Delikatnymi, lekkimi smugami znakomicie utrwalał na płótnie fiolety, niebieskości i różowości natury, zwłaszcza na liściach i chmurach. Wolał też pomijać niepotrzebne, drobne elementy, chcąc jak najszybszą drogą doprowadzić patrzącego do właściwej wizji. Niektóre jego obrazy tak wyglądają, jakby jedynie otarł pędzle o płótno, a przecież wszystko u niego łączy się w harmonijną całość.

Camille Pissarro dobrze znał tradycje barbizończyków. Demokratyczne przekonania

s. 128
IV, 108
por. IV, 82

wyraził ożywiając swoje obrazy postaciami mieszkańców wsi, których także często rysował. *Zorane pole*, nasuwające porównanie z *Listopadowym wieczorem*

Camille Pissarro, Chłop, rysunek

François Milleta, świadczy o sympatii malarza do pracy na roli. Podczas gdy Millet zmierzał do wzbudzenia u widza refleksji na temat losu ubogich chłopów, Pissarro koncentruje się na nastroju szarego, posępnego dnia i na harmonii różowych i jasnozielonych barw. Pług ma na jego płótnie jedynie drugorzędne znaczenie. W przeciwieństwie do większości impresjonistów, zwłaszcza Sisleya i Moneta, którzy kontury zacierali we mgle albo w świetle, Pissarro wyraźnie uwidacznia strukturę przedmiotu i stara się jego kształt połączyć z obrazem świata. Podobnie jak jego współcześni, przyczynił się też Pissarro w wielkiej mierze do rozwoju motywu miejskiego pejzażu w malarstwie nowoczesnym. W epoce buntu niektórych poetów przeciwko wielkiemu miastu, impresjoniści malowali jasny, radośnie ożywiony obraz Paryża i innych francuskich miejscowości, gdzie surowość budynków miesza

96. Edouard Manet, Balkon

97. James Whistler, Arrangement w szarej barwie i czerni, nr 2: Thomas Carlyle

98. Edouard Manet, Portret Moore'a, pastel

99. Edouard Manet, Chez le père Lathuille

100. Edgar Degas, Vicomte Lepic z córkami (Place de la Concorde)

101. Edgar Degas, Akt kobiecy, rysunek

102. Edgar Degas, Dwie tancerki, pastel

103. Auguste Renoir, W ogrodzie

104. Auguste Renoir, Dziewczyna z wachlarzem (portret panny Fournaise)

105. Auguste Renoir, Akt kobiecy

106. Alfred Sisley, Las w Fontainebleau

107. Claude Monet, Impresja, wschód słońca

108. Camille Pissarro, Zorane pole

109. Auguste Rodin, Rozpacz, posąg do ,,Bramy piekieł''

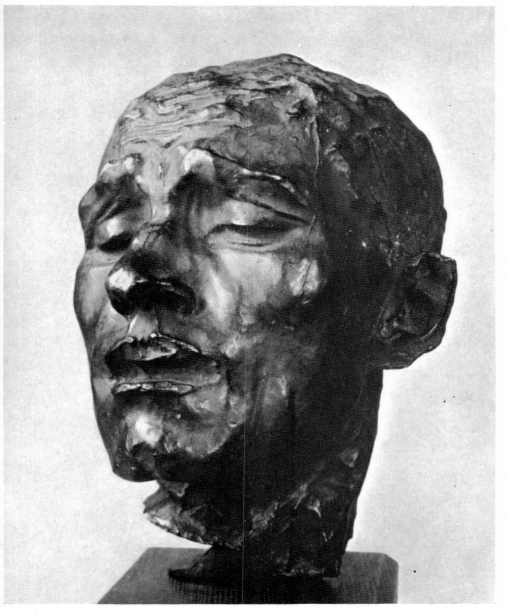

110. Auguste Rodin, studium do „Mieszczan z Calais"

111. Auguste Rodin, Popiersie Wiktora Hugo

112. Paweł Trubeckoj, Pomnik Aleksandra III

113. Henri de Toulouse-Lautrec, À la mie

114. Paul Gauguin, Czy jesteś zazdrosna?

117. Vincent van Gogh, Czerwone winnice w Arles

115. Paul Cézanne, Mont Ste-Victoire

116. Paul Cézanne, Martwa natura z owocami

118. Paul Cézanne, Autoportret

119. Vincent van Gogh, Autoportret

122. Georges Seurat, Sekwana w Courbevoie

120. Vincent van Gogh, Morze, rysunek piórkiem

121. Vincent van Gogh, Buty

124. Konstantin Korowin, Zima

125. Michał Wrubel, Portret doktora Karpowa, rysunek

123. James Ensor, Dachy Ostendy

126. Paul Cézanne, Grający w karty

się z zielenią drzew, gdzie hałaśliwy tłum ludzi i powozów wypełnia ulice i place, gdzie człowiek czuje się dobrze. Ukazywali nie tylko zewnętrzny widok miasta, lecz szukali również odpowiedniego wyrazu dla oddania stylu bycia mieszkańców nowoczesnych metropolii. Toteż można uznać w nich twórców nowożytnej „poezji miasta" w malarstwie. Pissarro uczestniczył w tym artystycznym procesie.

Najwybitniejszym spośród impresjonistów, w ogóle jednym z najlepszych malarzy XIX wieku był Auguste Renoir (1841—1919). Dzieląc koleje swych kolegów, i on długo był nie uznawany; jedynie dzięki portretom stopniowo zdobywał rozgłos, co pozwoliło mu zebrać środki na podróż do Włoch w 1881 roku. Tam, pod wpływem malarstwa pompejańskiego i Rafaela, poszukując usilnie czystej formy, gotów był już niemal zrezygnować ze swego sposobu malowania z lat siedemdziesiątych, jednak po okresie wahań pozostawał sobie wierny. Ostatnie trzydzieści lat życia spędził w południowej Francji, oddając się całkowicie malarstwu „dla własnej satysfakcji", jak mówił. Przykuty reumatyzmem do fotela, z pędzlami przywiązanymi do powykrzywianych palców, niestrudzenie tworzył urzekające swe arcydzieła.
Renoir zajmuje osobne miejsce wśród impresjonistów: pejzaż nie znajdował się w centrum jego zainteresowań. Najchętniej malował kobiety, dzieci i kwiaty, a jego twórcze natchnienie znajdowało coraz to nowe punkty wyjścia. Próżno nam szukać w sztuce Renoira głębokich przeżyć czy rezultatów jego twórczych refleksji. „Gdy maluję, chcę być jak zwierzę" — mawiał o sobie żartobliwie. Beztrosko cieszył się światem czystych barw i harmonijnych form, rezygnując tym samym z duchowych treści w sztuce. Portrety Renoira wydają się niekiedy cokolwiek banalne i przesłodzone, gdyż charakterystyka modela jest u niego często powierzchowna, w duchu i stylu Salonów. W podeszłym wieku przyjął Renoir pewien określony typ „pięknej kobiety", a nagie ciało malował odtąd najchętniej w jaskrawych odcieniach różu. Zmąciło to wyrozumiałą i życzliwą wizję świata, jaką przejawiał w latach młodości. Najlepsze jego prace powstały w latach siedemdziesiątych i osiemdziesiątych. Odznacza się w nich Renoir taką pełnią i świeżością doznań i tak niezwykłą umiejętnością ich doskonale artystycznego odtwarzania, że po stokroć słusznie uchodzi za jednego z najulubieńszych malarzy dziewiętnastowiecznych.
W rodzajowych scenach Renoira, na przykład na płótnie zatytułowanym *W ogrodzie*, dzieje się właściwie jeszcze mniej niż w Manetowym *Chez le père Lathuille*. IV, 103
Oglądamy jedynie beztroską radość przebywania młodych i szczęśliwych ludzi na wolnym powietrzu wśród zieleni; stoimy przed pełnym obrazem ludzkiego wesela i pogody w stylu renesansowej pastorałki czy w duchu „Fête champêtre" Watteau — choć u Renoira nastrój jest bardziej ziemski i pozbawiony nuty melancholijnej. Pod wpływem słońca i cienia postaci zdają się rozpływać w jasnym i ciemnym migotaniu (jak przed niemal dwustu laty u Velazqueza). Renoir umiał jednakowoż w owych igraszkach przypadku wydobyć to, co istotne i niezmienne. Jasna sylwetka kobiety, a zwłaszcza tkanina jej sukni w paseczki — utrzymuje równowagę w stosunku do ruchliwych plam słonecznych, cała kompozycja jest przestrzennie wyważona, chwila przekształca się w trwanie, a impresja uzyskuje kształt artystyczny jak w malarstwie klasycznym.

Ulubionym typem Renoira była kobieta o zmysłowych ustach, zadartym nosku, nieposłusznych kosmykach włosów na czole i nieprzemijalnym uśmiechu. Typ ten odnajdujemy na jego niemal wszystkich kobiecych portretach. Gdy jeszcze nie otrzymywał zamówień z wyższych kręgów społecznych, szukał modeli wśród ubogich, lecz jakże wdzięcznych gryzetek. Portretów swoich nie ujmował charakterystycznie, jego kobiety nie są ani tak zamyślone, ani tak uczuciowe, jak u Corota. Na ich widok nie odczuwamy raczej potrzeby uprzytomnienia sobie etycznych kryteriów, służących do oceny człowieka. Dziewczęta te są młode, zdrowe, miłe i czyste i to wystarcza, żeby budziły w nas sympatię. Renoir pragnął malarstwem swoim zadowolić tych, którzy szukają radości i szczęścia; dawał swoim modelom zewnętrzny urok, przy czym spożytkował nawet najskromniejsze

IV, 104   motywy, na przykład harmonizujący z sylwetką wachlarz lub szczęśliwie dobraną, kolorową wstążkę. Renoir z wielkim upodobaniem portretował dzieci. Prekursorem jego w tej dziedzinie jest Velazquez, malarz małych infantek zasznurowanych w gorsety, ustawionych w pozach arystokratycznych dam. Także i angielskie dziecięce portrety z XVIII wieku wykazują pewną afektację. Minęło około stu lat, odkąd Rousseau rzucił wezwanie do zgłębiania i rozumienia świata dziecięcego, i wreszcie, dzięki malarstwu Renoira, portret dziecka z całym jego urokiem, subtelnością i czystością znalazł należne sobie miejsce w sztuce. Dzieci z obrazów Renoira wydają się miłe, naiwne, wdzięczne i grzeczne: spoglądają śmiało i ufnie, miękko lśni skóra ich ciałek, błyszczą złote loki, a dziewczynki mają kolorowe wstążki, wplecione w warkocze. Dziecięce portrety mówią wiele o życzliwym stosunku Renoira do świata.

IV, 105   Akty kobiece, które Renoir malował w latach siedemdziesiątych, nie są tak wzniosłe jak postacie z obrazów renesansowych, lecz i nie tak drastycznie wulgarne jak *Olimpia* Maneta. Renoir nie ukazywał ciała kobiecego, jak Degas, w ruchu — lecz w stanie rozkosznego spoczynku. Zachwycają nas bogactwem wrażeń wizualnych: efektowną zwartą formą, miękkim konturem, subtelnością niezliczonych barwnych niuansów.

Odtwarzając postacie ludzkie Renoir umiał doskonale spożytkować doświadczenia pejzażystów, miał przy tym jednak własny warsztat malarski i zamiłowanie do własnych zestawień kolorystycznych. Malował farbami olejnymi tak przejrzyście, jakby to były akwarele, a niektóre jego obrazy wyglądają nawet jak pastele. Każde pociągnięcie pędzla niepostrzeżenie przechodzi w drugie, przedmioty stapiają się z otaczającą je atmosferą. Renoir operował ciepłą gamą barw, lubił delikatną, różową lub czerwonawą karnację ciała, umiał też jasną swą skalę barw wzmacniać za pomocą ciemnych błękitów i czerni.

Malarstwo Maneta, Degasa, Moneta, Sisleya i Renoira, choć bardzo różnorodne, stworzyło nową artystyczną metodę impresjonizmu.

W obrazach impresjonistów już na pierwszy rzut oka uderza specyficzny sposób traktowania farby, wynikający z nowego widzenia świata. Nowa ta wizja, ,,odkryta" przez impresjonistów, a przed nimi dostępna zaledwie nielicznym, wzbudziła w omawianej grupie prawdziwie artystyczny entuzjazm. Poprzednicy impresjonistów widzieli przedmioty i ciała nieruchome i niezmienne i tak je też przedstawiali. Natomiast impresjoniści zwrócili się ku przelotności światła słonecznego, ku barwnej otoczce przedmiotów, migotliwości powietrza i ledwo uchwytnym odcieniom kolorów, dla których w mowie nie ma nazwy, lecz które pędzel utrwala na płótnie. Był to całkowicie nowy aspekt rzeczywistości, który miał artystom pomóc rozumieć i w malarstwie odtwarzać świat. Niewiele chyba sensu ma pytanie, czy słuszność mieli dawniejsi malarze, którzy zieleń liści zawsze oddawali jedną tylko zieloną barwą, czy impresjoniści, odtwarzający tę zieleń w nieskończonej różnorodności umiejętnie zaobserwowanych odcieni, zmieniających się ponadto nieustannie w zależności od oświetlenia i pory dnia.

Zajmowaniu się elementami przemijającymi świata towarzyszyła w świadomości tych malarzy potrzeba wyrażania osobistych wrażeń i nastrojów, a także pragnienie odtworzenia cennej a niepowtarzalnej chwili, w której słońce wyziera zza chmur, rzucając jasny promień na przyrodę, lub wieczorem zniża się ku linii horyzontu, ogarniając wszystko dokoła różowym blaskiem. Impresjoniści doszli do wielkiej perfekcji w utrwalaniu tych przelotnych momentów, które uprzednio zazwyczaj uchodziły uwagi malarza.

W długim okresie rozwoju sztuki europejskiej ukształtowały się pewne wzory do odtwarzania poszczególnych przedmiotów: impresjoniści zrywają z tymi wzorami. Dzięki własnej metodzie wizualnego wyobrażenia rzeczy, znanych każdemu człowiekowi — jak słońce, niebo lub drzewa — mogli niejako wszystkie te rzeczy rozkładać na czynniki pierwsze, na pierwotne cząsteczki i barwne plamy, które składały się powtórnie podczas oglądania obrazu: tak widz zostawał poniekąd wciągnięty do uczestniczenia w procesie powstawania dzieła sztuki.

Obrazy impresjonistów wymagają od widza umiejętności odszyfrowania tego, co na nich zostało ukazane — a ściśle mówiąc, skonstruowania obrazu z podanych przez malarza elementów (dla człowieka nowoczesnego jest to proces dobrze znany, lecz żyjący współcześnie z impresjonistami odbiorcy sztuki nie byli w stanie tego dokonać, dlatego też tak długo impresjonizm nie był uznawany). Ten sposób bezpośredniego patrzenia, który stanowił podstawę impresjonizmu, scharakteryzowany został nader sugestywnie w dziele Marcela Prousta „W poszukiwaniu straconego czasu" — mianowicie w opowieści o malarzu, który odtwarzał morze i niebo w tych samych tonacjach barw, w jakich owe żywioły przed nim się pojawiały, tak iż łodzie zdawały się unosić na niebie.

Gdy przypatrujemy się obrazom impresjonistów z bliska, widzimy jedynie drobne, niedbale i nieporządnie rozrzucone na płaszczyźnie płótna barwne plamki i smużki. W przeciwieństwie do techniki Tycjana lub Velazqueza, owe pociągnięcia pędzla wydają się często położone „nie zgodnie z formą", lecz przypadkowo, bez żadnego uzasadnienia. Wystarczy jednak cofnąć się o kilka kroków, a na płótnie pojawiają się łatwo rozpoznawalne obrazy przyrody, zarysy żywych twarzy, kształty znajome i żywe, wśród drgania powietrza i światła.

Impresjoniści dostrzegali w widzialnym świecie ścisłe powiązanie wszelkich form i zjawisk. Koloryt owego świata wyrażali barwami widma słonecznego lub jaskrawych płatków kwiatowych. Obserwowali sposób, w jaki promienie słońca odbijają się, migocąc, od chmur i wody, od kwiatów i kolorowych tkanin, od twarzy i delikatnej skóry kobiecej, a całe to życie świateł i barw natury ujmowali w niepodzielnej całości. Nie jest też przypadkiem, że Renoir częstokroć rozpoczynał płótno od malowania stojących w jego pracowni kwiatów, model zaś długo musiał czekać, zanim artysta znalazł odpowiedni ton barwy, który pragnął wykorzystać do odtworzenia ludzkiego ciała. Tym spokrewnieniem obrazu ze słońcem i kwiatami wyrażał zasadniczą, metaforyczną istotę sztuki.

Punkt wyjścia procesu twórczego impresjonistów stanowiło bezpośrednie, wizualne postrzeganie. O Monecie powiedziano: ,,Monet to tylko oko, lecz, Boże mój, cóż za oko!" Wizualne postrzeganie natury przez człowieka impresjoniści studiowali bardzo pilnie. Courbet, malując jakąś postać, starał się przede wszystkim odtworzyć budowę ciała i wzajemne stosunki jego różnych płaszczyzn, wspomagając się odpowiednim rozmieszczaniem świateł i cieni. Renoir także o tym pamiętał, lecz równocześnie brał pod uwagę, iż oko ludzkie linię prostą widzi jako krzywą: stąd taki właśnie płynny i należycie wyważony jest u niego rytm zaokrąglonych konturów. Przy odtwarzaniu koloru tendencja ta odgrywa jeszcze większą rolę. Podobnie jak ucho ludzkie słyszy szmer w głębi muszli, tak też i oko dostrzega barwę uzupełniającą nawet na białej powierzchni. Impresjoniści widzieli, jak barwy działają na siatkówkę ludzkiego oka, i w oparciu o te doświadczenia ustalali kolorystyczną charakterystykę poszczególnych przedmiotów. W zestawieniach barwnych na swych obrazach wykazali niezwykle wyszukaną dociekliwość. Z usiłowaniem dostosowania obrazu do funkcjonowania ludzkiego oka łączą się jeszcze inne specyficzne cechy malarstwa impresjonistów: rezygnowali oni z tradycji zrównoważonej kompozycji, malowali fragmentarycznie, w sposób jakby nie dokończony; największą wagę przywiązywali do studiów z natury, które w końcu wyparły obrazy malowane wyłącznie w pracowni.

Wszystkie te wymienione właściwości dotyczą oryginalnego sposobu patrzenia impresjonistów, ich środków wyrazu, całego charakteru i orientacji tego stylu. Za najbardziej istotne przy tym uznać należy, że w tym właśnie idąc kierunku wielcy malarze zdołali stworzyć prawdziwe arcydzieła, które stopniowo zyskały powszechne uznanie.

Wiele malarskich zabiegów stosowanych przez impresjonistów miało już prekursorów. Delacroix wnikliwie obserwował wzajemne stosunki barw oraz wpływ na nie promieni słonecznych, a na płótnie rozkładał kolory na czynniki pierwsze. Constantin Guys w swobodnie wykonywanych szkicach usiłował utrwalać przelotne wrażenia z życia paryskiego półświatka. Turner i Constable zajmowali się odtwarzaniem światła słonecznego w krajobrazie. Malowanie krótkimi i delikatnymi pociągnięciami pędzla spotykamy u Vermeera i Chardina, Leonardo już mówił o błękitnych cieniach, a Arabowie swoje siwe konie nazywali błękitnymi, ponieważ pod niebem Południa tak właśnie one wyglądają. Twórcy bizantyjskich mozaik liczyli na efekt stapiania się w jedno barwnych kamyczków, oglądanych z pewnego dystansu. Na drzeworytach japońskich fragmentaryczność służy odtwarzaniu chwilowego wrażenia. Wszystkie te przykłady świadczą, iż poszczególne środki wyrazu impresjonistów znano już znacznie wcześniej, lecz jako kierunek artystyczny jest impresjonizm dzieckiem XIX wieku. Impresjoniści usiłowali oprzeć się na autorytecie nauki: powoływali się na prace Chevreula i Helmholtza z dziedziny optyki, znajdując w nich uzasadnienie swych malarskich poczynań po praktycznym ich wprowadzeniu w życie. Ponieważ u następców impresjonistów zainteresowanie obiektywną rzeczywistością zostało niemal całkowicie przytłumione przez wrażenia subiektywne, tendencję tę rozpatrywać można jako pewną analogię do filozoficznych poglądów empiriokrytyków, i z tego punktu widzenia widzieć w nich jedną z zapowiedzi kryzysu światopoglądu burżuazyjnego. Nie należy jednak zawsze wpadających w zachwyt na widok realnego świata impresjonistów zaliczać w poczet dekadentów. Rimbaud twierdził, że przyroda może go uczynić szczęśliwym tak samo, jak kobieta z krwi i kości.

Impresjonizm nie był jedynym kierunkiem w sztuce francuskiej schyłku XIX wieku. Salony nadal jeszcze pozostawały ostoją oficjalnej sztuki, nie były już jednak zdolne pobudzić do żadnych twórczych poczynań. Na portretach wystawianych w Salonach panoszył się fałsz pochlebstwa, ich malarze szukali jedynie zewnętrznych efektów w sensie zajmującego opisu, a cały ten obóz wiódł zajadłą walkę z nowatorami; po stronie impresjonistów stanął natomiast Emile Zola, broniąc ich namiętnie i na wskroś słusznie. W walce z usłużną twórczością Salonów stworzono wówczas termin „autonomia sztuki". W istocie jednak sztuka impresjonistów nigdy nie była tak zamknięta, obca światu i mroczna, jak symbolizm ówczesnej poezji. ,

Po części jeszcze przed impresjonistami francuskimi, niekiedy zaś jednocześnie z nimi, pojawili się w wielu innych krajach Europy artyści, stawiający sobie podobne zadania. Nie można, oczywiście, tłumaczyć tego faktu jedynie wpływami idącymi z Francji. Świadczy on raczej, iż powstanie impresjonizmu dokonało się prawidłowo, jako etap rozwoju nowożytnej sztuki. Różnorodność specyficznych zjawisk impresjonizmu świadczy, że kierunek tem umiał się godzić z tradycjami poszczególnych krajów i że owocnie przyczyniał się do rozwiązania problemów, jakie w owych krajach istniały.

Pochodzący ze Stanów Zjednoczonych, lecz ściśle związany z Anglią James Whistler (1834—1903) okazał się w swoich pejzażach marynistycznych mistrzem subtelnej harmonii barw. Taka sama harmonia cechuje również i jego portrety, na przykład portret matki artysty w Luwrze lub portret Carlyle'a. Obrazy te jednak zachowują w pewnej mierze purytańską surowość i czystość moralną i tym różnią się od swobodnych portretów francuskich. Kompozycja obrazów Whistlera jest także surowa, przypomina płaskorzeźby lub malowidła ścienne. IV, 97

W Holandii prekursorem impresjonistów był Jongkind (1819—1891), ale jego ulubione, intymne motywy pejzażowe sięgają tradycji wielkich Holendrów z XVII wieku. W Belgii nieco później pojawił się James Ensor (1860—1949), który w fantastycznych obrazach z maskami i szkieletami podjął tradycje flamandzkich zabaw zapustnych w duchu Bruegla, dając w nich wyraz osamotnienia współczesnego człowieka. W morskich pejzażach Ensora i w jego obrazie *Dachy Ostendy* dobitnie dochodzi do głosu oryginalność jego talentu w subtelnym uduchowieniu nastroju; chmury stanowią tu symbol wewnętrznego niepokoju. Technika Ensora nie jest tak analitycznie precyzyjna, jak u Francuzów — nastrój jest główną treścią jego malarstwa. IV, 123

Aleksander Iwanow wyprzedzał już w pięćdziesiątych latach XIX wieku pewne osiągnięcia nowoczesnego malarstwa plenerowego, bezpośredni jego następcy nie kontynuowali jednak tych prób. Pieredwiżnicy zajęci byli głównie rozszerzaniem społecznego wpływu swych tematów. Unikano też nowych metod malowania, aby nie zrywać z rodzimymi tradycjami. Później jednak, gdy z końcem XIX wieku zasady impresjonizmu doszły do głosu także i w Rosji, okazało się, że specyfika sztuki rosyjskiej bynajmniej z ich powodu nie ucierpiała. Czechow w noweli „Dom z facjatą" życzliwie ukazał typową postać malarza nowego pokolenia, wnikliwego obserwatora przyrody, którego nie zadowala ciasny utylitaryzm poprzedniego pokolenia, mimo iż nie jest także obojętny na palące problemy społeczne.

Walenty Sierow (1865—1911) w swych portretach, wśród których szczególnie zwraca uwagę urocza *Dziewczyna z brzoskwiniami* (Galeria Tretiakowska), pragnie przede wszystkim ukazywać ludzkie charaktery; jego obrazy z życia wsi spokrewnione są w nastroju z prozą Czechowa. Konstantin Korowin (1861—1939) najbardziej zbliżył się do impresjonistów, a mimo to w małym jego obrazku *Zima* wyraźnie dochodzą do głosu poglądy pieredwiżników. W Niemczech malarski styl impresjonistów uprawiali Max Liebermann, Max Slevogt i Lovis Corinth, w Szwecji — Anders Zorn, przy czym każdy z wymienionych malarzy zachowywał własne oblicze i przestrzegał tradycji swojego kraju. W pejzażach Corintha poszczególne barwne odcienie różnych przedmiotów nie współgrają z otaczającą je atmosferą, malarz oddaje tylko materialność rzeczy i ekspresyjną siłę barwy, malując soczyście, niemal tłusto.

IV, 124

Impresjoniści zwrócili się szczególnie ku malarstwu pejzażowemu, odbierając człowiekowi honorowe miejsce, jakie w sztuce europejskiej dotychczas zawsze zajmował. Już ówczesny krytyk Thoré-Bürger nie bez przyczyny wypominał Manetowi, iż całkiem mu jest obojętne, czy zajmuje się bukietem kwiatów, czy też wyrazem ludzkiej twarzy. Przytaczano wyznanie Claude Moneta, iż oblicze umierającej kobiety przejmuje go nie tyle wyrazem cierpienia, ile barwą agonii; zarzucano też impresjonistom, że ukazywali niemal wyłącznie społeczeństwo burżuazyjne. Jeżeli jednak Velazquez poświęcał swoją twórczość ciasnemu kręgowi hiszpańskiego dworu, to w sytuacji tej widzimy cechy epoki, lecz nie sens ani wartość sztuki. Zadowolenie zleceniodawcy nie jest bowiem ani jedynym, ani najważniejszym zadaniem prawdziwego artysty. Wartość dzieła zależy od tego, w jakim stopniu udało się jego twórcy przekształcić otaczające go życie w wartości artystyczne i duchowe. Wiedzieli o tym wielcy malarze — Velazquez, Vermeer, Chardin, a także impresjoniści. Impresjonistyczne wyczulenie na wszelkie zjawiska przypadkowe i nieuchwytne kryło niebezpieczeństwo nadmiernego rozwoju pierwiastków subiektywnych w sztuce, a epigoni impresjonizmu zastępowali już nawet przedmioty wrażeniami, jakie one w nich wywoływały. Z końcem XIX wieku słabnie w malarstwie zainteresowanie życiem ludzkim, a zwłaszcza stosunkami społecznymi, którym poprzednie pokolenia artystów przypisywały ogromne znaczenie. Doprowadziło to najpierw do zaniku malarstwa historycznego, następnie rodzajowego, stopniowo rozpadało się też etyczne podłoże sztuki, które dotychczas zawsze oddziaływało zapładniająco na wszelkie artystyczne poczynania ludzkości. Ponieważ impresjoniści przestali już interesować się syntetycznym obrazem świata, również i budowa obrazu, i kompozycja malarska przesuwały się na coraz dalszy margines. Impresjonistyczne studium z natury zadowala się ukazaniem jej wycinków. Na obrazach wielkich mistrzów siedemnastowiecznych często możemy spotkać „fragmenty": na przykład bukiety kwiatów albo pejzaże z portretów Velazqueza — malowane niemal w ten sam sposób, co obrazy Maneta i Renoira. Podczas jednak gdy w dziełach klasycznych stanowią one zaledwie wycinek, przez impresjonistów same traktowane są jako całość i tak też formowane. Ten sposób ujmowania zakłada, że ogólna wizja świata jest czymś samym w sobie zrozumiałym. Jednocześnie wzbogacono możliwości sztuki w zakresie wypowiedzi aluzyjnej.

Impresjoniści szczycili się przede wszystkim swoimi osiągnięciami kolorystycznymi, lecz odrzucenie klasycznego warsztatu i zwycięstwo techniki malowania „alla prima" (bez podmalowań i laserunku) doprowadziły do zubożenia wyrazu artystycznego. Jasne obrazy impresjonistów w porównaniu z dziełami z XVII wieku wyglądają jak okazałe i jaskrawe ogrodowe rośliny obok kwiatów polnych, skromniejszych w barwie, ale naturalniejszych.

Impresjonizm rozwinął się jako kierunek malarski, lecz na wystawach impresjonistów pojawiały się także rzeźby Auguste Rodina (1840—1917), który podzielał wstręt impresjonistów do zimnej i fałszywej oficjalnej sztuki Salonów. Nie było Rodinowi łatwo zachować własną samodzielność czy indywidualność artystyczną, ponieważ w rzeźbie XIX wieku niewielu miał poprzedników. Nawet tak zdolny rzeźbiarz jak Carpaux, realizując dla Opery paryskiej płaskorzeźbę *Taniec,* podporządkowywał się wymogom salonowej dekoracji, nie dbając o istotne wartości plastyczne. Rodin musiał długo i wytrwale szukać własnej drogi. Zanim został rzeźbiarzem, miał się za poetę i malarza. Entuzjazmował się Dantem, Baudelaire'em i Delacroix, a problemy rzeźby studiował na dziełach antycznych, a także na pracach Michała Anioła, Houdona i Rude'a.

Z samej istoty rzeźby wynikało, że człowiek zawsze znajdował się w centrum jej zainteresowań. Rodin wszystkie swe siły twórcze skoncentrował na jednym temacie, który z końcem XIX wieku malarstwo zepchnęło na dalszy plan: interesował się mianowicie postacią człowieka-bohatera, jaka już od czasów starożytnych szczególnie pociągała rzeźbiarzy. Sztuce Rodina brak wprawdzie harmonijnej zwartości wielkich dzieł antycznych, jego artystyczną wypowiedź cechuje często nerwowość, podniecenie i przesada, lecz mimo wszystko twórczość tego artysty świadczy, że szczytne ideały ludzkie nie wymarły w zachodnioeuropejskiej sztuce XIX wieku.

Już wczesne dzieła Rodina zdumiewają niezwykłą prawdą. Na *Człowieka ze złamanym nosem* (1864) i *Spiżowy wiek* (1877) współcześni, przywykli do posągów akademickich, patrzyli jak na odlewy z natury. *Człowiek ze złamanym nosem* otwiera u Rodina szereg świetnych głów portretowych: Laurensa i Puvis de Chavannes'a, Balzaka i Wiktora Hugo. Rzeźbiarza fascynowała przede wszystkim ludzka siła duchowa, ślady wewnętrznych przeżyć i namiętności, twarze zamyślone i poryte zmarszczkami. W portrecie Wiktora Hugo każdy rys przyczynia się do lepszego scharakteryzowania modela: głowa schylona jak pod ciężarem głębokich rozważań, wysokie otwarte czoło, w nieładzie rozrzucone pasma włosów, pod surowo ściągniętymi brwiami mocne spojrzenie człowieka przejętego swoją ideą, mocno też zaciśnięte usta i broda, powtarzająca ich smutny zarys, wreszcie silnie umięśniona klatka piersiowa. Warto porównać tę głowę z *Popiersiem Woltera* Houdona; każdy z tych portretów wyraża całe stulecie. W przeciwieństwie do wizerunku ironicznego, chłodnego przedstawiciela epoki osiemnastowiecznego Oświecenia, Rodin stworzył obraz poety i myśliciela, proroka i cierpiętnika. Pomnik Balzaka (1897) przedstawia pisarza podobnego do rozpustnego sylena o grubej szyi, nastroszonych wąsach i wypukłych ustach — lecz spojrzenie jego jest żarliwe, a twarz nosi wyraz bólu tragicznej greckiej maski.

IV, 111

por. IV, 13

Postacią młodzieńca z głową odrzuconą do tyłu i podniesionymi rękami, czyli *Spiżowym wiekiem*, rozpoczął Rodin szereg posągów, w których ciału ludzkiemu dał więcej życia i uduchowienia niż którykolwiek z jego dziewiętnastowiecznych poprzedników. Po *Spiżowym wieku* następuje kolosalny, szeroko, niczym egipskie posągi kroczący *Jan Chrzciciel*, dalej potężny, pochylony i zadumany *Myśliciel*, smutna, wstydliwie kryjąca twarz *Ewa*, wreszcie grupa *Mieszczan z Calais* (1885—1888), w roku 1895 ustawiona w Calais.

Ukształtowany w tych pracach typ człowieka przewija się nieustannie przez całą twórczość Rodina. Nie dane mu było przedstawiać ludzi szczęśliwych, spokojnych i pogodnych. Właściwie nie są to także ludzie czynu o naturalnych odruchach, ale raczej osobnicy wrażliwi i tęskniący. Jakby gnała ich wyższa jakaś siła, zdają się żyć w nieustannym niepokoju, na coś czekać, o coś pytać w dręczącej zadumie. Nie są im obce wielkie namiętności i silne uczucia. Mało podobnych ludzi spotykamy w XIX wieku w sztuce i literaturze francuskiej — jedynie u norweskiego dramaturga, Henryka Ibsena, znaleźć można postacie zarysowane równie silnie, jednostki równie heroiczne i obdarzone równie wielkim poczuciem tragizmu.

Mieszczanie z Calais należą do najwybitniejszych dzieł rzeźby monumentalnej w sztuce europejskiej ze schyłku XIX wieku. Pomnik ten uwiecznia grupę patriotów, którzy składając rodzinnemu miastu ofiarę z samych siebie, wyruszają jako zakładnicy do obozu wroga. Każdy z nich ma inny temperament, lecz wszystkich przytłacza groźba wspólnego losu. Postać starca tchnie spokojną gotowością człowieka, którego życie już się zamknęło. Mężczyzna bez brody, trzymający w ręku klucz, jak Farinata u Dantego ze wzgardą odnosi się do czekającej go próby. Trzeci, wyciągający rękę, zwraca się do swych towarzyszy pełen gorzkiego zwątpienia, jakby chciał się zapytać, do czego to wszystko zmierza. Ostatni chwyta się za głowę u progu absolutnej rozpaczy. Cierpienie — cechę epoki — ukazuje Rodin w duchu schopenhauerowskiego pesymizmu, jako „sakrament życia". Najbardziej jednak godne jest uwagi, że w rękach Rodina już zniewieściała, już w XIX wieku pozbawiona charakteru sztuka rzeźbiarska znowu jęła przemawiać wzniosłym językiem Dantego i Michała Anioła.

IV, 110

Lecz w przeciwieństwie do wielkich artystów renesansu Rodin przejawiał zawsze pewną skłonność do przesady. Zdaniem współczesnych, także w życiu prywatnym był odrobinę zblazowany, nie pozbawiony sztucznego patosu. Rzadko poprzestawał na przedstawieniu samej tylko postaci kobiecej: pociągał go temat „wiecznej kobiecości". Kiedy zaś w swoich rzeźbach ukazywał, jak mężczyzna całuje młodą kobietę, było to dla niego uosobieniem „wiecznej miłości". Nawet w *Mieszczanach z Calais* wyczuwa się daremne usiłowanie nadania historycznej tragedii charakteru odwiecznego konfliktu człowieka będącego w niezgodzie ze światem. Przy tym założeniu wiele dzieł Rodina ma sens abstrakcyjnych symboli — noszą też odpowiednio nazwy: *Miłość, Wezwanie, Wstyd, Cierpienie, Rozpacz.* Rodin nie umiał ukazać człowieka inaczej niż w połączeniu z pojęciem wieczności, stawiał go na skraju przepaści lub napełniał myślami i uczuciami całej ludzkości. Widać, że ulegał wpływom romantycznych pism Wiktora Hugo. Wiele prac Rodina nasuwa nam przypuszczenie, że artysta usiłował wypowiedzieć więcej, niż było to możliwe za pomocą środków plastycznych.

Wielką zasługą Rodina było obudzenie sztuki rzeźbiarskiej na nowo do życia. Pomógł mu w tym przykład rzeźbiarzy minionych epok, podobnie jak impresjonistom pomogły doświadczenia kolorystów z XVII wieku. Nie miał jednak bezpośredniego wyczucia rzeźbiarskiego materiału: modelował swoje posągi w glinie i kazał je potem kamieniarzom wykuwać w marmurze. Marmur, który z istoty jest tworzywem niesłychanie opornym, u Rodina wydaje się podatny jak wosk, często nawet jak wata amorficzny. Nie zawsze można stwierdzić, że artyście udało się wywołać wrażenie, iż kształt ciała ludzkiego wyrwał z kamienia, tak jak życie powstaje z pierwotnego chaosu. Czysta biel marmuru stwarza wokół postaci Rodina jakby świetlistą chmurę, promienną aureolę, którą widz dostrzega jako powietrzną otoczkę spowijającą posąg. W dążeniu do stopienia, a przynajmniej do powiązania brył ze środowiskiem atmosfery i światła, zbliża się Rodin do impresjonistów, te same tendencje różnią go od rzeźbiarzy antycznych, dla których bryła zawsze była centralnym punktem uwagi. Nie została Rodinowi dana umiejętność łączenia rzeźby z architekturą i przez to monumentalna jego koncepcja *Bramy piekieł* (1880—1917), do której stworzył szereg znakomitych posągów, skazana została na niepowodzenie. Z drugiej strony, mimo szorstkości powierzchni i zbyt nieraz miękkich kształtów, w posągach Rodina uderza, podobnie jak w statuach antycznych, żywiołowa siła modelunku: mięśnie figur nabrzmiewają, płaszczyzny rytmicznie następują po sobie w odpowiedniej kolejności, zarysy postaci przeniknięte są pulsującym życiem, tak samo jak kontury zdumiewająco swobodnie wykonanych przezeń rysunków.

IV, 109

Po Michale Aniele niewielu rzeźbiarzy umiało tak jak Rodin konstruować posągi, aby z różnych punktów ujawniały całe bogactwo i ogromne zróżnicowanie ruchów. Rodina niewątpliwie należy zaliczyć do największych rzeźbiarzy.
Obok Rodina wymienić trzeba rzeźbiarza rosyjskiego z końca XIX wieku — Pawła Trubeckoja (1866—1938). Większą część życia spędził on za granicą, całą swą naturą związany jest jednak ze szkołą rosyjską. Portrety, które tworzył, zwłaszcza portret Tołstoja, świadczą, że był wnikliwym obserwatorem i logicznym, nieugiętym realistą. Doskonale oddawał charakter swoich modeli, bez śladu patetyczności z ducha Rodina. Rzeźby swoje, kształtowane w glinie i odlewane później w brązie, modelował zazwyczaj z większym rozmachem i swobodniej niż Rodin, ale pozorna ich szkicowość zawsze skrywa kształt na wskroś plastyczny i zawsze w jego dziełach wyczuć można sedno rzeczy. Arcydziełem Trubeckoja jest pomnik Aleksandra III, z rzadko spotykaną śmiałością ujawniający brutalny upór cara i jego żołnierską naturę. Krzepka postać władcy na ciężkim, siwym koniu wywiera potężne wrażenie.

IV, 112

Z końcem XIX wieku pojawia się we Francji wielu wybitnych malarzy, którzy opierają się na osiągnięciach Claude Moneta i całego jego pokolenia. Znakomity malarz, rysownik i litograf, Toulouse-Lautrec (1864—1901), podążał śladami Degasa w swoich scenach z życia paryskiej cyganerii, półświatka i teatru, wzorował się też niejednokrotnie na satyrycznej grafice Daumiera. Lecz w przeciwieństwie do rezerwy i zrównoważenia Degasa czy ostrego dowcipu Daumiera prace Toulouse-Lautreca ujawniają to niespożytą wesołość, to znów znużenie i troskę, gorycz i upadek. Od poprzedników również i tym się różnił, że ukazywał sprawy brzydkie i moralnie odrażające bez komentarza i smutnym uśmiechem przysłaniał przenikającą go wewnętrzną grozę. W pracach Toulouse-Lautreca widać szczególnie wyraźnie tę samą tendencję do „uciszenia serca'', która dominowała w ówczesnej poezji.

IV, 113   W obrazie człowieka w sztywnym kapeluszu, siedzącego w knajpie obok znudzonej i odwróconej od niego występnej kobiety (A la mie, Boston, Museum of Fine Arts), przedstawił artysta w sposób przejmująco ostry i otwarty beznadziejny tragizm mieszczańskiej codzienności. Zarówno w malarstwie, jak zwłaszcza w grafice Toulouse-Lautreca uderzają nerwowe, niespokojne linie konturów, bynajmniej zresztą nie osłabiające kolorystycznego efektu jego prac.

Twórczość Georges Seurata (1859—1891) rozwijała się zupełnie inaczej. Artysta ów ponad wszystko dążył do ujęcia w logiczny system powstałych spontanicznie środków wyrazu Claude Moneta i jego kolegów. Podstawę jego metody stanowiło rozkładanie każdej barwnej plamy na części, a dokonywał tego za pomocą jednokształtnych, lecz różnobarwnych punktów. Jego obrazy wyglądają jak

IV, 122   mozaiki, niekiedy nawet przypominają barwne reprodukcje, których siatka stapia się w jedną całość w oddalonym spojrzeniu. Konsekwentne przestrzeganie systemu zahamowało rozwój malarskiego talentu Seurata. W obrazach Moneta i Sisleya każde pociągnięcie pędzla mówi o inwencji twórczej, ponieważ odpowiada cechom odtwarzanych przedmiotów. Natomiast u Seurata i w jeszcze większym stopniu u jego następców, tak zwanych pointylistów, pociągnięcia pędzla są jednakowe i stają się przez to monotonne. W obrazach Niedziela na wyspie Grande Jatte (Chicago) i Cyrk (Luwr) próbował Seurat możliwości przeniesienia swojej metody na malarstwo monumentalne.

Najlepsze prace Moneta, Renoira i innych impresjonistów powstały w siedemdziesiątych latach XIX wieku. W ciągu następnych dziesięcioleci pojawiają się coraz wyraźniejsze oznaki, zwiastujące odstępstwo od zasad stworzonych przez założycieli kierunku. Wzbogacając najpierw malarskie środki wyrazu, impresjoniści nadali ściśle określone znaczenie pojęciom światła, powietrza, barwy i całej nieustannie się zmieniającej natury otaczającego nas świata. Był to krok naprzód w artystycznym owego świata rozumieniu, które od czasów renesansu nieustannie rozwijało się w sztuce zachodnioeuropejskiej. Jednocześnie w malarstwie impresjonistów silnie dochodził do głosu pierwiastek liryczny i wielką rolę odgrywała w nim artystyczna intuicja; wskutek tego elementy irracjonalne i podświadomość uzyskiwały w sztuce coraz większe znaczenie, co z kolei przyczyniało się do nawiązywania kontaktów z wielkimi tradycjami sztuk pozaeuropejskich oraz sztuki średniowiecza. Obecnie wysuwają się na pierwszy plan również i dekoracyjne wartości malarstwa, a także chwiejne, trudne do zdefiniowania, subiektywne doznania i przeżycia artysty. Obrazu nie uważa się już za wizerunek, lecz raczej za symbol. Tendencje te są wyraźnie dostrzegalne w twórczości niemałej liczby malarzy, którzy pojawili się już w latach siedemdziesiątych lub osiemdziesiątych, lecz pełną dojrzałość artystyczną uzyskali dopiero pod koniec wieku.

Vincent van Gogh (1853—1890), człowiek niezrównoważony, nie umiał w niczym zachować miary, był uparty i skłócony ze światem, nieznośny też dla otoczenia przez stale demonstrowaną podejrzliwość. Jednocześnie miał jednak naturę żarliwą, odznaczał się rzadko spotykaną wielkodusznością i szczerością.

Bolał pospołu z wszystkimi cierpiącymi i należał do tych nielicznych artystów swego pokolenia, którzy świadomi byli sprzeczności społecznych i pamiętali o rewolucji francuskiej. Miał o sobie samym nadzwyczaj skromne mniemanie, czuł się zawsze mały i poniżony. Głęboko nieszczęśliwy przez całe życie, popełnił samobójstwo w wieku trzydziestu siedmiu lat.

Van Gogh nie od razu znalazł własny, sobie tylko właściwy styl. Początkowo podążał za przykładem malarzy holenderskich XIX wieku; jego samodzielna twórczość trwała zaledwie parę lat, a najlepsze z licznych swoich obrazów namalował latem 1888 roku, podczas pobytu w Arles na południu Francji. Holender z pochodzenia i wychowania, choć związał się później ze szkołą francuską, nieustannie naruszał ścisłą zasadę umiaru, charakterystyczną dla narodowej tradycji sztuki francuskiej.

Wczesna praca van Gogha, *Buty*, zdradza wpływ wielce przezeń cenionego Milleta. Podczas jednak gdy saboty Milleta mówią o ubóstwie i zarazem o domowej, zacisznej atmosferze życia francuskich chłopów, van Gogh namalował zniszczone obuwie współczesnego proletariusza, świadczące o ciężkiej egzystencji człowieka bezdomnego. Buty syna marnotrawnego, które są u Rembrandta symbolem pokory, u van Gogha przekształcają się w krzyk rozpaczy. Podobnie jak wszystkie inne prace z holenderskiego okresu van Gogha, także i ten obraz jest niemal monochromatyczny, światłocień zastępuje w nim koloryt. Niezwykle ekspresyjna forma i silny zarys niespokojnych konturów zdradzają natomiast rękę tego właśnie, a nie żadnego innego artysty. IV, 121 por. s. 100

Zetknąwszy się z impresjonistami w Paryżu, a także z drzeworytami japońskimi, wyrobił sobie van Gogh nową i całkowicie oryginalną technikę malarską.

Nietrudno rozpoznać obrazy van Gogha już od pierwszego rzutu oka; każda kreska i każda barwna plama świadczy o jego osobowości, przemawiają silnie i pełnym głosem. Artysta malował rzeczy najprostsze i najzwyklejsze ze swego ubogiego otoczenia. Na jego obrazach przemioty te urastają do rangi symbolu ludzkich cierpień i niedoli: ciasne uliczki małego miasteczka, nikłym blaskiem gazowej lampy oświetlone szynki, domki kryte czerwoną dachówką, słoneczniki w ogródku, barwne okoliczne pola, ubogi pokoik, w którym mieszkał, z drewnianym łóżkiem, rysunkami na ścianie i wyplatanym słomą krzesłem. Malował także postacie swoich przyjaciół i sąsiadów. W zakładzie dla umysłowo chorych odtwarzał widok ogrodu, portretował pacjentów i lekarza. Wszystko, co namalował, ma wielką siłę działania, pełne jest ruchu i barw, przykuwa uwagę i cieszy wzrok patrzącego, lecz jednocześnie świadczy o chorobliwym niepokoju twórcy i jego niezwykłym napięciu nerwowym. Porównane z pracami impresjonistów obrazy van Gogha uprzytamniają nam jego niezmordowaną duchową aktywność.

Pejzaż w Auvers po deszczu (Moskwa) przedstawia rozległe pola z bruzdami, zalaną wodą drogę, kilka domów z czerwonymi dachami, a w oddali sapiącą lokomotywę. Zorane skiby płyną ku widzowi niczym morskie fale, zdają się rozchodzić na kształt wachlarza i znowu łączyć, cała ziemia wygląda jakby się wznosiła i opadała. Nie ma w tych obrazach niczego, co by dosłownie nie uczestniczyło w życiu przyrody: chmury, kłęby dymu, szeroko rozgałęzione drzewa, płaskie dachy — wszystko ogarnia ten sam ruch. Chyba jedynie u El Greca można znaleźć równie namiętne połączenie ludzkiego „ja" z obrazem natury. por. III, 136

Van Gogh traktuje perspektywę swoich obrazów swobodnie, niemal samowolnie. Wzmacnia skróty, aby osiągnąć wyraz gwałtownego ruchu, wykręca bruzdy na polu, falom każe się marszczyć, nieomal nawet wykrzywiać, wygina linie cyprysów, słoneczniki o żółtych płatkach migocą u niego jak tarcze słoneczne otoczone promieniami, w ostatnich swych pracach stapiał nawet niebo ze słońcem w osobliwy ornament. Ruchem tym wyrażał artysta własne uczucia, własny udział w oddechu przyrody, własną namiętną potrzebę rytmu w kompozycji obrazu. Usiłując w ten sposób tchnąć duszę w swoje prace, przenosił na nie van Gogh wiele własnego wzruszenia i interpretując „duszę świata" manifestował własne pragnienia. Sam zresztą artysta przyznawał, że o ile odtwarzanie wrażeń wizualnych jest pierwszym zadaniem malarza, o tyle drugie i najważniejsze polega na wyrażaniu obrazem uczuć.

IV, 117 Obraz van Gogha *Czerwone winnice w Arles* doskonale uwidacznia związek artysty z pierwszym pokoleniem impresjonistów, mianowicie w sposobie, w jaki przedstawił zachód słońca. Lecz van Gogh nie zadowala się wrażeniem czysto wizualnym. Usiłuje ponadto dać wyraz odczuciom osobistym, całemu swemu zachwytowi i całej radości. Sympatia dla ludzi pracy łączy go z Milletem, lecz dla van Gogha praca nie jest jedynie ciężarem i przekleństwem. Żniwa są dlań świętem, istnym karnawałem barw — jak niegdyś u „chłopskiego" Bruegla. Postaci nie odtwarza van Gogh tak dokładnie, jak większość dziewiętnastowiecznych malarzy „wiejskich". Człowiek, którego na sposób impresjonistów maluje niewielką, błękitną plamą, nie zostaje jednak przezeń umniejszony, ale przeciwnie — włącza się do symfonii wszechświata. Van Gogh nie zmierza przy tym wcale do sentymentalnego upiększania chłopskiego życia: ukazuje ludzi znojnie pochylonych nad robotą i poddanych władzy przyrody. Ziemia zajmuje niemal całą powierzchnię obrazu, słońce jest wyolbrzymione i to poetyckie ujęcie przekształca wszystko we wspaniałe, barwne widowisko.

Złoty blask słońca stapia się z żółtym niebem, a żółte niebo z czerwienią winnic. Błękit postaci, jako barwa dopełniająca, zdaje się wywodzić z ciepłych tonów liści. Czerwona plama na dole, w rogu obrazu, niczego określonego właściwie nie przedstawia: jej czystość — to tylko spontaniczny wyraz ekstazy i szczęścia. Kolorystyczne działanie obrazu jest ogromne, a z malarskim wigorem grubo naniesione barwy wzmagają jego zmysłowy efekt. Lecz i tu radość artysty miesza się z niepokojem. Żółte niebo, powiększone słońce, brak równowagi pomiędzy niebem i ziemią, widoczne szybkie tempo wykonania świadczą o wewnętrznych utrapieniach chorego już podówczas twórcy, od których nie mógł się oderwać nawet w najradośniejszych chwilach.

W portretach, jak i pejzażach, posługiwał się van Gogh przesadną ekspresją: podkreślał mimikę, dobitnie zaznaczał zmarszczki. Fałdy odzieży modeli wiją się, niczym pieniste fale, na jego morskich pejzażach. Tło zawsze się łączy z ruchliwym konturem, a formy przypominające migotliwy płomień podkreślają nastrój,

IV, 119 odzwierciedlony w twarzy. W autoportretach van Gogha nigdy nie znajdziemy poczucia wyższości lub nawet dobrodusznej ironii: są to wyznania artysty na temat własnego losu, cierpień, nieustannego niepokoju i płomiennej namiętności; są prawdomówne jak dokument i przejmujące jak wszelka prawdziwa sztuka. Temperament malarski zdradza van Gogh całą swoją techniką: ani w obrazach, ani w rysunkach piórkiem nie znosił spokojnej, gładkiej powierzchni — musiał ją krajać wyciągając równoległe linie, orać kreskami, ożywiać za pomocą przedziwnych zawijasów. Na jego obrazach i szkicach kreski nieustannie się ścigają: dopadają do siebie, krzyżują się, wypełniają płaszczyznę dynamicznym ruchem. Już wprawdzie impresjoniści próbowali w swoich rysunkach kontury wtopić w atmosferę, lecz na przykład Pissarro opisuje jeszcze każdy przedmiot. W odręcznych rysunkach van Gogha linie uzyskują natomiast różnorakie znaczenie: przedstawiają przedmiot, odtwarzają jego ruch, odpowiadają ruchom ręki przy rysowaniu, wreszcie tworzą niezwykle wyrazisty ornament. W małym szkicu *Morze* IV, 120 skoncentrowało się tak wielkie bogactwo wartości plastycznych, iż sprawia on wrażenie całkowicie ukończonego obrazu. Ekspresji tak sugestywnej nie osiągali nawet graficy japońscy.

Z niespokojnym rytmem linii współgrają u van Gogha barwy. Od impresjonistów przejął on kunszt malarstwa plenerowego, lecz w posługiwaniu się czystymi, nie mieszanymi barwami oparł się również na doświadczeniach japońskiego drzeworytu. Czyste kolory van Gogha nie tyle zresztą oddają zabarwienie poszczególnych przedmiotów, ile raczej nastrój samego artysty. Już Rimbaud usiłował w swojej poezji odtwarzać pewien określony stan za pomocą czystych barw: ,,Ziarna żółtego złota, wysiane na agatach, zielone maków filary, szmaragdową dźwigające kopułę, bukiety białego atłasu i cieniutkie kolumny rubinów igrają wokół lilii wodnej'' (,,Kwiaty''). Na obrazach van Gogha dachówki, płonąc niespokojną czerwienią, kontrastują z jadowitą zielenią pól, zielone niebo wznosi się nad żółtą drogą, jaskrawoczerwona szata żuawa podkreśla jego niepohamowaną energię, żółty blask gazowej lampy w nocnym lokalu, połączony z jaskrawą zielenią bilardu, nadaje całej scenie wyraz niepokojącej pustki. Chcąc wzmocnić efekt swych obrazów, stosował artysta czyste i jaskrawe barwy tam, gdzie oko ludzkie dostrzega jedynie półtony. Często też wyciskał farby wprost z tuby na płótno.

Grubo okonturowane malarstwo van Gogha w porównaniu z obrazami impresjonistów nie wydaje się tak wysubtelnione. Urzeka nas jednak wielka wrażliwość artysty, namiętne pragnienie ogarnięcia całej przyrody i wszystkich jej barw, aby przekazać je ludziom. Sztuka van Gogha nie tylko daje radość, lecz także przenika do serca widza i swoim ogniem potrafi je rozpłomienić.

,,Wczoraj wieczorem — czytamy w jednym z listów van Gogha — pracowałem nad wznoszącym się z lekka kawałkiem lasu, gdzie ziemia pokryta była zeschłymi i zbutwiałymi już liśćmi buków... Żaden dywan nie dorówna wspaniałością tej głębokiej, rdzawoczerwonej barwie w blasku przysłoniętego drzewami, jesiennego słońca. Z ziemi tej wyrastają pnie młodych buków, z jednej strony chwytające światło i z tej też strony świetliście zielone, a cienista strona owych pni — to zieleń ciemna, mocna i gorąca. Za tymi smukłymi pniami, za rdzawoczerwoną tą ziemią widać niebo, całkiem delikatne, błękitnoszare... Biały czepiec kobiety, która schyla się po suchą gałązkę, ożywia nagle ową głęboką rudość ziemi... Wielkie, pełne poezji kształty pojawiają się w mroku głębokich cieni niczym ogromne terakoty''.

Van Gogh przez całe życie żywił wielką miłość do sztuki, jego korespondencja z bratem jest wyznaniem wiary artysty. Jeden Delacroix mówił z równym o sztuce zaangażowaniem i równie wytrwale zgłębiał tajniki artystycznej twórczości.

Życie Paula Gauguina (1848—1903) było niemal tak samo niespokojne, co losy jego przyjaciela, van Gogha. Ze strony matki był pochodzenia kreolskiego, wczesne dzieciństwo spędził w Peru, wśród Murzynów i Chińczyków, wychował się jednak w Paryżu. Przez długi czas zajmował się malarstwem z amatorstwa i jako kolekcjoner, zaprzyjaźnił się z impresjonistami, poznał Puvis de Chavannes'a, razem z van Goghiem pracował w Arles. Nagle porwała go fantazja, by rzucić wszystko i pojechać na Tahiti: znalazł tam drugą ojczyznę, przejął się bogactwem, barwami i pięknem tamtejszej przyrody, polubił tubylczą ludność i bronił jej przed kolonistami. Z wyjątkiem krótkich odwiedzin w Paryżu spędził resztę swego życia na wyspach mórz południowych, a w dzienniku swym „Noa-Noa" pisał o Tahiti w słowach pełnych wzruszenia.

Obrazy Gauguina malowane w Bretanii są mroczne w kolorycie, natomiast w południowej Francji paleta jego staje się równie jaskrawa jak u van Gogha. Barwą nie posługiwał się jednak w odtwarzaniu nastroju, lecz raczej w celu tworzenia świata baśni i przekształcania obrazu w kolorowy dywan o trujących, silnie pachnących kwiatach. Już we Francji odkrył Gauguin chłopski prymityw artystyczny — podobały mu się zwłaszcza wiejskie, drewniane krzyże; pod wpływem tej inspiracji starał się przybliżać charakter własnej twórczości do sztuki ludowej. Tendencje te rozwinęły się w pełni z chwilą, gdy przeniósł się do Oceanii. Pośród bujnej przyrody tahitańskiej odnalazł tak usilnie poszukiwane, oszołamiające go jak opium, bogactwo barw. Jego pejzaże z ogromnymi, kolorowymi drzewami, z leniwie poruszającymi się zwierzętami i ludźmi, ze straszliwymi bożkami tchną urokiem powabnym i zarazem okrutnym, człowiek czuje się tam szczęśliwy, ale i zagubiony. Obrazy Gauguina budzą sprzeczne uczucia: wywołują to radość i pogodę, to znów niewytłumaczony lęk. Rzadko zresztą coś na nich się dzieje. Sam artysta twierdzi, że chodzi mu jedynie o oddanie „zgodności życia ludzkiego z życiem roślin i zwierząt", że pragnie „dać więcej miejsca głosowi ziemi". Istotnie — obrazy jego pełne są ludzi, zwierząt, drzew i traw, a wszystko to jawnie wiedzie wegetatywną egzystencję. Gauguin rozmieszczał przedmioty na różnych planach i poszczególne postacie ukazywał w skrótach perspektywicznych, ale przy tym starał się, żeby plany się nie przecinały, i podnosił horyzont tak, że jego płótna wydają się płaskie i przypominają dywany. W przeciwieństwie do van Gogha, który siekał płaszczyznę drobnymi pociągnięciami pędzla, Gauguin wolał duże, gładkie powierzchnie, na których splatał miękkie łuki konturów w osobliwy ornament.

Już przed Gauguinem wielu Europejczyków odczuwało pociąg do życia prymitywnego i sławiło cnoty „dobrych dzikusów". Tęsknoty owe rodziły się z dążenia do przywrócenia kulturze jej utraconej już czystości. Gauguin czuł wiele sympatii dla światopoglądu mieszkańców Tahiti, głębokie wrażenie wywierały na nim ich wierzenia, lęk i wyczucie spraw tajemnych. Malował nie tylko przyrodę i ludzi z Tahiti, lecz usiłował również posługiwać się formami wyrazu sztuki lokalnej, zrozumieć sposób myślenia tubylców. Ponieważ środki malarskie nie zawsze wydawały mu się wystarczające, stosował niekiedy długie i wyjaśniające opisy.

Wyjazd Gauguina na Tahiti, jego kontakt ze światem prymitywu zaważyły decydująco nie tylko na jego twórczości: w ciągu następnych lat miała ulec owym wpływom cała nowożytna sztuka. Ta ucieczka artystów od współczesnej cywilizacji nie oznaczała jednak bynajmniej, iżby mogli wyrzec się klasycznego dziedzictwa i kulturalnych tradycji własnego kraju. Obraz Gauguina *Czy jesteś za-* IV, 114 *zdrosna?* przedstawia dwie Tahitanki jako naturalne i żywe istoty, zespolone tak nierozdzielnie, jak tropikalne rośliny i kwiaty tej dalekiej wyspy łączą się z ziemią i przyrodą. Nagie ciało oznacza u Gauguina naturalny stan ludzi, w porównaniu z nim kobiece akty Renoira wydają się niesłychanie delikatne i wypieszczone. por. IV, 105 Pierwotna siła i świeżość, jakie znajdujemy w modelach Gauguina, nieosiągalne były dla klasycystów — cały gorzki sceptycyzm współczesnego człowieka traci rację bytu wobec owych postaci, będących uosobieniem dzieciństwa w rozwoju ludzkości. Te złotobrunatne ciała splatają się w zwarte sylwetki, odcinające się od różowego tła piasku i harmonizujące z płaszczyznowym ornamentem roślinnym. Warto zwrócić uwagę na charakterystyczny fakt, iż europejski malarz namalował siedzącą kobietę w klasycznej pozie jednej z postaci na wschodnim przyczółku świątyni Zeusa w Olimpii: motyw ten będzie później wielokrotnie powtarzał Maillol.

Barwy Gauguina nie świecą tak jaskrawo jak van Gogha, zdają się raczej tylko żarzyć i wydawać słodką, oszałamiającą woń. Impresjoniści nadawali liściom na drzewach odcień pomarańczowy, ponieważ tak właśnie wyglądają one w wieczornym oświetleniu. Gauguin zmienność odcieni barw różnych przedmiotów czyni specyficzną cechą swego malarstwa: znajdziemy u niego pomarańczowego psa, różowy piasek i zielone konie. Kolor Gauguina nie tyle odpowiada potrzebom ludzkiego oka, które zawsze szuka barw uzupełniających, ile raczej wyraża skłonność samego artysty do irracjonalnego świata symboli. Szczególnie silnie podkreślał Gauguin magiczną siłę barwy; kiedyś tak wyłuszczył koncepcję pewnego swego obrazu: ,,Prześcieradło musi być z tkaniny żółtej, ponieważ kolor ten budzi u widza miłe uczucie czegoś nieoczekiwanego, a także wrażenie światła lampy... ponadto potrzebne tu jest tło nieco odstraszające, a do tego znakomicie się nadaje barwa fioletowa''.

W latach osiemdziesiątych, gdy impresjoniści zdobyli już sobie prawie powszechne uznanie, a Renoira dopuszczono na wystawy Salonów — twórczość ich stopniowo jęła zatracać swoje żywe podstawy; w czasie tym żył we Francji malarz niemal nikomu nie znany, który początkowo bliski był impresjonistom, później jednak poszedł własnym, osobliwym torem. Paul Cézanne (1839—1906) należał do tego samego pokolenia, co starsi impresjoniści. Za młodu rozpoczął życiową drogę wspólnie z Emilem Zolą. Przez pewien czas pracował i wystawiał razem z impresjonistami, następnie opuścił Paryż i osiadł w rodzinnym mieście Aix, w południowej Francji. Nazwisko jego niebawem poszło w zapomnienie, a choć bez mała rokrocznie przysyłał obrazy na Salony, regularnie jury mu je odrzucało. Kiedy zaczęto zwracać na niego uwagę, był już po pięćdziesiątce. W przeciwieństwie do ruchliwego van Gogha czy Gauguina, Cézanne nader rzadko opuszczał rodzinną Prowansję. Zwiedzającemu okolice Aix dziś jeszcze przypomina się malarstwo Cézanne'a, który tak wiernie odtwarzał te strony, ludzi i ducha tej krainy.

Życie artysty wypełniała praca i udręka. Za jedno z najważniejszych swych zadań uznał Cézanne wynalezienie takiej metody malarskiej, która by z wrażeń barwnych, optycznych, pozwoliła wyłuskać wewnętrzną strukturę przedmiotów. Nie chwytał swych wrażeń w locie, jak Manet, ale stopniowo wnikał w sedno rzeczy, analitycznie oddzielając sprawy zasadnicze od przypadkowych. W malarstwie jego musiało się to wyrazić w stosunku bryły do barwy. Poszukiwanie wartości plastycznych, które pragnął osiągnąć za pomocą kombinacji kolorystycznych, pochłaniało wszystkie siły Cézanne'a — męczył się tym problemem niczym kwadraturą koła.

IV, 116 Martwe natury Cézanne'a przedstawiają owoce i sprzęty gospodarstwa domowego, jakie spotkaliśmy już u Chardina. Cézanne malował zresztą soczyście, w jego kolorystycznym warsztacie znajdujemy echa twórczości starych malarzy. Zrezygnował jednak z nastrojowości dawnych martwych natur, za to przedmioty zyskują u niego ciężar i znaczenie, wydaje nam się nawet, że dostrzegamy ich strukturę. Obraz taki silnie oddziałuje na patrzącego, który może rozeznać istotę każdej rzeczy, a także różnorodne, zachodzące pomiędzy nimi stosunki. Wszystko odtworzone tu jest na wskroś materialnie: barwa, światłocień, objętość wszystkich przedmiotów tak są ukazane, jakby przyglądano im się z różnych punktów, jakby obmacywano je rękami i szacowano ich ciężar. Ponadto obrazy te, tak zgodne z naturą, ujawniają prawidłowość elementarnych form świata, kuli albo stożka w krystalicznej regularności, rytmie, symetrii, odpowiednich proporcjach. Toteż możliwość wniknięcia w te sprawy za pośrednictwem wizualnych efektów obrazu napawa widza radością, droga percepcji artystycznej wiedzie go aż do początków świata i wszech rzeczy. Martwe natury Cézanne'a, opierające się na tak dokładnych obliczeniach, tak dobrze przemyślane, przekazują nam mnóstwo wrażeń i przeżyć, jakie zazwyczaj spodziewamy się znaleźć w malarstwie monumentalnym.

W pejzażach korzystał Cézanne z doświadczeń impresjonistów, a zwłaszcza Pissarra, którego szczególnie cenił i uznawał za swego nauczyciela. Nie zadowalał się jednak bezpośrednim postrzeżeniem ani odtwarzaniem wrażeń świetlnych i barwnych. Według własnych słów artysty, starał się on „sprawdzać w naturze" Poussina. W okolicach Aix malował Cézanne wielekroć równinę z rzymskim
IV, 115 akweduktem, wzgórza i szczyt góry Sainte-Victoire. Pejzaże jego są rozległe, pełne powietrza i słońca, przede wszystkim jednak mocno zbudowane. Każdy szczegół jest w nich podporządkowany całości, poziomy i piony utrzymane we właściwych proporcjach, kamieniste góry należycie harmonizują ze strukturą obłoków i zieleni. Przyroda nigdy nie jest u Cézanne'a tak ruchliwa, jak u van Gogha — panuje w niej zawsze cichy i wzniosły spokój. Nie ma tu nic z owej romantycznej ucieczki przed ludźmi, która stała się już tradycją w europejskim malarstwie pejzażowym. Widz patrzący na obrazy Cézanne'a dochodzi do przekonania, że znalazł się oto w centrum świata i własnym spojrzeniem dociera do jądra rzeczywistości.

Cézanne stworzył wiele portretów; ci, których malował, skarżyli się, że męczy ich nieskończenie długim pozowaniem. Twierdzono, że obchodzi się z modelami tak samo jak z owocami, z których komponował swe martwe natury. W istocie, metoda Cézanne'a uniemożliwiała wyrażenie nieskrępowanej żywości i swobody, przydającej tak wielkiego uroku obrazom Maneta. Cézanne uwolnić chciał wizerunek człowieka z odruchów instynktownej, przelotnej jedynie mimiki. Portrety swe malował szerokimi pociągnięciami pędzla, nanosząc jednak farbę w taki sposób, by nie pozostał nawet ślad swobodnego ruchu, gestykulacji lub prowadzenia kreski. Świadomie tłumił u siebie twórcze uniesienie: ,,pas d'emportement", mawiał. Ciała na swych portretach modelował czytelnie i plastycznie: wewnętrzne życie ludzi, tak pasjonujące van Gogha, dla Cézanne'a nie było tak istotne. ,,Lubię zewnętrzny wygląd człowieka", powiedział kiedyś.

IV, 118
s. 145

Paul Cézanne, Autoportret, rysunek

Autoportrety Cézanne'a są patetyczne jak fragmenty malarstwa monumentalnego. Podkreślał kulistą krągłość czaszki, nie deformując przy tym naturalnej budowy głowy. Pędzel kładł szeroko, barwy bowiem, jak kamyki w mozaice, unaoczniać miały strukturę głowy. Większość portretów impresjonistycznych obok prac Cézanne'a wygląda jak migawkowe szkice z natury, w których problem artystycznej syntezy nie doszedł jeszcze definitywnie do głosu. Portrety Cézanne'a przypominają włoskie obrazy renesansowe.

Do najwybitniejszych prac Cézanne'a należą *Grający w karty*. Gdy Brouwer na- IV, 126 malował swoich *Chłopów przy kartach,* podkreślił ich mimikę z iście flamandzkim poczuciem humoru. Manet i Renoir usiłowali w scenach rodzajowych odtwarzać przelotną chwilę i trafność bezpośredniego własnego wrażenia. Cézanne natomiast poprzestaje na zwięzłej charakterystyce obu wieśniaków, z których starszy jest chudy, kościsty i twardy, młodszy zaś rysuje się bardziej miękko. Element anegdoty, psychologia gry prawie artysty nie interesują, mimo iż można by zgadnąć, że wygrywa chudy: jego partner jest nieco mniej spokojny. Temat stanowi tu pretekst do przeniknięcia istoty ludzkiej egzystencji poprzez postawę i zachowanie się graczy. W podobny sposób najprostsze wydarzenia życia codziennego ukazywali już starożytni Egipcjanie, zaś w sztuce francuskiej prekursorami Cézanne'a byli pod tym względem Georges de La Tour i Chardin. Artysta, koncentrując uwagę na prostej rozrywce, ujawnił wzniosłość swych modeli w nie mniejszym stopniu niż Courbet w swych słynnych *Kamieniarzach*.

Efekt osiągnięty tu został środkami czysto malarskimi. Zamiast symetrii absolutnej panuje tu raczej pewna równowaga postaci, tak jakby gracze oglądali nawzajem swe odbicia w lustrze. Po lewej pion skraju obrazu zaznacza poręcz krzesła, z prawej — rama odcina postać. Krawędzie stołu i brzeg obrusa uzyskują końcowy akcent w górnym pasie ściennej boazerii. Stojąca pomiędzy graczami butelka wyznacza oś środkową. Elementarnym formom kompozycji odpowiada technika prowadzenia pędzla szeroko, kanciasto, tak jakby postacie wystrugane były z drewna. Aby nie zmącić wyrazistej budowy obrazu, artysta zrezygnował ze ścisłości anatomicznej (lewe ramię młodszego chłopa jest nieco za długie). Skromny koloryt — jasnobrązowa czerwień, żółty ugier i liliowy fiolet — wzbogacony został mnóstwem półtonów. Równowadze konstrukcji odpowiadają zestawienia barw uzupełniających: powtarzają się i odbijają nie tylko zarysy przedmiotów, lecz także ich kolory. W harmonijnym akordzie wszystko posiada znaczenie i duszę, niczym w późnych dziełach Rembrandta. Drewniany stół i serweta, utrzymane w tym samym tonie rozżarzonej czerwieni, stanowią świetlne i barwne centrum, z którego iskry sypią się na wszystko dokoła. Scenka rodzajowa urasta do uroczystego i przejmującego obrazu ludzkiej wielkości i godności. Łatwo pojąć, iż twórca owych obrazów, Cézanne, marzył o malarstwie monumentalnym. Pozostawił też kilka prac, pomyślanych jako szkice do wielkich „panneaux" (*Kąpiące się*).

Znaczenie van Gogha, Gauguina i Cézanne'a przekracza granice ich własnych, wielkich osiągnięć artystycznych. Stworzyli oni dzieła, które stanowią decydujący etap w rozwoju sztuki nowoczesnej, choć nie widać w nich tak wyraźnego powiązania ze społeczną problematyką epoki, jak w malarstwie francuskim z czasów Delacroix, Daumiera i Courbeta. Nie oznacza to, by wspomniani malarze sztuką swą nie protestowali przeciwko płaskiemu samozadowoleniu społeczeństwa burżuazyjnego, by nie pragnęli wyrażać duchowych dążeń współczesnych. Van Gogh w codzienności, w sumieniu prostych ludzi szukał pierwiastków humanistycznych, Gauguin starał się je znaleźć w życiu plemion pierwotnych, Cézanne każdym swoim obrazem odwoływał się do wszechświata. Obrazy van Gogha uderzają siłą ekspresji, u Gauguina dochodzi do głosu sugestywne działanie formy artystycznej, Cézanne natomiast był mistrzem przejrzystego konstruowania artystycznych kształtów. Artyści ci wywarli silny wpływ na dalszy rozwój sztuki, a każdy z nich z osobna — na któryś z określonych kierunków plastyki XX wieku. Przyczynili się również do rozwoju nowoczesnej sztuki dekoracyjnej i malarstwa monumentalnego; za ich też sprawą nastąpił zwrot ku tzw. prymitywom, ku bogatemu dziedzictwu ludów pierwotnych, zaniedbanemu od czasów renesansu. Podczas gdy w dziełach tych malarzy ujawniło się światowe, historyczne znaczenie szkoły francuskiej, w innych krajach Europy rozwijały się nurty narodowe, oparte po części na dawnych, rodzimych tradycjach. Niektórzy ich przedstawiciele studiowali za granicą i uzyskali światową sławę, inni przyczyniali się do rozwoju nowej sztuki, nie przekraczając nigdy granic własnej ojczyzny.

W Szwajcarii Ferdinand Hodler (1853—1918) z rozmachem ukazywał wzniosłość przyrody w widokach gór i jezior. Największym jednak uznaniem cieszyły się jego malowidła ścienne, do których tematy czerpał z dziejów kraju i z ludowych legend. Opierał się na przykładach z czasów Holbeina, ale nadawał swoim pracom cechy współczesne, naśladując w tym Puvis de Chavannes'a. W znanym swym obrazie, przedstawiającym *Wyjście studentów z Jeny w 1813 roku,* podkreślił dwa momenty akcji, wzmagając tym wielką dramatyczną wymowę całości. Wyraźnie wydobyty rytm marszu studentów doskonale spełnia swą rolę w dziele pomyślanym jako monumentalne.

W Norwegii Edward Munch (1863—1944) pragnął w swych pracach odtworzyć strach i rozpacz współczesnego człowieka, operując niemal zawsze nastrojem ponurej beznadziejności, lecz jego kompozycja i koloryt nie są nigdy ani tak bogate, ani tak przekonujące, jak u van Gogha.

W Rosji pojawił się podówczas Michał Wrubel (1856—1910), malarz bardzo wybitny i dotychczas prawie jeszcze nie znany za granicą. Nie związany bezpośrednio z ruchami społecznymi, które doprowadziły do pierwszej rewolucji rosyjskiej, twórczością swoją wyrażał jednak cały ten przejściowy okres, jego wszystkie protesty i rozczarowania. Pod wpływem ulubionego Lermontowa wybrał sobie postać demona dla przekazywania tych nastrojów. Demon u Wrubla stał się uosobieniem „Weltschmerzu", istotą obdarzoną mocą, ale spętaną i bezwładną, w jego szeroko rozwartych oczach jest coś z ekstatycznego wyrazu starych ikon. Wrubel dopracował się własnej techniki malarskiej. Pierwiastki organiczne wywodził ze świata kryształów, natomiast człowieczeństwo z fioletowej mgły; obrazy Wrubla składają się, jak mozaiki, z różnobarwnych plam, ale nie rozpadają się nigdy na części elementarne, jak u impresjonistów. Nie znajdziemy u niego żadnego oddźwięku z eksperymentatorskich poczynań pointylistów. O wartości tego malarza decyduje twórcza siła, z jaką istotne, duchowe sedno wszelkich rzeczy wyzwalał z pozorów przypadkowości.

Obdarzony wielką wyobraźnią, Wrubel okazał się także bystrym obserwatorem. IV, 125 Kreska w jego rysunkach przejawia pewne pokrewieństwo z van Goghiem, nie jest jednak tak napięta i ekspresyjna. Wrubel miał światopogląd artysty rosyjskiego, podobnie jak Tołstoj, Dostojewski i Czechow oceniał człowieka miarą wartości etycznych i nigdy nie wątpił w harmonię świata. Aleksander Błok opisał Wrubla jako artystę umiejącego przenikać do najwyższych regionów istnienia. W rosyjskim malarstwie, rzeźbie, sztuce dekoracyjnej i użytkowej stał się Wrubel sprawcą prawdziwego przewrotu.

Najwybitniejsi artyści z końca XIX wieku znaleźli się w opozycji w stosunku do ustroju burżuazyjnego, ale nie odnaleźli jeszcze swej roli w walkach społecznych, wskutek tego czuli się niezrozumiani, osamotnieni i bliscy rozpaczy. Uczucie to u wielu z nich potęgowało skłonność do wybujałego indywidualizmu. Wszakże te dekadenckie nastroje nie miały decydującego wpływu na ich twórczość. Zachowali kult sztuki szlachetnej, prawdziwej, pięknej i głęboko ludzkiej w epoce, gdy dla społeczeństwa burżuazyjnego ideały te utraciły już swój urok. Twórczość ich była też krokiem naprzód do rozwiązania problemów, nad którymi trudziły się poprzednie pokolenia: utorowali drogę dalszemu rozwojowi sztuki nowoczesnej.

Od początku XX wieku wydarzenia o znaczeniu światowym i historycznym ukształtowały wiele nowych zjawisk, w tym również zjawisk artystycznych. Samo pojęcie sztuki, społeczne jej znaczenie i formy wyrazu uległy radykalnej zmianie. Obecnie my sami przeżywamy właśnie proces tego przekształcenia, bierzemy żywy udział w walce rozmaitych tendencji i dążymy do możliwie owocnego rozwiązanie sprzeczności. Zrozumiałe jest więc, że dzieł sztuki naszego stulecia nie możemy rozpatrywać z tego samego historycznego punktu widzenia, z jakiego niniejsza praca rozpatruje twórczość czasu minionego.

SPIS ILUSTRACJI

Ilustracje w tekście
Cyfry oznaczają numer strony

12 Jean Courtonne, Hôtel de Matignon, 1721, Paryż; plan
14 Emmanuel Héré de Corny, Plan pałacu i placu pałacowego w Nancy, 1753-
    -1755
15 Ornament stiukowy nad oknem pałacu w Rambouillet, poł. XVIII w.
15 Świecznik, poł. XVIII w.
32 Robert Adam, Pałac Keddleston, ok. 1770; plan
35 Wasilij Bażenow, Projekt przebudowy moskiewskiego Kremla, 1767-1773
43 Girlanda stiukowa w Hôtel de Chaulnes, ok. 1780, Paryż
46 Claude-Nicolas Ledoux, Dom urzędnika, projekt do zabudowy miasta, ok. 1773
53 Lustro cesarzowej Józefiny, pocz. XIX w. Zbiory prywatne
54 Strój kobiecy z 1814 r.
78 Eugène Delacroix, Attyla na koniu, rysunek
83 Honoré Daumier, Dwóch pijaków, drzeworyt
84 Honoré Daumier, Pogarda, drzeworyt
84 Honoré Daumier, Miotła i wiadro, drzeworyt
85 Honoré Daumier, Wieńczenie poety, drzeworyt
100 Jean-François Millet, Saboty, rysunek
108 Adolph Menzel, Frederyk w Sans-
    -Souci, drzeworyt, ilustracja do „Historii Fryderyka II" Kuglera, 1840-
    -1842
112 José Guadalupe Posada, rycina z „Panteonu trupich czaszek"
112 José Guadalupe Posada, Dwaj dobrzy przyjaciele, rycina
113 José Guadalupe Posada, Ilustracja do ludowej romancy, rycina

116 Henri Labrouste, Biblioteka Ste Geneviève, 1843-1850, Paryż
128 Camille Pissarro, Chłop, rysunek
145 Paul Cézanne, Autoportret, rysunek

Tablice
Cyfry oznaczają kolejny numer reprodukcji

1 Antoine Watteau, Święto miłości, fragment, 1716-1719. Galeria Drezdeńska
2 Antoine Watteau, Turek, rysunek sangwiną. Londyn, British Museum
3 Antoine Watteau, Nadąsana, ok. 1715. Leningrad, Ermitaż
4 Germain Boffrand, Owalny salon w Hôtel de Soubise, 1735-1740, Paryż
5 Fotel w stylu Ludwika XV, ok. 1750. Paryż, Musée des Arts Décoratifs
6 Konsola w stylu Ludwika XV, ok. 1750. Paryż, Musée des Arts Décoratifs
7 Emmanuel Héré de Corny, Krata przy Place Stanislas, 1753-1755, Nancy
8 François Boucher, Odpoczywająca Diana, rysunek sangwiną. Paryż, Luwr
9 Gabriel de Saint-Aubin, Rewizja, rysunek. Zbiory prywatne
10 Jean-Baptiste-Siméon Chardin, Guwernantka, 1739. Ottawa, National Gallery of Canada
11 Jean-Marc Nattier, Portret kobiety 1757. Moskwa, Muzeum im. Puszkina
12 Jean-Michel Moreau le Jeune, Pożegnanie, sztych wykonany przez de Launay, 1777
13 Jean-Antoine Houdon, Popiersie Woltera, brąz, 1778-1779. Moskwa, Muzeum im. Puszkina
14 Jean-Honoré Fragonard, Praczki, ok.

1770 – 1780. Amiens, Musée de Picardie

15 Matthäus Daniel Pöppelmann i Balthazar Permoser, Pawilon Zwingeru, 1711 – 1722, Drezno

16 Georg Wenzeslaus von Knobelsdorff, Tarasy od strony parku w Sans-Souci, 1745 – 1747, Poczdam

17 William Kent, Prior Park, Bath, 1735 – –1743

18 James Gibbs, Biblioteka Radcliffe'a, 1737 – 1747, Oksford

19 Wasilij Bażenow, Most nad wąwozem, 1775 – 1785, pod Moskwą

20 Wasilij Bażenow, Pałac Paszkowa w Moskwie (obecnie Biblioteka Lenina), 1784 – 1786, wg litografii z początku XIX w.

21 Fiodor Rokotow, Portret Nowosilcowej, fragment, 1780. Moskwa, Galeria Tretiakowska

22 Thomas Gainsborough, Miss Catherin Tatton. Waszyngton, National Gallery of Art

23 William Hogarth, Przy śniadaniu, rycina II z cyklu „Modne małżeństwo", ok. 1750

24 Iwan Jermieniew, Śpiewający ślepi żebracy, ok. 1770. Leningrad, Muzeum Rosyjskie

25 Jean-Baptiste-Siméon Chardin, Winogrona i granaty, ok. 1763. Paryż, Luwr

26 Jacques-Germain Soufflot, Fasada Panteonu, 1764 – 1789, Paryż

27 Jacques-Ange Gabriel, Petit Trianon, fasada od ogrodu, 1762 – 1768, Wersal

28 Claude Michel zwany Clodion, Leżąca dziewczyna, koniec XVIII w. Moskwa, Muzeum im. Puszkina

29 Pierre-Paul Prud'hon, Akt kobiecy, rysunek kredką. Paryż, Luwr

30 Jacques-Ange Gabriel, Place de la Concorde w Paryżu, ok. 1754 – 1763, wg ryciny z końca XVIII w.

31 Etienne-Maurice Falconet, Pomnik Piotra I. Leningrad

32 Jacques-Louis David, Handlarka warzyw, 1795. Lyon, Musée des Beaux-Arts

33 Jacques-Louis David, Śmierć Marata, 1793. Bruksela, Musée d'Art Moderne

34 Jacques-Louis David, Sabinki, fragment, 1799. Paryż, Luwr

35 Pierre-Paul Prud'hon, Dafnis i Chloe, szkic, 1800. Orlean, Musée des Beaux-Arts

36 Claude-Nicolas Ledoux, Odwach, tzw. Rotonde de la Villette, 1782, Paryż

37 Jean-François Chalgrin, Jean-Armand Raymond, Łuk Triumfalny, zaczęty 1806, Paryż

38 Karl Friedrich Schinkel, Nowy Odwach, 1816 – 1818, Berlin

39 Sekretera w stylu Ludwika XVI, 2 poł. XVIII w. Musée des Arts Décoratifs

40 Komoda, początek XIX w. Paryż, Musée des Arts Décoratifs

41 Jean-Auguste-Dominique Ingres, Portret Paganiniego, rysunek, 1819. Bayonne, Muzeum

42 Jean-Auguste-Dominique Ingres, Portret Madame Devauçay, 1807. Chantilly, Musée Condé

43 Michał Kozłowski, Wartownik Aleksandra, 1790. Leningrad, Muzeum Rosyjskie

44 Andriej Woronichin, Instytut Górniczy, 1806 – 1811, Leningrad

45 Aleksy Wenecjanow, Na polu. Wiosna. Moskwa, Galeria Tretiakowska

46 Andrejan Zacharow, Admiralicja, 1806 – 1823, Leningrad

47 Johann Heinrich Dannecker, Autoportret, 1797. Stuttgart, Staatsgalerie

48 Okrągła świątyńka, 2 poł. XVIII w., park w Nymphenburgu, Monachium

49 Francisco Goya, Cud św. Antoniego, fragment plafonu, 1798, S. Antonio de la Florida koło Madrytu

50 Francisco Goya, Habit robi mnicha, rycina nr 52 z cyklu „Caprichos", 1794 – 1798

51 Francisco Goya, Non plus, Tampoco, rycina nr 36 z cyklu „Desastres de la guerra", 1810 – 1820

52 Francisco Goya, Markiza de Solana, 1794. Paryż, Luwr

53 Caspar David Friedrich, Pejzaż górski. Moskwa, Muzeum im. Puszkina

54 Karl Friedrich Schinkel, Kaplica, 1832, Pietrodworec (Peterhof)
55 John Constable, Zatoka Weymouth. Paryż, Luwr
56 John Constable, Katedra w Salisbury, 1829 (?). Londyn, National Gallery
57 Théodore Géricault, Oficer szaserów, studium do obrazu. Paryż, Luwr
58 Eugène Delacroix, Masakra na Chios, 1824. Paryż, Luwr
59 Eugène Delacroix, Paganini, ok. 1832. Waszyngton, Philips Collection
60 Eugène Delacroix, Leżący Arab, rysunek, 1832. Paryż, Luwr
61 Pierre-Jean-David d'Angers, Medal z Filipem Buonarroti. Hamburg, Kunsthalle
62 François Rude, Marsylianka, płaskorzeźba na Łuku Triumfalnym, zaczęta 1832, Paryż
63 Camille Corot, Wenecja, 1834. Moskwa, Muzeum im. Puszkina
64 Camille Corot, Wóz z sianem. Moskwa, Muzeum im. Puszkina
65 Camille Corot, Przerwana lektura, 1865–1870. The Art Institute of Chicago, Collection Potter Palmer
66 Honoré Daumier, Ulica Transnonain, dnia 15 kwietnia 1834, litografia
67 Honoré Daumier, Emigranci, ok. 1850. Paryż, Luwr
68 Piotr Michałowski, Dwa zaprzęgi konne. Kraków, Muzeum Narodowe
69 Honoré Daumier, Wspomnienia, 1840, litografia
70 Honoré Daumier, ,,Biedna Francja! Pień zdruzgotany, lecz korzeń jeszcze dobry'', 1871, litografia
71 Honoré Daumier, Rzeźnik, ok. 1857–1858. Cambridge (USA), Fogg Art Museum, Harvard University
72 Honoré Daumier, Don Kichot. Monachium, Nowa Pinakoteka
73 Paweł Fiedotow, ,,Encore, jeszcze raz, encore'', ok. 1850–1851. Moskwa, Galeria Tretiakowska
74 Aleksander Iwanow, Wyznawcy Chrystusa, akwarela, ok. 1850. Moskwa, Galeria Tretiakowska
75 Aleksander Iwanow, Zatoka Neapolitańska. Moskwa, Galeria Tretiakowska
76 Gustave Courbet, Pogrzeb w Ornans, fragment, 1849. Paryż, Luwr
77 Gustave Courbet, Fala, 1870. Paryż, Luwr
78 Gustave Courbet, Pogrzeb w Ornans, 1849. Paryż, Luwr
79 Jean-Baptiste Carpeaux, Flora, płaskorzeźba z brązu, 1866. Praga, Narodni Galerie
80 Constantin Meunier, Rębacz. Paryż, Musée du Luxembourg
81 Jean-François Millet, Siewca, 1850, rysunek
82 Jean-François Millet, Listopadowy wieczór, 1870. Berlin, Nationalgalerie
83 Théodore Rousseau, Las w Berry, ok. 1843. Reims, Muzeum
84 Charles-François Daubigny, Sad oliwny. Moskwa, Muzeum im. Puszkina
85 Charles Garnier, Westybul Opery, 1861, Paryż
86 Gustave Eiffel, Wieża, 1889, Paryż
87 Léon Frédéric, Handlarze. Bruksela, Musée d'Art Moderne
88 David Octavian Hill, Handlarka ryb z Newhaven, fotografia, ok. 1845–1850
89 Adolph Menzel, Przy świetle lampy, 1847. Monachium, Nowa Pinakoteka
90 Wasilij Surikow, Bojaryni Morozowa, 1881–1887. Moskwa, Galeria Tretiakowska
91 Wasilij Surikow, Księżna Urussowa, studium do obrazu ,,Bojaryni Morozowa'', ok. 1881. Moskwa, Galeria Tretiakowska
92 Ilja Riepin, Burłacy na Wołdze, szkic, 1872. Moskwa, Galeria Tretiakowska
93 Ilja Riepin, Garbus, studium do obrazu ,,Procesja w kurskiej guberni'', ok. 1880. Moskwa, Galeria Tretiakowska
94 Wilhelm Leibl, Niedobrana para, 1876–1877. Frankfurt nad Menem, Städelsches Kunstinstitut
95 Hans von Marées, Leżący chłopcy, studium do fresków w Stacji Zoologicznej w Neapolu, ok. 1873–1945. Berlin, Nationalgalerie
96 Edouard Manet, Balkon, 1868–1869. Paryż, Galerie du Jeu de Paume
97 James Whistler, Arrangement w sza-

rej barwie i czerni, nr 2: Thomas Carlyle, 1872. Glasgow, Art Gallery and Museum

98 Edouard Manet, Portret Moore'a, pastel. Nowy Jork, Metropolitan Museum of Art, Collection H. O. Havemeyer

99 Edouard Manet, Chez le père Lathuille, 1879. Tournai, Muzeum

100 Edgar Degas, Vicomte Lepic z córkami (Place de la Concorde). Berlin, d. zbiory O. Gerstenberga

101 Edgar Degas, Akt kobiecy, szkic. Praga, Narodni Galerie

102 Edgar Degas, Dwie tancerki, pastel. Galeria Drezdeńska

103 Auguste Renoir, W ogrodzie, ok. 1875. Moskwa, Muzeum im. Puszkina

104 Auguste Renoir, Dziewczyna z wachlarzem (portret panny Fournaise), ok. 1881. Leningrad, Ermitaż

105 Auguste Renoir, Akt kobiecy, 1876. Moskwa, Muzeum im. Puszkina

106 Alfred Sisley, Las w Fontainebleau, 1885. Moskwa, Muzeum im. Puszkina

107 Claude Monet, Impresja, wschód słońca, 1872. Paryż, Musée Marmottan

108 Camille Pissarro, Zorane pole, 1874. Moskwa, Muzeum im. Puszkina

109 Auguste Rodin, Rozpacz, posąg do ,,Bramy piekieł", 1890. Paryż, Musée Rodin

110 Auguste Rodin, studium do ,,Mieszczan z Calais", brąz, 1884. Paryż, Musée Rodin

111 Auguste Rodin, Popiersie Wiktora Hugo, brąz, 1897. Paryż, Musée Rodin

112 Paweł Trubeckoj, Pomnik Aleksandra III, ok. 1900. Leningrad, Muzeum Rosyjskie

113 Henri de Toulouse-Lautrec, À la mie, 1891. Boston, Museum of Fine Arts

114 Paul Gauguin, Czy jesteś zazdrosna?, 1892. Moskwa, Muzeum im. Puszkina

115 Paul Cézanne, Mont Ste-Victoire. Londyn, Courtauld Institute of Art

116 Paul Cézanne, Martwa natura z owocami, ok. 1890 –1895. Moskwa, Muzeum im. Puszkina

117 Vincent van Gogh, Czerwone winnice w Arles, 1888. Moskwa, Muzeum im. Puszkina

118 Paul Cézanne, Autoportret, ok. 1880. Winterthur, zbiory O. Reinharta

119 Vincent van Gogh, Autoportret, 1889. Paryż, Galerie du Jeu de Paume

120 Vincent van Gogh, Morze, rysunek piórkiem

121 Vincent van Gogh, Buty, ok. 1886 (?). Amsterdam, Stedelijk Museum

122 Georges Seurat, Sekwana w Courbevoie, 1888. Bruksela, Musée d'Art Moderne

123 James Ensor, Dachy Ostendy, 1884. Antwerpia, Koninklijk Museum voor Schone Kunste

124 Konstantin Korowin, Zima, 1892. Moskwa, Galeria Tretiakowska

125 Michał Wrubel, Portret doktora Karpowa, rysunek. Moskwa, Galeria Tretiakowska

126 Paul Cézanne, Grający w karty, 1890––1892. Paryż, Galerie du Jeu de Paume

INDEKS

INDEKS OSOBOWY

Cyfry rzymskie oznaczają tom, cyfry arabskie wydrukowane kursywą wskazują numer ilustracji

Abakuk II 27, *20*
Abelard, Pierre II 116, 118
Abraham II 154; III 16, 17, 207, 214, *6*
Abu Said II 48, *22*
Achemenidzi I 69; II 30
Achenaton I 93, 95, *66*
Achilles I 103, 104, 119, 120, 148, 156, 158, 180; II 94
Adam II *110*; III 18, 31, 100, *40*; III 18, 31, 82, 100, 108, *40*
Adam, bracia IV 31, 38
Adam, Robert IV 32
Adonis III 186, 188
Aertsen, Pieter III 91, 137
Afrodyta I 129, 157, *107*, *140*; II 68
Ageladas I 132
Agnieszka, święta III 170
Ajaks I 120, 108
Ajschylos I 103, 118, 124–129, 138; II 28; IV 38
Akis i Galatea III 237, 238, *189*
Akteon III 186
Alaux, Jean IV 81
Albergati, Nicolas, kardynał III 85, *62*
Alberti, Leone Battista III 14, 30, 31, 33, 35, 39, 40, 54, 56, 74, 79, 84, *17*
Albrecht von Brandenburg, kardynał III 105
Aleksander III, car ros. IV 137, *112*

Aleksander Wielki I 30, 58, 148, 149, 150, 156, 157, 158, 181, 190
Aleksy, święty II 156, 146
Aleksy Komnen II 21
Alençon, książę d' III 110
Alfonso, mistrz III 162, *123*
Alidosi, kardynał III 61
Alkajos I 107, 179; II 116; III 98
Alkjoneus I *143*
Altdorfer, Albrecht III 104
Ambroży, święty II 114, *104*
Amenemhat III I 85
Amenhotep IV (Achenaton) I 93
Ammanati, Bartolomeo III 133, *100*
Amon I 87, 148
Amon-Re I 87, 89
Amor I 156, 157, *148*; III 60, 66, 103, 129, 233; IV 13
Amyot, Jacques III 119
Anakreon I 107
Anchizes I 175
Andokides I 121
Andromacha I 103
Andromeda III 185, 186, 190, *141*
Andrzej, święty III 148, *21*
Angelico, Fra, właśc. Fra Giovanni da Fiesole III 20, 31, 32, 83, *10*; IV 69
Anna, święta II *128*; III 48
Anna Komnen II 21
Antelami, Benedetto II 113
Antemios z Tralles II 13, 15
Antenor I 117
Antinous I 174, 192
Antoni Padewski, święty IV *49*
Antoni Pustelnik, święty III 90, 98, 103, 105
Antoninus Pius I 183, 192
Antygona I 138, 142
Anubis II 63
Apelles I 156; II 79

Apollo, Apollin I 106, 107, 115, 116, 127, 129, 130, 132, 133, 142, 169, 171, 177, *89*, *110*; II 8; III 100, 140, 152, 174, 192, 234, 235, 239, 246, 247, 249, *200*
Apollodor I 156, 189
Apsaras II *41*
Arab, Filip I 193, *181*
Arachne III 180, 181
Archimedes I 150
Ardaszir II 48, 50, *37*
Ares II 68
Aretino, Pietro III 43, 65
Ariadna III 67, 153
Ariosto, Lodovico III 58
Aristogeiton I 70
Ariusz II 10
Arnolfini, Giovanni III 84
Artakserkses I 70
Artemida I 107, 129, 130, *110*
Arystofanes I 144, 145, 161, 163; IV 83
Arystoteles I 11, 130, 148–150, 163, 198, 199; II 33, 51; III 59
Asarhaddon I 190
Asioka II 54, 58
Assurbanipal I 56, 63, 148, *38*
Assurnasirpal II 156, 66
Atalanta III 193
Atena I 97, 103, 110, 120, 126, 128, 129, 131, 139, 140, 142, 166, 167, *112*, *113*; III 180, 181
Atena Alea I 153
Atena Lemnia I 139
Atena Partenos I 137, 139
Atena Promachos I 136
Atlas I 128, 145, *106*
Atreus I 102
Attyla IV 78
Aubin, Gabriel Saint IV *9*
Augiasz I *139*

August (Augustus), cesarz I 176–182, 191, 192, *160*
Augustyn Aurelius Augustynus, święty II 7; III 166
Aurora III 140
Awerroes, arab. Ibn Ruszd II 34
Awicenna, arab. Ibn Sina II 34

Bach, Johann Sebastian I 21, 27; III 156, 174; IV 30
Bachus I 157, *157*; III 67, 173, 193
Bacon, Francis, baron of Verulam IV 94
Bacon, Roger II 118, 124
Bagratydzi II 144
Bakchylides I 23, 97, 107, 116
Balder II 94
Baldovinetti, Alesso III 32
Baldung, Hans zw. Grien III 104
Balzac, Honore de I 21; IV 61, 62, 78, 88, 94, 95, 135
Barbara, święta III 60, 61, 81, 83
Barry, sir Charles IV 68
Barthelemy, Abate IV 26
Bartłomiej, święty III 170, *125*
Bartolommeo, Fra III 57
Barye, Antoine-Louis IV 79
Bassano, Jacopo III 137
Batteux, Charles IV 11
Baudelaire, Charles IV 60, 65, 78, 84, 93, 94, 95, 96, 101, 102, 103, 105, 120, 121, 135
Baudry, Paul-Jacques IV 105
Baumgarten, Alexander Gottlieb IV 38
Bayeu, Francisco IV 64
Bazyli Wielki II 11, 155
Bażenow, Wasilij J. I 26; IV 35, 57, *19, 20*
Beaumarchais, Pierre-Augustin--Caron de IV 11, 28
Beethoven, Ludwig van I 21, 144; III 149; IV 50, 58, 85
Behzad Kamal ad-Din II 48, 49
Bellange, Jacques III 224
Bellay, Joachim du III 114
Bellini, Giovanni III 38, 65, 66, 74, *24*
Bellini, Vincenzo IV 106
Bellori, Giovanni Pietro III 140

Bentivoglio, kardynał III 194
Berenson, Bernhard III 12, 128, 132
Berlioz, Hector IV 79
Bermejo, Bartolome III 162
Bernard, Claude IV 94
Bernard z Clairvaux II 109
Bernardyn, święty III 35
Bernini, Giovanni Lorenzo I 21; III 143, 144, 146, 147, 148, 149, 151, 152, 153, 154, 157, 165, 182, 238, 239, 242, 247, 248, *103, 105, 110, 111, 115, 116, 117*; IV 10, 27, 80
Bernward z Hildesheimu II 99, 100, 110
Berruguete, Alonso III 163, 166
Berry, książę de III 78, 109
Beyeren, Abraham van III 217, *163*
Bibiena, Galli da III 152
Bieliński, Wissarion G. I 7
Bizet, Georges IV 106
Blake, William IV 89
Bloch, Jean Richard I 20
Blondel, Nicolas-François I 26; III 247; IV 12, 19, 51
Blyhooft, Zacharias I 6
Błok, Aleksander A. IV 147
Boccaccio, Giovanni II 51; III 13, 110
Böcklin, Arnold IV 96, 110
Boffrand, Germain IV 13, *4*
Boileau-Despreaux, Nicolas III 241, 251; IV 79
Boisdenier, Boissard de IV 73
Bologna, zob. Giovanni da
Bonaparte, zob. Napoleon I
Bonawentura, święty właśc. Johannes Fidanza III 172, *131*
Bonington, Richard Parkes IV 70
Bonnat, Leon IV 106
Borghese, Pauline IV 54
Borghese, Scipione, kardynał III 154, *117*
Borgia, Cesare III 48
Borowikowski, Władimir IV 36
Borromini, Francesco I 21; III 143, 146, 148, 149, 150, 151, 238, 239, *107, 108, 109*; IV 10, 80

Bosch, Hieronymus III 89, 90, 94, 162, 188, *78*; IV 33, 69, 82
Botticelli, Sandro II 67; III 34, 40, 41, 43, 46, 52, 58, 60, 66, 87, *1, 26*
Bouchardon, Edme IV 19
Boucher, François III 66; IV 17, 18, 19, 24, 27, 29, 37, 41, 44, 48, *8*
Bouguereau, Adolphe-William IV 105
Boulle, Charles-Andre III 249, *196*
Bouts, Dierick III 80, 88, *65*
Bovary, Emma IV 95, 97
Bracelli, Giovanni Battista III 141
Brahma II 54, 62, 63
Bramante, Donato III 43, 53, 54, 55, 56, 57, 58, 59, 62, 64, 71, 74, 120, 121, 142, *34, 35, 36*; IV 42
Breton, Jules IV 106
Brézé, Louis de III 117
Bril, Mattheus III 183, 192
Brogniart, Alexandre-Théodore IV 52
Bronzino, Angelo III 128, 129, *97, 101*
Brosse, Debrosse Salomon III 229, 235
Brouwer, Adriaen III 195, 196, 227, 228, *144, 145*
Brown, Ford Madox IV 89
Bruegel, Pieter (st.) zw. Chłopskim I 20; II 110; III 91–96, 103, 108, 123, 136, 137, 162, 174, 183, 184, 185, 188, 194, 205, 218, 226, 227, *77, 79, 80*; IV 33, 65, 82, 86, 87, 99, 132, 140
Brunelleschi, Filippo I 27; II 140; III 17, 23, 24, 25, 26, 31, 32, 36, 39, 41, 42, 53, 54, 57, 157, *8*; IV 42
Bruno, Giordano III 127, 133, 136
Brutus IV 51
Bryaksis I 153
Brygos I 121, *109*
Budda I 149; II 54, 58–62, 67,

69, 72, 73, 77, 113, 132, *53, 54, 55, 61*

Bueckelaer, Joachim III 91, 137

Bullant, Jean III 121, *86*

Buonarroti, Filippo IV 80, *61*

Burckhardt, Jakob III 37, 74

Burgkmair, Hans III 104

Burne-Jones, sir Edward Coley IV 89

Burns, Robert IV 17

Buytewech, Willem III 203

Byron, George Gordon, lord IV 62, 72, 76, 79

Cabanel, Alexandre IV 105

Cabanis, Pierre-Jean-Georges IV 26

Cade, Jack III 125

Calderon de la Barca III 168, 181, 182

Callot, Jacques III 155, 224, 225, 226, 237, 241, *180*; IV 84, 108

Cambio, Arnolfo di II 9

Cameron, David Young IV 44

Campaña, Pedro de III 162

Campanella, Tomaso III 59, 137

Campen, Jacob van III 203

Campin, Robert III 81, 83, 85, *69*

Cangrande della Scala II 88

Canova, Antonio I 26; IV 39, 52, 54

Caravaggio, właśc. Michelangelo Merisi da II 115; III 137–142, 152, 153, 158, 163, 167, 170, 172, 174, 178, 182, 184, 185, 190, 192, 193, 206, 211, 226–228, *113, 114*; IV 24, 48, 49, 80, 94, 104, 121

Carducho, Vicente III 173

Carew, sir Nicolas III *75*

Carlyle, Thomas IV 133, *97*

Carpaccio, Vittore III 38

Carpeaux, Jean-Baptiste I 19, *3*; IV 107, 118, 135, *79*

Carracci, Annibale III 139, 140; IV 80

Casanova, Giovanni Giacomo IV 10

Castagno, Andrea del III 19

Castiglione, Baldassare III 61

Cats, Jacob III 198, 220

Catullus I 174, 176

Cavaignac, Louis-Eugène IV 93

Cavallini, Pietro III 10

Cecylia, święta III 153, *118*

Celestyna III 169

Cellini, Benvenuto III 114, 130

Ceruti, Giacomo IV 30

Cervantes Saavedra, Miguel de III 159, 169, 170, 174, 176, 182; IV 94

Cézanne, Paul III 139; IV 143–146, *115, 116, 118, 126*

Chafre I 76, 78, 79, 80, 85, *51*

Chajjam, Omar II 47

Chalgrin, Jean-François IV 51, 52, *37*

Chalgrin, Madame IV 49

Chambray, Fréart de III 230

Champaigne, Philippe de III 232

Champfleury, Jules IV 94, 101, 118 ·

Chardin, Jean-Baptiste-Siméon I 13, *1*; III 66, 223; IV 20, 21, 22, 23, 24, 25, 27, 28, 29, 34, 83, 87, 94, 100, 132, 144, 145, *10, 25*

Charonton, Euguerrand III 109

Chartier, Alain III 75

Chassériau, Théodore IV 105

Chastellain, Georges III 85

Chateaubriand, François-René IV 51, 96

Chaulieu, Guillaume-Amfrye IV 11

Chénier, André I 26; IV 37, 44, 45

Chevalier, Etienne III 110

Chevreul, Michel-Eugène IV 132

Chloe I 164, 171; IV 50, *35*

Chodowiecki, Daniel IV 30

Chopin, Fryderyk I 21; IV 88

Christus, Petrus III 85, *68*

Chrystus I 193, 194; II 7, 8, 10, 16, 19, 21, 22, 26, 27, 95, 96, 111, 112, 113, 127, 131, 136, 139, 140, 144, 145, 148, 152, 154, 155, *9, 14, 17, 18, 100, 112, 121, 124, 129, 135, 138, 142*; III 162 (Bermejo), 88

(Bouts), 194 (Dyck), 166 (El Greco), 88 (Geertgen), 87 (van der Goes), 105 (Grünewald), 117 (Holbein), 46, 47 (Leonardo), 235 (Poussin), 67 (Rafael), 188 (Rubens), 78 (Sluter), 68 (Veronese), 72 (van der Weyden), *14, 60, 64, 76, 127, 171, 173, 179*; IV 90 (Iwanow)

Chufu I 76

Churriguera, José III 182

Cicero I 176, 181; II 7

Cimabue III 10

Cisneros, kardynał III 163

Civilis, Julius III 209, 215

Claesz, Pieter III 217

Claudel, Paul III 218

Cleve, Joos van III 90

Clodion, właśc. Claude-Michel IV 44, 50, *28*

Clouet, François III 122, *94*

Clouet, Jean III 122

Cocq, Banning III 205

Coeur, Jacques III 111

Colbert, Jean-Baptiste III 240, 247

Colleoni, Bartolomeo III 39, 41, *16*; IV 41

Colombe, Michel III 115, 116

Constable, John IV 70, 71, 72, 78, 79, 87, 94, 97, 108, 127, 132, *45, 46*

Corday, Charlotte de IV 49

Corinth, Lovis IV 134

Corneille, Pierre III 224, 232, 235, 238, 239; IV 19, 37, 48

Corot, Camille IV 81, 87, 88, 89, 94, 96, 97, 123, 128, 130, *63, 64, 65*

Correggio, Antonio Allegri III 70, 71, 128, 184, 211; IV 50

Cortona, Pietro da III 151

Cortot, Jean-Pierre IV 55

Cosimo, Piero di III 43; IV 67

Cossa, Francesco III 36

Cotman, John Sell IV 70

Courbet, Gustave III 138; IV 62, 94, 95, 96, 100, 101, 102, 103, 104, 105, 106, 107, 108, 111,

114, 118, 120, 121, 122, 123,
127, 132, 145, 146, *76*, *77*, *78*
Cousin, Victor IV 105
Courtonne, Jean IV 12
Couture, Thomas IV 105, 120
Coyzevox, Antoine III 242, *197*
Cozens, William IV 70
Cranach, Lucas Starszy III 105
Crébillon, Claude IV 15
Crespi, Giuseppe Maria IV 30
Croes, Willem III 201, 165
Crome, John, zw. Old C. IV 70
Cronaca, Simone III 39, *19*
Croy, Philippe de III 86, 87, *63*
Crozat, Joseph-Antoine IV 6
Cruz, Juan de la III 159
Cuvilliés, François de IV 13
Cyrus Młodszy, królewicz perski
I 70
Cyrus Starszy, król perski I 56
Czajkowski, Piotr I. IV 113
Czechow, Antoni P. IV 113,
133, 134, 147
Czernyszewski, Nikołaj G. I 30;
IV 110
Czyczikow IV 84

Dafne III 152, 153, 249; IV 50,
35
Daguerre, Louis IV 104
Daniła Czarny II 154
Dannecker, Johann Heinrich von
IV 51, *47*
Dante Alighieri I 142; II 51, 74,
88; III 8, 11, 12, 25, 40, 55, 80,
168; IV 36, 75, 76, 89, 135,
136
Dariusz Wielki I 69, 124, 149
Darwin, Charles IV 93
Daubigny, Charles-François IV
98, 105, *84*
Daumier, Honore I 20, 165; III
196; IV 61, 72, 81, 82, 83, 84,
85, 86, 87, 89, 91, 100, 101,
104, 114, 120, 122, 123, 124,
137, 146, *66*, *67*, *69*, *70*, *71*
David d'Angers, Pierre-Jean IV
80, *61*
David, Gerard III 89, 90
David, Jacques-Louis IV 39, 48,
49, 50, 51, 54, 55, 58, 64, 66,

68, 73, 74, 80, 82, *32*, *33*, *34*
Dawid II 25, *10*, *137*; III 152
(Bernini), 21, 22 (Donatello),
110 (Fouquet), 50 (Michał
Anioł), 208, 215 (Rem-
brandt), 39 (Verrocchio), *15*,
83, *166*, *172*
Deffand, Marie de Vichy-Cham-
rond du IV 10
Degas, Edgar II 88; III 122, 165;
IV 109, 123, 124, 125, 126,
130, 137, *100*, *101*, *102*
Dekker, Eduard Douwes (Mul-
tatuli) III 124
Delacroix, Eugène I 10, 11, 26,
63, 82; II 51; III 188, 197;
IV 50, 60, 61, 62, 72, 73, 75,
76, 77, 78, 79, 80, 81, 86, 91,
94, 95, 97, 102, 104, 105,
108, 132, 135, 141, 146, *58*,
59, *60*
Delaroche, Paul IV 81, 108
Delorme, Philibert III 117, 118,
119, 121
Demetrios I 139
Demetrios z Alopeke I 166
Demetriusz, święty II *11*, *15*
Demetriusz z Salonik II 155
Demokryt III 170, *126*
Demostenes I 162, 166, 176
Devauçay, Madame IV 55, 56,
42
Diana III 116
Diana de Poitiers III 89
Diderot, Denis I 16; IV 11, 22,
24, 25, 26, 38, 39, 41, 49, 72
Dietrich (Naumburg) II 137
Digby, John, hrabia Bristolu III
195, *151*
Dioklecjan I 193
Dion Chrysostomos I 139, 140
Dionizos I 120, 121, 137, 139,
151, 165, *75*, *99*, *131*; II 24
Dionizy III 126
Dionizy, święty II 156, 157, *146*
Domenichino, właśc. Domenico
Zampieri III 140, 233, 234
Domna, Julia I 193, *183*
Donatello III 17, 21, 22, 23, 24,
31, 32, 39, 42, 47, 52, 57, 64,
73, 78, 85, *14*, *15*; IV 86, 104

Don Juan IV 18, 29, 74
Don Kichot II 116; III 159, 168,
169, 175; IV 86, *72*
Dostojewski, Fiodor M. I 27; III
238; IV 95, 113, 147
Dou, Gerard III 217
Duccio di Buoninsegna III 12
Ducerceau, Jacques III 115, 199
Dudu, kapłan I 57, *29*
Dufay, Guillaume III 82
Dumas, Alexandre IV 106
Dupré, Jules IV 98
Dürer, Albrecht I 27; III 91, 99–
106, 107, 123, 136, 162, 205,
212, *71*, *72*, *73*; IV 33
Duris I 121, 129, *108*
Dyck, Anthon van III 176, 194,
195, 197, 200, 204, 242, *150*,
151; IV 32
Dzierżawin, Gawrił R. III 145

Eannatum z Lagasz I 58
Ebih-il z Mari I *33*
Eckhart, mistrz III 7
Edyp I 124, 138, 143, 199
Eichendorff, Josef von IV 68
Eiffel, Gustave-Alexandre IV
117, *86*
Ekkehard (Naumburg) II 137
Eksekias I 120, 121, *75*
Eleonora z Toledo III 128
Eliasz, prorok II 11; III 88, *65*
Elsheimer, Adam III 155, 204
Elżbieta, święta II 137; III 11, 85
Eneasz I 180, 189, 194; II 94
Engels, Fryderyk I 20, 21, 27, 28,
36, 44, 146, 194; II 115; III 15,
125; IV 20
Ensor, James IV 133, *123*
Epiktet, malarz I 121
Erazm, święty III 106, 133
Erazm z Rotterdamu III 76, 77,
108, 160
Ergotimos I 119, *97*
Eriugena, Jan Szkot II 94
Este, Francesco d' III 154
Eudamidas III 235
Eufronios I 121
Euhemeros I 151
Euklides I 150
Eulalios II 11

Eumaios I103
Eurisacus I182, *167*
Europa I169, *149*; III68, 237, *55*
Eurydyka IV45
Eurypides I141, 144, 149, 153, 154, 165, 166, 171; II60
Eustachy Placyd, święty II134, *113*
Eutymides I121
Ewa II113, *99, 110*; III18, 31, 82; IV136
Eyck, van, bracia I27; II51; III 75, 110
Eyck, Hubert van III81, *61*
Eyck, Jan van III77, 78, 80, 81, 83–88, 94, 95, 109, 110, 161, *58, 61, 62*
Ezaw III*12*
Ezechiel II109, 116
Ezop III176

Fabriano, Gentile da II51
Fabritius, Carel III216, 217
Falconet, Etienne-Maurice IV 24, 41, 42, 44, 51, *31*
Falieri, Marino, doża IV76
Falstaff III125
Farnese, Alessandro III76, 133
Farnese, Pier Luigi III67
Feuerbach, Anselm IV110
Ficino, Marsilio II65
Fidiasz I26, 131, 134, 138, 139, 140, 142, 151, 152, 166, 170, 176; II23, 161; III157; IV 94
Fiedotow, Pawieł A. III223; IV 90, 91, *73*
Fielding, Henry IV32
Fiesole, Mino da III18
Filip, apostoł III47
Filip II, król Hiszpanii III80, 161, 163–166, 169, *122*
Filip IV, król Hiszpanii III168, 173, 175, *133*
Filip Dobry III85
Filip Macedoński I148
Filip Śmiały III78
Filostratos I168
Fiorentino, ser Giovanni III15
Firdausi II41, 46, 47

Fischer von Erlach, Johann Bernhard III156
Flaubert, Gustave IV60, 95, 96, 97, 105, 118, 120
Flavius, Josephus III110
Flaxmann, John IV38
Flora I178, 179, 180, *158*; IV*79*
Floris, Frans III91, 183
Flor, święty II*143*
Fokion III236
Fontaine, Pierre-François IV54
Fontainebleau, mistrzowie z III 233
Fontana, Carlo III151
Forli, Melozzo da III35
Foscari, Francesco IV76
Foscari, Jacopo IV76
Fossati, Gaspare II*6*
Fouquet, Jean III109, 110, 111, 122, 242, *82, 83*
Fourier, Charles IV62
Fourment, Hélène III189, 191, *152*
Fragonard, Jean-Honoré IV18, 27, 28, 41, 48, 72, *14*
France, Anatole IV124
Francesca, Piero della I26; II61; III32, 33, 34, 35, 37, 41, 53, 227, *25, 29*; IV70
Franceschini zw. il Volterrano III 140
Franciszek z Asyżu, święty III7, 10, 11, 12, 170
François I, król Francji III67, 112, 113, 114, 117, 118, 119
François II, książę Bretanii III 115
Franklin, Benjamin IV26
Frédéric, Léon IV106, *87*
Friedrich, Caspar David IV67, 68, 70, 88, *53*
Froment, Nicolas III109
Fromentin, Eugène III185, 189, 190, 222
Frueauf, Rueland III97
Fry, Roger II72; III157
Fryderyk II, cesarz Sycylii i Jerozolimy III7
Fryderyk II Hohenzollern zw. F. Wielkim, król pruski IV30, 108, 112

Fryderyk Henryk Orański III204, 223
Fryderyk Mądry III105
Fryderyk Wilhelm zw. Wielkim Elektorem III156
Fuggerowie, III98

Gabriel, archanioł II155
Gabriel, Jacques-Ange IV39, 40, 47, *27, 30*
Gainsborough, Thomas IV34, 36, 69, *22*
Galatea III237, 238, *189*; IV41
Galileusz, Galileo Galilei III136
Galla Placidia II12, *3*
Ganimed I117; *94*; III206
Gargantua III115, 192
Garnier, Charles IV115, *85*
Garszyn, Wsiewołod M. I30
Gasim Ali II49
Gattamelata III22, 39
Gauguin, Paul IV142, 143, 146, *114*
Gautier, Théophile IV60, 105, 118
Gay, Nikołaj N. IV111
Geertgen tot Sint Jans III88, 90, *67*
Genowefa, święta IV105
Gérard, François IV54
Géricault, Théodore IV50, 73–76, 90, *57*
Germanicus III235
Gérôme, Léon IV105
Ghiberti, Lorenzo II161; III17, 31, 57, *6, 7, 12*
Ghirlandajo, Domenico III39, 43, *21*
Gibbs, James I14, *8*; IV31, 41, *18*
Gioconda, zob. Mona Lisa
Giorgione, właśc. Giorgio da Castelfranco III43, 65, 66, 68, 103, 157, *51*; IV7, 121
Giotto di Bondone I22, 26, 81; II115; III7, 10, 11, 17, 18, 19, 20, 33, 43, 53, 129, 188, 215
Giovanni da Bologna I16; III 130
Girardon, François III246, *191*; IV41

Girodet-Trioson, Anne Louis, właśc. Girodet de Roucy IV 54
Girtin, Thomas IV 70
Giw II 39
Glinka, Michaił I. 121, 27
Gluck, Christoph Willibald IV 26, 45
Godunow, Borys IV 112
Goes, Hugo van der III 86, 87, 88, 66
Goethe, Johann Wolfgang von I 27, 30, 110, 113, 186, 198, 199; II 47, 68, 110, 125; III 44, 68, 71, 206; IV 20, 30, 36, 38, 45, 58, 60, 70, 80
Gogh, Vincent van I 26; II 87, 88; IV 62, 138-143, 146, 177, 119, 120
Gogol, Nikołaj W. I 21; IV 53, 82, 84, 94, 114
Goldoni, Carlo I 24; IV 30
Goliat III 21, 22
Golnar II 49, 50, 37
Gonczarow, Iwan A. IV 95
Gongora y Argote, Luis de III 170
Gorgiasz I 149
Gossaert, Jan (Mabuse) III 90
Goujon, Jean III 115, 116, 117, 120, 135, 233, 92; IV 37
Goya y Lucientes, Francisco de III 130, IV 63-67, 72, 73, 78, 82, 84, 89, 49, 50, 51, 52
Goyen, Jan van III 203, 222, 156
Gozzi, Carlo IV 30
Gozzoli, Benozzo II 51; III 32
Granet, François-Marius IV 55
Gray, Thomas IV 69
Greco El, właśc. Domenico Theotocopuli I 32; II 27; III 151, 165-169, 171, 175, 178, 182, 206, 211, 236, 119, 127, 128, 136; IV 63, 139
Gregorios Palamas II 26
Greuze, Jean-Baptiste IV 24, 25, 38, 48
Gribojedow I 31
Grien, zob. Baldung, Hans
Gros Antoine-Jean IV 73, 74
Grotius, Hugo III 199

Grünewald, Mathias III 105, 106, 167, 70, 74; IV 87
Grzegorz, święty III 163, 121
Grzegorz Wielki, papież II 94, 99
Grzegorz z Nazjanzu II 11
Grzegorz z Tours II 94
Guardi, Francesco IV 30
Guarini Guarino III 151
Gudarz II 39
Gudea z Lagasz I 56, 60, 61, 36, 37
Guercino, właśc. Giovanni Francesco Barbieri III 140
Guérin, Maurice de IV 54, 88, 96
Guise, książę de IV 81
Günther, Ignaz III 156
Guys, Constantin IV 132

Hadrian, Publius Aelius I 171, 189, 191, 192
Haendel, Georg Friedrich III 156; IV 30
Hafiz, Khodja Shams ad-Din Muhammad Hafiz Shirazi II 47, 48
Hals, Frans I 24; III 195, 196, 200-205, 208, 210, 212, 214, 217, 238, 164, 165; IV 123
Hamlet III 67, 125
Hammurabi I 56, 62, 63
Hardouin-Mansart, Jules III 242, 244, 245, 246, 247, 190, 194, 195
Hariri al- II 22
Harmodios I 70
Harun ar-Raszid II 33
Harunoboku, Suzuki II 86
Hatschepsut I 87
Havell, E.B. II 69
Haydn, Joseph IV 30, 45
Heda, Willem Claesz III 217
Hegel, Georg Wilhelm I 91, 150, 198; II 62; III 70, IV 107
Hegeso I 141, 142, 123
Heine, Heinrich I 141; IV 60, 72, 82, 89
Heithuysen, kupiec III 201
Hektor I 103
Helmholtz, Hermann von IV 132
Helst, Bartholomeus van der III 217

Hem-on I 81
Hendrickje, zob. Stoffels
Henryk II, król Francji III 117, 118, 119, 99
Henryk II, król niemiecki II 97
Henryk VIII, król Anglii III 107
Hera I 110, 128, 139, 156
Herakles, Herkules I 59, 120 153, 156, 106; III 232; IV 18
Héré de Corny, Emmanuel IV 7
Hermes I 120, 139, 142, 143, 151, 152, 163, 101, 111, 131; II 24
Hermiona III 235, 185
Herodes III 22
Herodot I 76
Herondas I 165
Herrera, Francisco de (ml.) III 165
Herrera, Juan de III 164, 182, 120
Hesire I 82, 92, 54
Hezjod I 108, 165
Hieron I 147
Hieronim, święty III 102, 103, 168, 194
Hildebrand, Adolf von I 10, 17
Hill, David Oktavius IV 104, 106, 88
Hiob I 59; III 21, 38
Hipokrates I 150
Hippodamos z Miletu I 160, 161
Hiroshige, Ando II 87
Hittorff, Jacques-Ignace IV 117
Hobbema, Meindert III 222
Hodler, Ferdinand IV 146
Hoffmann, Ernst Theodor IV 81, 89
Hogarth, William III 223; IV 32, 33, 34, 65, 83, 85, 91, 23
Hokusai, Katsushika II 87, 76; IV 103
Holbein, Hans (ml.) III 105, 106, 107, 108, 117, 122, 124, 75, 76; IV 84, 146
Holbein, Hans (st.) II 80; IV 146
Hölderlin, Friedrich IV 45
Holofernes III 22
Holzschuher, Hieronymus III 104
Homer I 27, 97, 102, 103, 104,

108, 119, 139, 180, 194, 198; II 11, 21, 115; III 192; IV 38, 56, 94

Honnecourt, Villard de II 119, 129, 130, 133

Honthorst, Gerard III 203, 217

Hooch, Pieter de III 217, 219, 220, 221, 159

Horacy I 172, 174, 178, 179

Horus I 55

Houdon, Jean-Antoine IV 26, 27, 44, 80, 135

Hugo, Victor II 135; IV 61, 62, 73, 75, 77, 79, 135, 136

Hume, David IV 34

Hus, Jan III 76

Hyksosi I 86

Ibn al-Arabi II 51

Ibsen, Henrik IV 136

Igor, książę II 146

Ikar III 226

Iksion I 156

Iktinos I 137, 143, 144

Ingres, Jean-Auguste-Dominique II 51; IV 54, 55, 56, 60, 76, 77, 80, 81, 88, *41*, *42*

Innocenty X, papież III 154, 178, 179, *134*

Io IV 33

Irena, święta III 227

Iris I 141, *122*

Isis I 194

Iskander II 47

Isokrates I 146

Iwan III II 158

Iwan IV Groźny II 158

Iwanow, Aleksander A. II 160; IV 51, 90, 110, 133, *74*, *75*

Izaak III 17, *6*

Izajasz III 78

Izydor z Miletu II 13, 15

Jakszi II *42*

Jakub, apostoł II 112, 116; III 47, 208, *12*

Jan, apostoł I 80, 196; II 95, 139, 140, *124*; III 12, 40, 47, 82, 86, 99, 104, 105, 174, *74*

Jan Chryzostom II 27, 155

Jan Chrzciciel II 155; III 22, 48, 78, 82, 94, 105, 182, *67*, *136*

Jeanteaud, Madame IV 126

Jefte II 135, *127*

Jeremiasz I 85; II *126*; III 53, 103, *42*

Jermieniew, Iwan IV 36, 58, *24*

Jerzy, święty II 155; III 21, 58, 96, 104, 115, 187, *44*

Joachim, święty III 10, 11

Johann von Saaz III 97

Johnson, Samuel IV 34

Jonatan III 208, *166*

Jones, Inigo III 125, *95*; IV 31

Jongkind, Johan IV 133

Jordaens, Jacob III 192, 193, 200, 227, 249, *142*

Józef, święty II 27, 112, 114, *102*; III 10, 58, 81, 83, 87, 129

Juan, dynastia III 6

Judasz, apostoł I 36; III 11, 47

Judyta III 22

Juliusz II, papież III 50, 51, 52, 61, 62, 178

Justynian, cesarz bizant. II 12, 16, 18, 19, 26

Juwenalis, Decimus Junius Juvenalis I 191

Kain II 110, *95*

Kalamis I 132

Kalf, Willem III 217

Kalidasa II 52, 56, 60

Kallikrates I 137, 144

Kant, Immanuel IV 38

Karakalla I 191, 193

Karol Wielki II 33, 94, 95, 96

Karol I, król Anglii III 194

Karol IV, cesarz rzym.-niem. IV 64

Karol V, cesarz rzym.-niem. III 62, 67, 159, 163, 165

Kartezjusz, Descartes René III 136, 199, 200, 231, 232, 247, 251

Kasandra III 114

Katarzyna II, cesarzowa ros. IV 36

Katon Starszy Cenzor I 175, 176

Kautsky, Minna I 21

Kazimierz Jagiellończyk III 98

Kefizodot I 151

Kekrops I 140

Keller, Gottfried IV 99

Kent, William IV 31, 32, *17*

Key, Lieven de III 203, *154*

Keyser, Thomas de III 203, 217

Klaudiusz, cesarz rzym. I 191

Kleist, Heinrich von IV 67

Klenze, Leo von IV 68

Kleofon I *129*

Kleopatra III 124

Klistenes I 105

Klitias I 119, *97*

Knaus, Ludwig IV 107

Knobelsdorff, Georg Wenceslaus von IV 30, *16*

Kolumb Krzysztof III 160

Kondeusz Wielki (Ludwik II, książę de Condé) III 242

Konfucjusz I 149

Konstantyn Wielki, cesarz rzym. I 195, *184*

Korowin, Konstantin A. IV 134, *124*

Kozłowski, Michaił IV 44, *43*

Kramskoj, Iwan N. III 178; IV 111

Kresilas I 132, 166

Kressyda III 124, 206

Kriszna II 63, 67

Kritias I 151

Ksenofont I 70, 126

Ku Kaj-czy II 71

Kulmbach, Hans III 104

Kuo Si II 78

Labé, Louise III 114

Labrouste, Henri IV 116

La Bruyère, Jean de III 224, 227, 242, 251; IV 9

Laclos, Choderlos de IV 13, 18

Lafontaine, Jean de III 246, 250; IV 99

Lairessé, Gerard de III 210

Laokoon I 26, 169, 171; III 17, 51, 66, 69

Lao-tsy II 76, 77

Largillière, Nicolas de III 241; IV 19

La Rochefoucauld, François de III 232, 251

Lastmann, Pieter III 204
La Tour, Georges de 131; III 226, 227, 228; IV 145, *26*
La Tour, Maurice Quentin de IV 24, 25
Laurana, Luciano da III 35, 53
Laurens, Jean Paul IV 135
Lawrance, sir Thomas IV 34
Layens, Mathieu de III 59
Lazarillo de Tormes III 169
Lear III 125, 183
Lebrun, Charles III 241, 242, 249, 251, *194*; IV 6
Leconte de Lisle IV 96, 105
Leda IV 42
Ledoux, Claude-Nicolas IV 46, 47, 50, 53, 54, *36*
Leibl, Wilhelm IV 109, 111, *94*
Leibniz, Gottfried Wilhelm III 136
Lemercier, Jacques III 229, 242
Le Nain, bracia: Antoine, Louis, Mathieu 124, 31; III 223, 226, 227, 228, 229, 231, *182*; IV 20, 31, 36, 99
Lenin Włodzimierz Iljicz 129
Le Nôtre, André III 242, 243, 244, 245
Leochares 1153
Leon X, papież III 61
Leonardo da Vinci 117; III 15, 19, 20, 21, 43-50, 54, 57, 58, 59, 74, 87, 101, 123, 128, 131, 136, 157, 162, 209, 211, 213, 215, 216, *31, 32, 33*; IV 50, 101, 132
Leoni, Leone i Pompeo III 165, *122*
Lepage, Bastien IV 106
Lepic, hrabia IV 126, *100*
Lermontow, Michaił J. IV 147
Lescot, Pierre III 119, 121, 125, 228, *87, 89*
Lessing, Gotthold Ephraim 19; IV 30
Leszczyński, Stanisław IV 13
Leukip, córki III 188, *143*
Le Vau, Louis III 242, 244
Lewicki, Dmitrij G. IV 36
Lewitan, Izaak IV 111
Leyden, Lucas van III 90

Lhermitte, Leon IV 106
Lichtenberg, Georg Christoph IV 32
Liebermann, Max IV 134
Limbourg, bracia III 78, 109, 110
Linneusz, Linne Carl 19
Liotard, Jean-Etienne 113, *2*; IV 25
Lippi, Filippino III 80
Lippi, Filippo III 32
Li Szu-sün II 79
Li Taj-po II 70
Li Ti II 79
Liutprand II 14
Liwia 1182
Liwiusz, Tytus 1174
Lizyp 1150, 154, 155, 181, *138*; III 21
Lochner, Stephan III 97
Lombard, Lambert III 91
Longhi, Pietro III 153; IV 30
Longinus 1197; III 153
Longos 1171
Loo, Jacob van IV 24
Lorenzetti, Ambrogio III 14, *4*
Lorenzo, Fiorenzo di III 35, *23*
Lorrain, Claude, właśc. C. Gellé III 139, 155, 237, 238, 245, *188, 189*; IV 70, 71
Lotto, Lorenzo III 128
Loyola, Ignacy, święty III 134, 153, 160
Ludwik I, król Bawarii IV 115
Ludwik IX, król Francji, święty 1127
Ludwik XIII, król Francji IV 56
Ludwik XIV, król Francji III 154, 231, 239, 240, 241, 242, 243, 246, 247, 249, 251; IV 6, 10, 14, 19, 31, 41, 51
Ludwik XV, król Francji IV 9, 19, 39
Ludwik Filip I, król Francji IV 81, 82, 93, 122
Lukian 1148
Lukrecjusz 1176
Lunghi, Martino III 143, 151
Luter, Marcin III 101, 105

Ławr, święty II *143*
Łazarz III 161, 204

Łukasz, ewangelista III 77, 86, 170

Mabuse zob. Gossaert Jan
Macaire, Robert IV 84
Machiavelli, Niccolo III 47, 50, 126
Machuca, Pedro III 164
Maderna, Carlo III 142, 143, 144, 147, *105, 110*
Maderna, Stefano III 153, *118*
Mahomet II 35, 36
Magdalena, zob. Maria Magdalena
Maiano, Benedetto da III 26, 39, *11, 19*
Maillol, Aristide IV 143
Ma Jüan II 77, 79
Makart, Hans IV 107
Makbet 1199
Maksymian, arcybiskup II 18
Maksymow, Wasilij M. IV 111
Malalas, historyk bizant. II 19
Malherbe, François de III 232
Mallarmé, Stéphane IV 120, 123
Malle Babbe III 200, 201, 205, *164*
Małgorzata, infantka III 179, *139*
Małgorzata z Nawarry III 114
Manet, Edouard III 182; IV 28, 120-126, 128, 129, 134, 144, 145, *96, 98, 99*
Mann, Tomasz 180
Mansart, François III 229, 230, 231, 244, 251, *181*
Mantegna, Andrea III 36, 37, 38, 47, *22*; IV 82
Manuel Philes II 26
Marat, Jean-Paul IV 51, 66, 82, *33*
Marcin, mistrz z Autun II 113, *98*
Marcin, święty III 13, 162, *123*
Marcjalis 1191
Marco Polo II 81
Marduk, bóg Babilonu 156, 57
Marees, Hans von IV 110, *95*
Marek, apostoł II 93; III 104, 130
Marek Aurelius 1172, 183, 192, 193; II 26; III 63
Maria II 23, 24, 27, 28, 95, 114, 128, 131, 132, 136, 137, 148,

155, 156, *7*, *120*, *122*; III11 (Giotto), 87 (van der Goes), 105 (Grünewald), 60, 61 (Rafael), 132 (Tintoretto), 86 (van der Weyden), *2*, *43*, *46*, *96*, *129*

Maria Luiza IV64

Maria Magdalena, święta II19, 133, 141; III11, 22, 64, 105, *74*

Marino, Giambattista III156, 157, 251

Marivaux, Pierre-Carlet de Chamblainde IV11

Marks, Karol I20, 30, 56, 106; II115; III126, 199, 218; IV58, 61, 93

Marlowe, Christopher III124

Marmion, Simon III109

Marsjasz III140

Martelli, Ugolino III97

Martens, Bartje III210

Martini, Simone III12, 20, *3*

Martos, Iwan P. IV44

Masaccio, właśc. Tommaso di ser Giovanni di More III17, 18, 19, 21, 23, 31, 32, 37, 40, 41, 42, 43, 53, 57, 65, 73, 75, 85, 104, 139, *5*; IV86, 104

Masaniello, właśc. Tomaso Aniello III137

Masolino, Thommaso di Cristoforo Fini III17, 19

Massys, Quentin III90, 91

Mateusz, apostoł II95; III*114*, 138 (Caravaggio), 104 (Dürer), 236 (Poussin), 170 (Ribalta)

Matisse, Henri II51

Matsuo Basho II87

Maupassant, Guy de IV124

Maurjowie II54

Maurycy, święty III106

Mausolos, król I158, 159

Mazarin, Jules III231

Medea I143, 156

Medici, Cosimo III14, 17, 38

Medici, Giuliano III62, *48*

Medici, Lorenzo zw. il Magnifico III39, 50, 62

Medici, Maria III186, 187, 229

Meduza III130; IV74, 76

Meissonier, Ernest (Jean-Louis) III223; IV106, 108

Meissonier, Justin-Aurèle IV12, 19

Meleager III193

Memling, Hans III89

Menander I163

Meng Ju-tien II79

Menip, Menippos III176

Menkaure I76

Mentuhotep, król I87

Menzel, Adolph von IV108, 109, 112, *89*

Meredith, George IV71

Merikere, faraon I76

Merimée, Prosper IV81

Merkury III130; IV24

Messina, Antonello da III34, 42, *20*

Metochites, Theodoros II26

Metsu, Gabriel III217

Meulen, Adam Frans van der III241

Meunier, Constantin IV107, *80*

Michał Anioł, właśc. Michelangelo Buonarroti I13, 14, 20, 26, 27, 30, *4*; II89, 116; III25, 31, 43, 49-53, 55, 57, 59, 60, 62, 63, 64, 66, 68, 73, 74, 91, 103, 104, 114, 117, 119, 121, 123, 127, 128, 131, 134, 136, 137, 138, 139, 142, 146, 152, 153, 154, 163, 165, 186, 197, *36*, *38*, *39*, *40*, *41*, *42*, *48*, *49*, *50*; IV36, 44, 49, 94, 104

Michał, archanioł II155; III100, 101

Michałowski, Piotr IV90, *68*

Michel, Georges IV87

Michelozzo di Bartolommeo III 27, 28

Mieris, Frans van III217, 219, 223

Mignard, Pierre III241

Mikołaj z Kuzy III16

Mikołaj z Verdun II114, *103*

Millet, Jean-François I165; IV 98-101, 104, 106, 107, 120, 128, 139, 140, *81*, *82*

Milon z Krotonu III239

Milutin, król Serbii II145

Ming, dynastia II*73*

Minotaur I99

Mirabeau, Honoré-Gabriel Riqueti de IV26, 27

Mirandola, Pico della III14, 65

Misanobu II86

Mistrz Francke II*129*

Mistrz z Flémalle III81

Mitra I194

Mohammad, sułtan II49, *38*

Mojżesz III51, 163 (Michał Anioł), 123 (Sluter), 236, *186* (Poussin)

Molière, właśc. Jean-Baptiste Poquelin I24, 27, 29; III232, 241, 246

Molina, Tirso de, zob. Tirso de Molina

Momper, Joos de III183

Mona Lisa I94; III48, 61, 157, *33*

Monet, Claude IV126-130, 132, 134, 137, 138, *107*

Montaigne, Michel-Eyquem de I29; III122, 136, 157, 224

Montañéz, Juan Marinez III171

Monte, kardynał del III137

Montesquieu, Charles-Louis de Secondat IV9, 11

Monteverdi, Claudio III153

Moore, George IV123, *98*

Morales, Luis de III166

More, Morus Thomas III59

Moreau zw. Jean Michel le Jeune IV16, *12*

Morisot, Berthe IV121

Moro Antonio III91, 162, 175

Morozowa, bojarini IV112, *90*, *91*

Morro, Sebastian de III176

Mosti, Tommaso III67

Mozart, Wolfgang Amadeus I 144; III149; IV29, 30, 45, 79

Mu-Ci II79

Munch, Edvard IV146

Murillo, Bartolomé Estéban III 181, 182

Musorgski, Modest P. IV111, 113

Muther, Richard IV98

Myron I 115, 131, 132, 133, 134, 155, *114*

Nabopolassar I 63
Nadar, właśc. Félix Tournachon IV 104, 106
Napoleon I 40; IV 48, 51, 52, 53, 54, 73, 79
Napoleon III IV 93, 122
Naram-Sin I 59
Narmer, król I 73
Nattier, Jean-Marc IV 19, *11*
Nauzykaa I 111
Navarrete, Juan Fernández zw. El Mudo III 170
Necker, Jacques IV 42
Neferet I 81, *53*
Neferetiti I 94, *67*
Nefrure, księżniczka I *70*
Nehru, Dżawaharlal II 59
Neptun III 146
Neri, Filippo III 137
Neron I 172, 183, 191
Nerval, Gérard de IV 85
Netscher, Caspar III 223
Neumann, Balthasar III 156; IV 29
Ney, Michel, marszałek IV 79
Niekrasow Nikołaj A. IV 100
Nike I 106, 107, 132, 141, 170, *145*; III 103
Nikiasz, malarz I 152
Nino, Don Fernando de Gueva-ra III *119*
Niobidzi I 129, 130, 150, *110*, *132*
Nizami II 30, 41, 49
Novalis, właśc. Friedrich von Hardenberg IV 67
Novi, Alovisio II 158

Odojewski, Władimir F. I 26
Odyseusz I 103, 111, 129, *108*; III 192; IV 72
Ollanda Francisco d' III 123
Omar Chajjam II 47
Omfale IV 18
Ordoñez, Bartolomé III 163, *121*
Orfeusz II 62; IV 45
Orteliusz, właśc. Abraham Ortels III 92

Ostada Djunaida II 48
Ostade, Adriaen van I 24, 30; III 196, 206, 217, 226
Otello III 125
Otton III, cesarz niem. II 97; III 88
Ottonowie II 96, 97, 105, 110
Ozyrys I 74, 75, 80; II 53, 62

Pacheco, Francisco III 173, 174, 178
Pacher, Michael III 96
Paele, van der (kanonik) III 81
Paganini, Niccolò IV 56, 77, 78, *41*, *59*
Pajonios I 132, 170
Pajou, Augustin IV 44
Palestrina, Giovanni Pierluigi da III 142
Palladio, Andrea III 39, 43, 71, 72, 73, 74, 125, 248, 250; IV 31, 42
Palma Jacopo zw. Palma il Gio-vane III 69
Pamfilos I 156
Panini, Giovanni Paolo I 196
Pansa, Sancho III 169; IV 86
Panselinos II 28
Pantoja de la Cruz III 175
Parki I 141, *121*
Parmigianino, właśc. Francesco Mazzola III 128, 129
Parrasjos I 156, 166
Parsifal II 131
Parwati II *52*
Parys I 169; III 185
Pasiteles I 179
Pater, Walter III 65
Patinir, Patinier, Joachim III 92
Paulus Silentiarius II 6, 13, 15, 16
Pausjas I 156
Pauzaniasz I 111
Paweł, apostoł II 114, 117, 155, *104*; III 38, 104, 138
Paweł III, papież zob. Farnese Alessandro
Paxton, Joseph IV 117
Peleus I 119
Pelops I 119, 127, 168
Peña, Diaz de la IV 98

Percier, Charles IV 54
Pergolesi, Giovanni Battista IV 30
Perrault, Claude III 248, 251, *192*
Perronneau, Jean-Baptiste IV 25
Perseusz III 130, 186, 190, *141*
Perugino, właśc. Pietro di Cristo-foro Vannucci III 35, 43, 57, 178
Perykles I 76, 130, 132, 133, 134, 137, 138, 146, 150, 166
Petrarca, Francesco III 13, 14, 40, 61, 66, 114
Petroniusz zw. Arbiter Elegan-tiae I 191
Pigalle, Jean-Baptiste IV 23, 24
Pigmalion IV 41
Piles, Roger de III 241
Pilon, Germain III 115, 116, *91*
Piloty, Karl von IV 107
Pindar I 123, 126, 147
Pinturicchio, właśc. Bernardino di Betto III 35
Piotr, apostoł II 113, 114, 131, 154, 155, *98*; III 17, 38, 47, 104, 138, 209, 238, *5*, *21*
Piotr Wielki, car ros. II 146, 160; IV 34, 41, 42
Piranesi, Giambattista I 189, *170*; IV 39, 63
Pirckheimer, Willibald III 99
Pisanello, właśc. Antonio Pisano III 36
Pisano, Giovanni III 9
Pisano, Niccolo III 9
Pissarro, Camille IV 128, 129, 144, *108*
Pitagoras z Region I 132; III 59
Pizystratydzi I 108
Plantin, Christophe III 92
Platon I 95, 141, 149, 166; III 50, 59
Plaut, Plautus, Titus Maccius I 175
Pliniusz Młodszy I 179, 197
Plotyn I 196, 197
Poe, Edgar Allan IV 65
Poelaert, Joseph IV 115
Polignot I 129, 130, 141, 152, 190; II 28

Poliklet 1131–134, 154, 155, *115*; III 21
Polimedes z Argos I 116
Poliziano, Angelo III 6, 40, 157
Pollajuolo, Antonio del III 32, *27*
Polyfem III 236, 237, *187*; IV 72
Pompadour, Jeanne-Antoinette de IV 18, 37
Pontormo, właśc. Jacopo Carucci III 128, 129, *102*
Pöppelmann, Daniel IV 29, *15*
Porta, Giacomo della III 135, 144, *112*
Portinari, kupiec III 87
Posada, José Guadalupe IV 112, 113
Posejdon I 126, 131, 132, 140, 144, *104*, *105*
Potebnia Ołeksandr I 11
Potter, Paulus III 216, 217, *155*
Pourbus, Frans (starszy) III 183
Poussin, Nicolas I 26; III 139, 146, 155, 231–239, 241, 247, 251, *184*, *185*, *187*; IV 6, 8, 23, 37, 39, 48, 49, 79, 80, 85, 88, 90, 124, 144
Pozzo, Andrea III 142, 152
Prakseda, pątnica II 152, *144*
Praksyteles I 115, 151, 152, 154, 155, 162, 164, *131*
Prandtauer, Jakob III 155, *106*
Primaticcio, Francesco III 114, 135
Priuli, Niccolo III *98*
Prochor z Gorodca II 153
Prokopiusz z Cezarei II 13, 14, 15, 18, 19
Prometeusz I 124; III 14
Protagoras I 149
Proudhon, Pierre-Joseph IV 101
Prud'hon, Pierre-Paul IV 50, 55, 74, *29*, *35*
Psellos, Michael II 21, 24
Psyche III 250; IV 13, 50
Puget, Pierre III 239, 250; IV 41, 44
Puszkin, Aleksander I 12, 27; III 60; IV 36, 44, 58, 81, 90, 94, 99

Puvis de Chavannes, Pierre IV 98, 135, 142, 146

Quaï, Maurice IV 50
Quercia, Jacopo della III 31, 78

Rabelais, François III 115, 119, 122, 192
Racine, Jean-Baptiste I 26; III 232, 246
Raeburn, sir Henry IV 34
Rafael, właśc. Raffaello Santi I 26, 32; III 35, 43, 56, 57, 62, 64, 74, 91, 100, 102, 115, 128, 131, 136, 137, 152, 178, 181, 212, 215, 233, *43*, *44*, *45*, *46*, *47*; IV 36, 55, 69, 79, 86, 94, 101, 121, 129
Rahotep I 80
Raimondi, Marcantonio IV 121
Rainaldi, Carlo III 143, 151
Rambouillet, salon III 232
Ramzes III 186, 87, *63*
Ranofer I 81
Rastrelli, Carlo Bartolomeo IV 35
Rawana II 68, *52*
Raymond, Jean Armand IV *37*
Re I 87, 89
Rebeka III 235; IV 76
Récamier, Jeanne-François-Julie IV 48, 54
Reglinda (Naumburg) II 137
Regnault, Henri IV 54
Reims, mistrzowie z III 9
Rembrandt Harmenszoon van Rijn I 14, 22, 24, 31, 32, 193, *5*; II 115; III 84, 96, 102, 133, 185, 194, 204, 216, 217, 218, 220, 221, 222, 223, 236, 238, *153*, *166*, *167*, *168*, *169*, *170*, *171*, *172*, *173*, *174*, *175*, *176*; IV 8, 23, 29, 66, 75, 76, 85, 86, 89, 90, 94
René I, król Aragonii i Sycylii III 111
Reni, Guido III 140, 181
Renoir, Auguste II 117; III 247; IV 129–132, 134, 138, 143, 145, *103*, *104*, *105*
Reynière, Grimod de la IV 10
Reynolds, sir Joshua IV 34, 69

Ribalta, Juan de III 170
Ribera, Jusepe-de III 170, 176, *125*, *126*
Richardson, Samuel IV 23
Richelieu, kardynał III 225, 229, 231, 232, 242; IV 10
Riemenschneider, Tilman III 98
Rienzi, Cola di Rienzo III 14
Riepin, Ilja E. IV 111, 112, *92*, *93*
Rigaud, właśc. Hyacinthe Rigau y Ros III 241; IV 19
Rilke, Rainer Maria II 141; III 132
Rimbaud, Arthur IV 133, 141
Riminaldi, Ippolito III 67, *56*
Rivière, Madame IV 55
Robbia, Luca della III 32
Robert, Hubert IV 72
Roch, święty IV 48
Rodin, Auguste I 10, 30; II 125; IV 62, 80, 135, 136, 137, *109*, *110*, *111*
Roentgen, Wilhelm Conrad I 32
Rokotow, Fiodor S. IV 36, *21*
Rolland, Romain II 69
Rollin, kanclerz III 81, 84
Roma, bogini I 181
Romanos Melodos II 19, 21
Romney, George IV 34
Ronsard, Pierre de III 76, 109, 114, 115, 116, 121, 122; IV 37
Rosenborg, kolekcja II 36
Rossetti, Dante Gabriel IV 89
Rossi, Giovanni Battista de IV 57
Rossini, Gioacchino IV 106
Rosso, Giovanni Battista, właśc. G.B. di Jacopo III 114, 129, 135
Rousseau, Jean-Jacques IV 8, 26, 27, 38, 42, 72, 130
Rousseau, Théodore IV 98, *83*
Rovere, Cristoforo della III 118
Rowlandson, Thomas IV 82
Rubens, Peter Paul I 21, 26, 193; III 30, 78, 96, 155, 162, 175, 176, 177, 183–197, 200, 204, 212, 222, 234, 239, 242, 246, *141*, *143*, *146*, *147*, *148*, *149*, *152*; IV 6, 7, 8, 9, 74, 75, 77, 78, 79, 91, 94, 104

162

Rublow, Andriej I23; II153-158, 161, *132*; III126
Rude, François IV79, 80, 135, *62*
Ruffo, Marco II158
Rukmini II*43*
Runge, Philipp Otto IV45
Ruskin, John I16; IV89
Ruysdael Jakob van III217, 222, 223, *162*
Ryszard II III125

Saadi II47, 48
Saba, królowa III33, *29*
Sabinki IV*34*
Safawidzi II60
Safona I107, 179; II116; III97
Saint-Aubin, Gabriel de IV29, *9*
Saint-Simon, Claude-Henri de Rouvroy de 131, 66; IV62
Samson III204
Sánchez, Coello Alonso III175
Sánchez, Francisco III160
Sangallo, Guiliano da III39, 43, 72, *28*
Sanherib I63, 66
Sanmicheli, Michele III71
Sansovino, Jacopo III71, 129, 130, *99*
Santis, Francesco de III*104*
Sargon I Wielki I56, 63
Sargon II, król Asyrii I63, 64, 65
Sarti, A. I*171*
Saskia zob. Uylenburgh
Saul III110, 215, *83*, *172*
Savonarola, Girolamo III39, 41, 50
Schadow, Gottfried IV52
Scheffer, Ary IV84
Scherenberg, Rudolf von III98
Schiller, Friedrich IV38, 45, 50, 51
Schinkel, Karl Friedrich IV53, 57, 58, 68, *38*, *54*
Schlegel I198; IV67
Schlüter, Andreas III156
Schongauer, Martin III98, 103
Schubert, Franz IV67
Schumann, Robert IV67
Schwind, Moritz von IV89
Scipio III235

Scorel, Jan van III91
Scott, sir Walter IV63, 75
Scribe, Augustin-Eugène IV81
Sebastian, święty III38, 51, 68, 162, 166, 187, 226, 227
Seghers, Hercules III203, 204, 209, 217, 222, *157*
Ségur, hrabia de IV11
Sei Shonagon II70
Semper, Gottfried IV115
Seneka Młodszy, Lucius Annaeus Seneca I181, 184, 191
Senmut I*70*
Senonnes, Madame de IV55
Senuseret III I85, *59*
Septim Sewer I192
Serapis I194
Sergiusz II153, 154, 156, *146*
Sériziat, Madame IV49
Serlio, Sebastiano III114, 117, 118, 119
Servandoni, Giovanni Niccolo IV19, 39
Sesshū II85, *72*
Seurat, Georges IV138, *122*
Sévigné, Marie de Rabutin-Chantal de III224, 240, 251
Sforza, Lodovico il Moro III48
Shelley, Percy Bysshe IV59, 62, 69
Sierow, Walentin A. IV134
Sia-Kuej II79, *68*
Signorelli, Luca III35
Siloe, Gil de III163
Silvestre, Théophile IV76
Sinan II35
Sinuhet I84
Sisley, Alfred IV128, 130, 138, *106*
Siwa I162, 63, 67, 68, *52*
Six, Jan III210
Skopas I152, 153, 154, 155, 158, 159, 170, *134*, *135*; III 157
Slevogt, Max IV134
Sluter, Klaus II*126*; III77, 78, 123, *60*
Snayers, Peter III193, 194, 195, *150*
Snyders, Frans III192
Sofiści I149

Sofokles I124, 138, 141; II28
Sokrates I111, 126, 148, 149, 166; III59, 157
Solana, markiza de IV*52*
Solari, Pietro Antonio II158
Solon I105, 146
Sorel, Agnes III110
Soufflot, Jacques-Germain IV 40, 41, 42, 47, 117, *26*
Specchi, Alessandro III*104*
Spinola, Ambrogio, kondotier wł. III177
Spinoza, Benedictus III198, 199, 209, 211, 251
Spitzweg, Carl IV89, 91
Stäel-Holstein, Anne-Louise-Germaine de IV72
Stasow, Wasilij P. I14, 7; IV57
Steen, Jan III217, 219
Stefan (Szczepan), święty III 109, 166, *82*
Stendhal, właśc. Marie-Henri Beyle I26; III128; IV55, 62, 74, 81, 88, 94, 96
Sterne, Laurence IV23
Stoffels, Hendrickje III206, 210, 214
Stoicy I149; III15
Stwosz, Wit III98
Suffren, Bailli de IV26
Sugeriusz, opat II127, 136
Surikow, Wasilij I. II160; IV111, 112, *90*, *91*
Swetoniusz I191
Sykstus IV, papież III35, 42, 60
Symforian, święty IV56
Szapur, władca pers. II30
Szekspir, Shakespeare William I 27, 29; II60, 123; III66, 124, 125, 136, 169, 183, 188, 189, 206; IV36, 77, 94
Szyszkin, Iwan IV111

Tacyt, Publius Cornelius Tacitus I172, 174; III107
Tagore, Rabindranath II52
Taine, Hippolyte III15; IV60, 94, 118
Tamara, królowa Gruzji II144
Tankred III235, *185*
Tartarin de Tarascon I66

Tassaert, Octave IV 85
Tasso Torquato III 127, 144; IV 76
Tatton, Miss Catherin IV 22
Telefanes 170
Telemach I 103
Teniers, David (mł.) III 196; IV 24
Teodora, cesarzowa bizant. II 18, 19, *1*
Teodoryk Wielki, król Ostrogotów II 94
Teofan Grek II 27, 150-154, *141*
Teofiliusz II 100
Teofrast I 163
Teokryt I 148
Teresa, święta III 153, 157, 160, 165, 209, *115*, *116*
Tetyda I 119
Tezeusz I 59, 157, *130*
Theotocopuli, Domenico, zob. Greco El
Thomson, James IV 69
Thoré-Bürger IV 134
Thorpe, John III 125
Thorwaldsen, Bertel 126; IV 39, 52
Ti 155
Tiburtinus, Loreius I *153*
Tieck, Ludwig IV 67
Tiepolo, Giovanni Battista IV 30, 63, 66
Tiglatpileser, król Asyrii I 63
Timantes I 156
Timotheos I 153
Timur II 35
Timurydzi II 35, 48
Tin Sze-czow II 60
Tintoretto, właśc. Jacopo Robusti III 130-134, 136, 165, 167, 187, 210, *96*, *98*
Tirso de Molina III 169
Tobiasz III 208, 209
Toledo, Juan de III 164, *120*
Tołstoj, Lew Nikołajewicz I 27; III 132; IV 17, 62, 110, 113, 137, 147
Tomasz, apostoł III 47, 138, 204
Tomasz z Akwinu II 118; III 172, 173
Totmes I 94, *66*, *67*

Toulouse-Lautrec, Henri de IV 137, 138, *113*
Trajan I 183, 184, 190, 192, *175*
Troilus II 119; III 124, 207
Troyon, Constant IV 98
Trubieckoj, Pawieł 110; IV 137, *112*
Tuby, Jean-Baptiste III *200*
Tukidydes I 190
Tura, Cósimo III 36, 37
Turgieniew, Iwan S. IV 94, 98, 111
Turgot, Anne Robert IV 42
Turner, William IV 72, 103, 132
Tutanchamon I 93
Tycjan, właśc. Tiziano Vecellio I 169; III 43, 65-70, 73, 75, 128, 130, 131, 132, 162, 165, 166, 167, 175, 176, 178, 180, 184, 187, 188, 192, 212, 233, 234, 235, *55*, *56*, *57*; IV 49, 75, 76, 77, 101, 131
Tymoteusz, święty III 84
Tyrteusz I 108
Tytus I 184, 190, *168*

Uberti, Farinata degli III 8
Uccello, Paolo III 19
Urban VIII, papież III 152, 154
Urszula, święta III 38
Urukagina z Lagasz I 56
Urussowa, księżna IV 112
Userhat I *74*
Uta (Naumburg) II 132, 137, *123*
Utamaro, Kitagawa II 86, *77*
Uylenburgh, Saskia von III 204, 206
Uzzano, Niccolo da III 22

Valla Lorenzo III 6
Vasari, Giorgio II 161; III 42, 48, 49, 134
Vauban, Sébastian III 247
Vega, Lope de III 169
Velazquez, Diego Rodriguez de Silva y I 21, 24, 32, 190; III 84, 155, 162, 168, 170, 171, 173-183, 185, 187, 191, 192, 193, 196, 200, 201, 210, 212, 220, 227, 228, 238, *132*, *133*,

134, 135, 137, 138, 139, 140; IV 8, 9, 28, 63, 64, 74, 87, 121, 122, 129, 130, 131, 134
Veneziano, Domenico III 19
Verdi, Giuseppe IV 106
Verlaine, Paul IV 120, 127, 128
Vermeer van Delft I 94; III 217, 220, 221, 223, *177*, *178*; IV 70, 132, 134
Vernet, Horace IV 81
Veronese, właśc. Paolo Caliari III 70, 71, 73, 131, 187, *30*, *52*; IV 75
Verrocchio, Andrea III 39, 44, 57, *16*
Vetti, rodzina I *161*, *162*
Vico, Giovanni Battista I 12, 25; II 115
Vien, Joseph-Marie IV 39, 48
Vignola, właśc. Giacomo Barozzi da III 132, 133, 134, 135, 142, 164, *100*
Vigny, Alfred de IV 59
Violett-le-Duc, Eugène-Emmanuel II 124; IV 117
Vivaldi, Antonio III 93
Vouet, Simon III 232; IV 80
Vyd, Jadocus III 82, 84, 88

Wackenroder, Wilhelm Heinrich IV 67
Wagner, Richard IV 61, 103
Wailly, Charles de IV 52
Waldmüller, Ferdinand IV 107
Walerian, cesarz rzym. II 30
Walpole, Horace IV 68
Wang Wej II 78, 79
Wasilew, Nikołaj IV 111
Wasiti II *22*
Waszyngton, Washington, George IV 26
Watteau, Antoine III 197; IV 6, 7, 8, 9, 17, 19, 20, 24, 129, *1*, *2*, *3*
Wawrzyniec, święty III 68, 164, 172
Weber, Carl Maria von IV 67
Wej, dynastia II *63*
Wenecjanow, Aleksy G. IV 57, 58, *45*
Wenus 141, 169, *144*; II 67; III

40, 173, 188, 206, *26*; IV 18
Wereszczagin, Wasilij IV 111
Werff, Adriaen van der III 223
Wergili, Wergiliusz I 175, 177, 179, 194
Werter IV 20, 38
Werthraghna II 32
Wespazjan, Titus Flavius Vespasianus I 191, 192
Weyden, Roger van der III 85, 86, 87, 88, 89, *63, 64*
Whistler, James I 24; IV 133, *97*
Wiclef, John III 76
Wilamowitz-Moellendorff Ulrich von I 109
Wilson, Richard IV 69
Wincenty z Beauvais II 127
Winckelmann, Johann Joachim I 141, 152; IV 37, 38, 39, 48, 51
Wisznu II 62, 64, 67
Witeliusz I 191, 192, *176*
Witruwiusz I 10, 111, 177; III 71, 118, 119, 133; IV 47
Witte, Emanuel de III 217, 221, *161*
Witz, Konrad II 196
Wolter, Voltaire, właśc. François-Marie Arouet III 239, 240; IV 10, 11, 17, 25, 27, 29, 36, 37, 72, 79, 80, 108, *13*
Wölfflin, Heinrich III 73, 103
Wolfram von Eschenbach II 131, 134
Wood, John IV 31
Wordsworth, William IV 69, 70
Woronichin, Andrzej IV 57, *44*
Wouwerman, Philips III 217
Wren, sir Christopher IV 31
Wrubel, Michaił A. II 160; IV 147, *125*
Wu II 60

Ximenes de Cisneros, kardynał III *121*

Zachariasz III 78
Zacharow, Andrejan D. IV 57, *46*
Zaratustra I 71
Zeuksis I 156
Zeus I 106, 110, 127, 128, 139,
152, *94, 142*; II 23, 113; III 68; IV 33
Zoë, cesarzowa II 21
Zola, Èmile IV 93, 95, 99, 118, 133, 143
Zorn, Anders IV 134
Zurbarán, Francisco III 171, 172, 173, 178, 181, *129, 130, 131*; IV 21, 102
Zuzanna III 140, 186, 194, 226

INDEKS RZECZOWY

Abbéville II 95
Adżanta II 61, *45*
Afai świątynia na Eginie I 109, 125, 126
Agra II 35
Agrygent I 109
Aix III 239; IV 143, 144
Akwizgran II 33, 94
Albi II 137
Alcala de Henares III *121*
Aleksander Macedoński, mozaika, zob. Neapol
Aleksandria I 149, 159, 160
Algier IV 77
Alhambra, zob. Granada
Alkazar I 142
Alpirsbach II 88
Altamira I 42, 43, *11, 12*
Amarna, grobowiec I 93
– stele I 92
– styl I 93, 94, 95, *66, 67, 68*
Amboise, zamek III 112
Amfiteatr, zob. Orange
Amiens, katedra II 121, 122, 126, 127, 130, 136, 137, 138, 139, 149, *115, 119*
Amsterdam III 204, 205, 209, 212, 215, 217
– getto III 205
– ratusz III 203
– Rijksmuseum III 205, *176, 177*
– Stedelijk Museum IV 121
Amona świątynia I *49, 61, 62*
Ancy-le-Franc, zamek III 117, 119
Andernach II *91*
Andronikowski klasztor II 153
Anet, zamek III 116, 121
Angkor-Vat II 62
Antikythera I *147*
Antiochia, mozaika I 170
Antwerpia III 85, 86, 89, 91, 110, 183, 195
– katedra III 185, 186
– muzeum III 187, 193, *63*; IV 123
Anu-Adada, świątynia I 64
Apokalipsa II 78; III 82, 83

Apoksyomenos I 154, 155
Ara Pacis I 179, 180, 182, *163*; II 24
Arabeska III 188
Arc de Triomphe, zob. Paryż
Arezzo, S. Francesco III 33, *29*
- Sta Maria delle Grazie III 26, 27, 39, *11*
Argos I 108, 155
Arles II 107, 113, *102*; IV 139, 140, 142, *117*
Arminianie III 199
Artemidy, świątynia w Efezie I 108, 169
Aschaffenburg III 105
Assos I 115
Assur I 64
Asyż I 199; III 11
Ateny I 24, 129, 138, 144, 146, 148, 150, 171; III 41, 59
- Akropol I 27, 125, 127, 134, 135, 136, 137, 141, 144, 145, 150, 163, 171, 183, 184, *91*, *92*, *116*, *117*, *118*, *126*, *127*, *128*
- - Erechtejon I 135, 136, 144, 145, 146, *126*, *127*, *128*; II 24, 114
- - Partenon I 26, 90, 135, 136, 137, 139, 140, 141, 144, 145, 159, 180, *117*, *119*, *122*
- - Propyleje I 135, 136, *118*
- - świątynia Nike I 135, 136, 141, 159, 163
- grobowiec Lizykratesa I 159, 177
- kościół Kaisarini pod Atenami II 22, *12*
- Muzeum Narodowe I 79, *82*, *90*, *95*, *104*, *105*, *111*, *123*, *124*, *135*, *147*, *150*
- Tezejon I 109, 113
Ateny świątynia, zob. Pergamon
Augsburg II 133; III 98, 99, 104, 106
Autun II 112, 113, 114, *98*, *99*
Avila II *108*
Awinion III 109, 162
Azay-le-Rideau, zamek III 112, 117, 119

Baalbek I 170, 195
Babilon, świątynia Isztar I 64, *44*
Bagdad, szkoła II 33, 35, 48
Balkuwara II 41
Balleroy, pałac III 230, *181*
Baltimore I 81
Bamberg II 96, 137, 139, *81*
- pomnik jeźdźca II 137
Baptysterium III 16, 31, 7, 12
Barberini, Palazzo III 110
Barbizon, barbizończycy I 26; III 223; IV 96, 97, 98, 99, 100, 108, 126, 127
Barcelona III *123*
Bargello, zob. Florencja
Bassai I 142
Bath IV 7
Bayeux II 111, *96*, *97*
Bayonne IV *41*
Bazyleja III 96, 106, 108, *75*, *76*
Bazylika I 21; II 140; III 26, 55
Beauvais, katedra II 136
Belvedere, Rzym III 57, 60
Belvoir Castle III 235
Beni Hasan I 85, 86
Beninu kultura I 51, *22*
Berlin IV 7, 109, 113
- Nowy Odwach IV 53, 57, 68, *38*
- Reichstag IV 115
- zamek III 156
- Museum Dahlem III 210, *67*, *68*, *82*, *97*, *145*, *149*, *153*, *156*, *158*, *159*, *164*, *178*; IV 9
- Staatliche Museum I 108, *1*, *18*, *31*, *66-70*, *125*, *141-143*, *177*, *182*; II *32*, *33*, *112*, *124*; III *71*; IV *82*, *95*
- kolekcja Kappel III 210
- d. zbiory Weisbacha III *147*
Bernwarda drzwi w Hildesheimie II 107
Bharhut II 56, 57, 59, 67, *41*, *42*
Bizancjum III 6, 37, 42, 66, 82
  zob. też Konstantynopol
Blois, zamek III 112, 113, *85*
Bocherville II 106
Boghazköj I 62
Bojana II 145
Bolonia III 31, 104, 139, 140

Borobudur II 60, 62, 64, 67, 68, *50*
Boston, Museum of Fine Arts I 133; II *53*, *61*; IV 138
Bourges II 133, 136, 139; III 111
Breda III 177, 178, *138*
Brema I 26
Brno I *14*, *15*
Bruksela I 20, *32*, *71*; II *59*; III 88; IV 115, *33*, *87*, *122*
Brunszwik II 106
Buchara II *30*
Burgos II 138; III 161
Burgundia III 77, 78

Caen II 109
Calais, Mieszczanie z IV 136, *110*
Cambridge III *94*; IV *71*
Camera obscura III 220
Capella dell Arena zob. Padwa
Caprarola pod Viterbo, zamek III 132, 133, 164
Carrara III 52
Carycyn IV 35
Casa de dos Aguas III 182
Caserta, pałac III 250
Cassone III 19
Castelseprio, kościół pod Mediolanem II 16, 19, 151, *9*
Cefalu, kościół II 23
Centaury I 106, 107, 127, 139, 143
Chambord, zamek III 112
Chantilly IV 55, *42*
- Châtelet III 121, *86*; IV 12
Chartres, katedra I 30; II 112, 114, 119, 128, 130, 133, 134, 136, 139, *94*, *105-107*, *113*
Chaux IV 46, 47
Chenonceaux, zamek III 112, 113, *88*, *89*
Chichen Itza, świątynia I 24
Chios I 152, *133*; II 23; IV 72, 76, *58*
Chiusi I 173
Chorsabad I 63, 64, 66
Churrigueryzm III 182
Clermont-Ferrand II 106
Cluny II 106
Colmar III *74*

Conques, klasztor Sainte-Foy II
102
Corasac I 13
Corneto I 173
Courbevoie IV 122
Cromlechy I 45, 46, 78
Cyborium I 12
Cyklopi I 100
Cyryla Białozerskiego klasztor II
159, 160, 149
Czajtia II 57, 58, 65
Czifte-Minare, meczet II 27
Czou epoka II 70, 81

Dafni II 23, 28, 13, 14
Dagerotypy IV 104
Damaszek II 35
Deczany II 145, 135
Dejr el-Bahari I 87, 88, 91; II 74
Delft III 217, 220, 221, 177
Delfy I 114, 117, 125, 147, 86,
102, 103, 139
Delhi II 35
Delos I 162
Diadumenos I 133, 144
Didymaion, Milet I 159
Dijon II 126; III 78, 81, 60
Dinkelsbühl II 139; III 96
Diorama IV 61
Djakowo II 158
Dolmeny I 45, 46
Doryforos I 133, 154
Dożów pałac, zob. Wenecja
Drezno
- Opera IV 115
- Staatliche Kunstsammlungen
I 30, 2, 134; II 63, 73; III 61,
83, 139, 170, 171, 194, 204,
206, 222, 234, 238, 30, 46,
51, 58, 189; IV 7, 25, 30, 125,
1, 102
- Madonna Sykstyńska III 60,
61, 46
- Staatliches Museum für Völ-
kerkunde I 19, 22
- Zwinger IV 29, 15
Drzeworyt III 75, 97, 99, 100,
101, 107; IV 83, 84, 85, 108
Dura Europos I 195
Durham II 107
Düsseldorf III 223; IV 107, 112

Dyskobol I 115, 114
Dżwari, kościół II 144

Ecouen, zamek III 118, 121
Eczmiadzyn II 144, 133
Edda II 93
Efez II 10, 16
Egina I 109
Egmont, wieś III 222, 162
Eiffla, wieża IV 86
Eisenach II 100
Elefanta II 67, 68
Eleusis I 98
El-Obed I 55
Elura II 67, 52
Ely II 107
Epernay II 85
Epidauros I 137
Erechtejon, zob. Ateny
Erlangen III 99
Ermitaż, zob. Leningrad
Erywań II 144
Eskurial, zob. Madryt
Ewangeliarz II 93, 95
Eylau IV 73

Faistos I 98
Fajum I 167, 168, 195, 150; II 80
Ferrara III 36
Firusabad II 30
Florencja I 94; III 7, 14, 16, 23,
27, 28, 30, 31, 32, 35, 37, 38,
39, 40, 48, 50, 51, 57, 62, 75,
112, 127, 129, 130, 141, 146
- Baptysterium III 16, 31, 7, 12
- Bargello III 17, 22, 13, 15
- Galleria dell Accademia I 4;
III 51, 49, 50
- kaplica Brancaccich III 17, 18,
5
- kaplica Medyceuszów I 22,
67; III 48
- kaplica Pazzich III 23, 24, 27,
29, 8
- katedra III 21, 22, 23
- Museo Archeologico I 57, 65,
97
- Muzeum Katedralne III 22
- ogrody Boboli III 145, 146
- Or San Michele III 21
- Palazzo Ducale III 35

- - Medici-Riccardi III 27, 28,
9
- - Pitti III 28, 67, 140, 146,
194, 56
- - Riccardi III 32
- - Rucellai III 26, 27, 28
- - Strozzi III 26, 28, 39, 19
- - Vecchio III 50, 63, 130
- Pałac Uffizi (galeria) III 10,
41, 44, 128, 134, 239, 3, 24,
26, 45, 66
- Piazza della Signoria III 22, 50
- przytułek dla dzieci III 23
- S. Lorenzo III 22
- S. Marco, klasztor III 10
- S. Miniato II 108
- Sta Croce III 10, 22, 23
- Sta Felicità III 129
- Sta Maria Novella II 138, 116;
III 18, 40
- Santo Spirito III 26
- Villa della Gallina III 27
- Villa di Poggio a Caiano III
128, 129, 102
Fokida, kościół Hosios Lukas II
23
Fontainebleau, zamek III 112,
114, 115, 116, 119, 234, 248;
IV 53, 106
Font-de-Gaume I 42, 10
Fortuna Virilis, świątynia I 177,
169
Fotografia I 19
Francuska szkoła III 93
Frankfurt nad Menem I 131; III
81, 97, 204; IV 122
Fryburg, katedra II 137, 139

Gajane, kościół II 144, 148, 133
Galerie des Glaces III 244
Gandawa III 61
- kościół św. Bawona III 61
Gandawski ołtarz III 81, 82, 83,
87, 88, 61
Gandhara II 55, 58, 68
Gdańsk II 139
Genua III 160, 194
Gernrode II 96
Getto, zob. Amsterdam
Gilgamesz, epos I 54, 57, 59, 64,
67, 125, 32; II 94

Giza 172, 78, 80, *46, 47, 48, 51, 52*
Glasgow IV*97*
Gmünd II139
Graczanica II145
Granada, Alhambra 132; II36, 42, 43, 124, *29, 31*; III161, 163, 182
Granowitaja pałata, zob. Moskwa, Kreml
Grobowce, nagrobki III23, 27, 28, 51, 62, 78, 84, 99, 117, 152, 153, 165
Grusino 114, *7*

Haarlem III88, 195, 200, 202, 203, 217, *154*
Hadriana willa, zob. Tivoli
Haga III205, 209, *155, 172*
Hagia Sophia, zob. Konstantynopol
Halikarnas 190, 153, 154, 158, *136, 137*
Hamburg II*129*; IV*61*
Han epoka II82
Hanzeatyckie miasta II139, 147
Harappa II52
Heidelberg III120
Heraklion 1*77, 78*
Herat II48
Herkulanum I157, 178, *130*; IV 37
Herrenchiemsee IV115
Hery świątynia, zob. Olimpia
Hetyci 156, 62, 102
Hildebrandslied II93
Hildesheim II107, *95*

Ikonostas II*145*
Ikony, malarstwo ikonowe II*143-147, 151*; III165; IV90, 147
Ile-de-France II107; III6
Iliada I102
Innsbruck III99
Isenheim, ołtarz III105, *74*
Isfahan II39, 48
Isidorusa dekretały III16
Issoire II107, *90*
Isztar świątynia, zob. Babilon

Iwan Wielki, wieża, zob. Moskwa, Kreml

Jakszi II56
Jang-szao II59
Jawa II*46, 50, 54*
Jerozolima I190; II35, 54, 95, 111; III89, 235
Jezuicki kościół III135, 142, 155, 164, 196, 223
Jüan epoka II81
Juliów mauzoleum, zob. St. Rémy
Jüngkang II72

Kajlasanatha II*52*
Kair, groby kalifów II35, 39, 40, 41, 44
- moszea II39
- muzeum I73, *50, 52-54, 56, 59*
Kakemono II86
Kalkuta II*41, 42*
Kalwiniści III199
Kamakura II83
Karelia I41
Karla II57, *44*
Karmir-Blur pod Erywaniem II 144
Karnak I88, 89, *49, 60, 61, 62*
Karykatura III99, 154, 225; IV 46, 65, 82, 123
Kassel III206, 210
Kasyci I56
Katakumby, zob. Rzym
Katalonia III161
Keddleston, pałac IV32
Kefisos I140
Kerameikos I135
Khadżuraho II64, 65, *47*
Kijów II146
- muzeum II18, *7, 145*
- sobór św. Zofii II148, 158
Kinkaku II84
Kioto II83, 84
Klosterneuburg II114, *103*
Knidos I152
Knossos I98, 99, *76, 78*
Kolonia
-katedra II119, 126, 137
-kościół Św. Apostołów II107

- - św. Jerzego II*100*
- Schnütgen-Museum II*84, 100*
- Wallraf-Richartz-Museum III 173
Koloseum, zob. Rzym
Kołomienskoje II158, 159, *150*
Konstantynopol II9, 10, 24, 26, 94; III6, 37, 38, 42; IV76
- Hagia Sophia I199; II12, 13, 14, 15, 16, 17, 22, 23, 28, 31, 35, 38, 120, 121, *4, 6*; III56
- Kachrije-djami II26, 27, *19*
- kościół Św. Sergiusza i Bachusa II13, 16
- Muchliotissa II26
- Muzeum Ottomańskie II*16*
- Nowa Bazylika Bazileusa II 21, 22
- wielki pałac II10
Kopenhaga I48; II60, *36, 46*; III191, 235
Kordoba II33, 34, 35, 36, 37, 38, 43, *24*; III27
Kraków III98; IV*68*
Krefeld II*76*
Kreml, zob. Moskwa
Ktesifon II30, 31
Kujundżyk I61, 62, 66, 68, 70, *38, 39*; II31
Kuros I113, 116, 117, *90*
Kusejr Amra II41
Kymation I146
Kyrene I155, *140*

La Frata pod Rovigo III72
La Muette, zamek III117, 119
Lascaux I42, *9*
Laserunki III190
Le Mans II136, *104*
Leningrad III250; IV34, 112
- Admiralicja I27; IV57, *46*
- Biblioteka Publiczna II150, *139*
- Ermitaż I5, *152, 181*; II*23, 79, 80*; III44, 122, 166, 172, 177, 186, 188, 190, 204, 206, 210, 215, 236, 237, *31, 129, 141, 160, 166, 185, 186, 187*; IV9, 25, 27, 28, 127, *3, 104*
- Instytut Górniczy IV57, *44*

- Muzeum Rosyjskie II *144*; IV
  111, *24, 43, 112*
- pałac Zimowy IV 35
- pomnik Piotra I III *184*
- sobór Kazański IV 57
Leon II 138
Leyda II *54*; III 217
Lille IV 101
Lipsk I *51*; IV 110
Litografia IV 74, 82, 84, 86
Lizbona III *152*
Lizykratesa grobowiec, zob. Ateny
Londyn
- British Museum I 26, 66, 140,
  *27, 45, 69, 83, 120-122, 136,
  137*; II *10, 56*; IV *2*
- Courtauld Institute of Arts IV
  115
- kościół Saint-Martin in the
  Fields I 14, *8*
- National Gallery III 46, 66, 84,
  88, 129, *25, 69, 101, 148,
  182*; IV 33, *56*
- Pałac Kryształowy IV 117
- Parlament IV 68
- Wallace Collection IV 27
- Whitehall III 125, 164, *95*
Lonedo III 73
Loreto III 35
Lourdes I 36
Louvain III 88, 89, *59, 65*
Lubeka II 139
Ludovisi tron I 129, 141, *107*
Luksor I 88, 89
Lungmen II 72
Luwr, zob. Paryż
Lyon IV *32*

Łuk triumfalny IV 80

Madryt III 164, 171, 173
- Eskurial III 164, 165, 166,
  242, *120, 122*
- Prado III 67, 90, 174, 176,
  180, *64, 78, 125, 126, 132,
  133, 135, 137, 138, 139, 151*;
  IV 64
- S. Antonio de la Florida IV 63,
  49
Madura II 64, 69

Magdeburg II 110
Mahabharata II 54, 62
Maisons-Laffitte, pałac III 231,
  242
Maj-ci-szan II 73
Majów świątynia I 52
Malmaison IV 53
Mamallapuram, Zejście Gangesu, płaskorzeźba II 63, *48*
Mantua III 36, 37
Marburg, kościół św. Elżbiety II
  137
Maria Laach II 107, *91*
Maser III 71
Mauzoleum III 6, 62
Mcchet II 144, *134*
Medamud I 59
Mediolan III 44, 46, 54, 64
- Ambrosiana III 138
- Brera III 37, *43*
- Sant' Ambrogio II 108, 119
- Santa Maria delle Grazie III
  46, 54, *11, 32*
- Sta Maria presso S. Satiro III
  54, *34*
Medresa II 39
- Urug Bega II *26*
Medum I 76, 83, 92, *56*
Megaron I 101
Meir I 85
Meksyk I 51, 52, *23*; IV 113
Melk, klasztor III 155, *106*
Mellon, D. C., Collection III *44*
Memfis I 73, 91, 92
Menhiry I 45, 46, *13*
Mennonici III 199, 208
Mihrab II 38, 39
Mikronezja I *21*
Milet I 159, 160, 161, 162, 170,
  141
Milo (Melos) I *144*
Minai, technika II *32*
Ming, epoka II 81, 82, *73*
Miniatura, malarstwo miniaturowe III 6, 13, 75, 78, 79, 80,
  90, 109
Misteria III 77
Mistre II 26
Modena II *109, 110*
Moguncja II 107, *89*; III 105
Mohendżo-Daro II 52

Moissac II 112
Monachium IV 113, 114
- Bayerisches Nationalmuseum
  II *81*
- Biblioteka Narodowa II *39, 86*
- Ewangeliarz Ottona III II 97
- Museum für antike Kleinkunst I *75*
- Nowa Pinakoteka
- - obrazy IV 110, *72, 89*
- Nymphenburg IV 13, *48*
- Staatliche Antikensammlungen I 99, *101, 129, 146, 183*
- Stara Pinakoteka IV 68
- - obrazy III 69, 100, 104,
  191, 194, 204, 235, *57, 72,
  127, 143, 150, 165*
- zamek IV 68
Monreale II 23
Mont Ste-Victoire IV *115*
Monte Cassino I 99
Morella la Villa, Hiszpania I 42
Moskwa II 146, 150, 153, 154,
  155, 156, 157, 159
- cerkiew Wasyla Błażennego
  (Basiliosa) II 158
- Galeria Tretiakowska II 21,
  132, 138, 143, 146, 147, 151;
  IV *21, 45, 73, 74, 75, 90, 91,
  92, 93, 124, 125* –
- Kreml II 146, 147, 158, 159,
  161, *148*; IV 35
- - cerkiew Rizpołożenje II
  158
- - Granowitaja pałata II 158
- - Iwan Wielki, wieża II 158
- - sobory II 158; III 126
- - sobór Archangielski (Michała Archanioła) II 158
- - sobór Błagowieszczeński
  (Zwiastowania) II 158
- - sobór Uspieński (Koimesis) II 158
- Muzeum Historyczne II 20
- Muzeum Puszkina I *64, 73*; III
  142, 161, 162, 163, 174; IV
  106, *11, 13, 28, 53, 63, 64, 84,
  103, 105, 106, 108, 114, 116,
  117*
- Pałac Paszkowa, obecnie Biblioteka im. Lenina IV *20*

- Zbrojownia II 15
Moulins III 109
Mszatta II 36, 41
Muchliotissa, zob. Konstantynopol
Mumine Chatum II 40, 41, 51, 28
Mykeny I 102, 104

Nachiczewan II 40, 41, 28
Nancy III 224, 225; IV 13
Nankin II 82
Nantes III 115
Nara II 84
Naumburg, katedra II 131, 132, 139, 152, 121, 123
Nazareńczycy IV 68, 69, 90
Nea Moni, kościół na wyspie Chios I 152
Neapol III 67, 75, 136
- Muzeo Nationale I 169, 130, 148, 158, 165, 178; III 77
- Stacja Zoologiczna IV 110
- Zatoka Neapolitańska IV 75
Nelsona styl IV 53
Netsuke II 88
Nicea, obecnie Iznik II 17, 18, 19, 20, 8
Nike świątynia, zob. Ateny, Akropol
Nîmes, Maison carrée I 177
- Nymfajon I 177
- Pont du Gard I 182, 166
Nimrud I 64, 66
Niniwa, zob. Kujundżyk
Nokhas II 43
Norymberga II 139, 149, 117; III 98, 99
Nowogród I 143; II 146, 148, 149, 155, 157
- cerkiew Spasa Prieobrażenija (Przemienienia Pańskiego) II 151
- drzwi z brązu z Magdeburga II 110
- freski Andrzeja Rublowa II 153
- freski Teofana Greka II 151
Nowy Jork, muzea i kolekcje I 142, 141; III 168, 204, 128, 136, 188; IV 98

Nymphenburg, zob. Monachium

Obrazoburcy I 149
Oksford II 118; IV 31, 18
Olimpia I 117, 127; II 114
- muzeum I 94, 106, 131
- świątynia Apolla I 109, 113
- świątynia Hery I 109, 111, 114, 85
- świątynia Zeusa I 109, 114, 126, 129
- - szczyty (przyczółki) i metopy I 26, 126, 127, 131, 140, 153, 154, 106, 112; IV 143
Omajjadów meczet, Damaszek II 35
Orange I 195, 180
Orcival II 106
Orléans IV 35
Ornans IV 101, 102
Orvieto, krater I 129, 130, 110
Oryniacki okres I 38
Ostenda IV 123
Ostia I 184
Ottawa IV 10

Padwa, Capella dell'Arena I 22; III 11, 12, 23, 37, 2
- pomnik Gattamelaty III 22
- kościół S. Antonio III 14
Paestum I 30, 110, 137, 84
- Bazylika, właśc. świątynia Hery I 109, 113, 84
- świątynia Posejdona I 109, 113, 84, 87
Palmyra I 170, 195
Pałac Zimowy, zob. Leningrad
Panoptikum IV 61
Pan-pien, klasztor II 65
Pantanassa kościół, Mistre II 26
Panteon, zob. Paryż i Rzym
Pantokrator II 14
Paray-le-Monial II 106
Parma, katedra III 70
Partenon, zob. Ateny
Paryż II 139; III 77, 164, 250; IV 88, 113, 126
- Arc de Triomphe IV 52, 80, 37, 39
- Au bon marché (dom towarowy) IV 117

- Bibliothèque Nationale II 17, 22, 78, 127; III 83; IV 26
- Biblioteka Ste Geneviève IV 116
- brama St. Denis III 247; IV 52
- Comédie Française III 187
- École Militaire IV 41, 117
- Fontaine des Innocents III 115, 120, 92
- Gare du Nord IV 117
- Giełda IV 52
- hale targowe IV 117
- Hôtel de Chaulnes IV 43
- - de Cluny III 111, 84
- - des Invalides III 247
- - de Matignon IV 12
- - de Rohan IV 12
- - de Soubise IV 13, 4
- - de Toulouse IV 13
- kościoły:
- - Invalides III 247; IV 40
- - Notre-Dame II 126, 129, 135
- - Sorbony III 229; IV 105
- - Ste Chapelle II 133
- - Ste Geneviève IV 41
- - St Gervais III 229
- - Ste Madeleine IV 39, 52
- - St Sulpice IV 13, 19, 79
- muzea:
- - Galerie du Jeu de Paume IV 96, 119, 126
- - Luwr (dot. pałacu): III 119, 120, 121, 125, 162, 229, 247, 248, 249; IV 40, 59
- - - dzieła: I 79, 81, 133, 169, 170, 171, 3, 28-30, 33-41, 72, 80, 88, 89, 111, 112, 115, 119, 138, 144, 145, 155, 156, 173, 176; II 98; III 46, 48, 49, 51, 65, 67, 69, 84, 109, 115, 116, 139, 170, 171, 189, 193, 200, 205, 206, 209, 215, 226, 233-236, 241, 20, 22, 31, 33, 38, 39, 70, 113, 131, 146, 175, 184, 196, 198; IV 7, 8, 26, 27, 48, 49, 50, 55, 73, 76, 77, 99, 102, 121, 123, 124, 133, 138,

8, 25, 29, 34, 52, 55, 57, 58, 60, 67, 76, 77, 78
- - Musée de l'Homme I21
- - Musée de Luxembourg III 187, 229
- - Musée des Arts Décoratifs IV5, 6, 39, 40
- - Musée du Cluny III111
- - Musée Guimet I151; II49, 60
- - Musée Marmottan IV107
- - Musée Rodin IV109, 110, 111
- kol. Gołubiew II71
- kol. Landry III226
- kol. Rivier II69
- Opera IV115, 85
- Palais Bourbon IV39
- - Royal IV12
- - du Trocadéro IV115
- Panteon IV40, 41, 42, 105, 115, 26
- Petit Palais IV54
- Rotonde de la Vilette IV47, 36
- Théâtre Odéon IV52
- Tuileries III121; IV122
- ulice i place IV20, 39, 47, 30
- wieża Eiffla IV117, 86
Pawia III35, 113
Pawłowsk IV44
Pekin II74, 81, 82
Pergamon I160, 161, 170, 154
- świątynia Ateny I161, 154
Pergamoński ołtarz I26, 170, 142, 143
Persepolis I69, II30
Perspektywa III20, 31, 124; IV 140
Perugia III23
Peterborough II137
Petersburg, zob. Leningrad
Phylacopi I79
Pienza III28
Pieredwiżnicy IV111, 112, 118, 134
Pierrefonds II100, 101
Pietrodworec (Peterhof) IV35, 68, 54
Piramidy I24, 76, 77
- Chafre, Giza I47, 48

- Dżesera, Sakkara I76, 77
- Menkaure, Giza I76
Pismo obrazkowe I76
Pistoja III9
Piza, baptysterium II108, 111; III9, 14, 32
- katedra i krzywa wieża II108, 111
Plejada III114, 121
Poczdam, Sanssouci IV22, 29, 108, 16
Poggio a Caiano III39
Poitiers II106
Poitou II112
Pompeja I161, 178, 148; III26; IV37
- domy:
- - Fauna I178
- - i ogród Lorejusa Tiburtinusa I162, 178, 153
- - Pansy I178
- - Vettich I178, 161, 162
- Villa dei Misteri I157
Pompejański dom III26
Pokrowa cerkiew nad Nerlą II 148, 159
Porcelana
- Chiny IV17
- Frankenthal IV17
- Miśnia IV17
- Sèvres IV17
- Wedgwood IV38
Portinarich ołtarz III66
Prado, zob. Madryt
Praga II75, 125; IV79, 101
Prato III39, 28
Prerafaelici IV89
Priene I160, 162
Propyleje, zob. Ateny
Prowansja IV143
Psałterz
- Chludowa II25
- paryski II25
- św. Ludwika II135
- utrechcki II96, 97, 83
Psków II146, 150, 140
Pylony I60

Quedlinburg II102, 87

Ramajana II54, 62, 63

Rambouillet, pałac IV15
Rawenna, grobowiec Teodoryka Wielkiego II94
- mauzoleum Galli Placydii II 12, 3
- kościoły:
- - San Apollinare in Classe II2
- - San Apollinare Nuovo II8
- - San Vitale II15, 16, 17, 18, 20, 94, 95, 1, 5
Reformacja III76, 105
Regensburg III104
Reims II137, 139, 161
- katedra I26, 27; II126, 130, 131, 132, 133, 137, 138, 114, 122; III29, 42
Rennes III227, 230, 179
Riazań II146
Richelieu, pałac III242
Rijksmuseum, zob. Amsterdam
Rimini II26, 39, 17
Rinsen II83
Rodos I170
Rostock II139
Rotterdam III81, 168
Rouen III117; IV127
Rustyka III27, 56
Rzym I161, 181, 185, 189; II 100; III21, 25, 36, 43, 51, 54, 56, 58, 60, 64, 71, 112, 121, 128, 140, 141, 143, 148, 154, 155, 156
- Cancelleria III56, 120
- Forum Romanum I179, 183
- Forum Trajana I183, 184
- Galleria Doria Pamphili III 139, 134
- Katakumby Kaliksta I185
- Koloseum I90, 185, 186, 187, 195, 172; II94, 104; III26, 151
- kościoły
- - Capella del Sudario III151
- - Il Gesù III135, 149, 196
- - Kaplica Medyceuszów III 63, 131
- - Oratorio di S. Filippo Neri III149, 150, 107
- - S. Andrea al Quirinale III 148, 149, 150, 153, 103

– – S. Carlo alle Quattro Fontane III 150
– – S. Ignazio III 159
– – S. Isidoro IV 68
– – S. Ivo alla Sapienza III 150, *108, 109*
– – S. Luigi dei Francesi III 137, 138, *114*
– – S. Marcello al Corso III 151
– – S. Pietro in Montorio zob. Tampietto
– – S. Pietro in Vincoli III 51
– – Sta Cecilia in Trastevere III 153, *118*
– – Sta Costanza I 196, *179*; II 7, 12
– – Sta Maria Antiqua II 12
– – Sta Maria del Popolo III 138, *18*
– – Sta Maria della Pace III 56, 151, *37*
– – Sta Maria della Vittoria III *115, 116*
– – Sta Maria delle Carceri III 56
– – Sta Maria in Campitelli III 151
– – Sta Maria Maggiore II 12
– – Sta Maria sopra Minerva II 138; III 163
– – Sta Pudenziana II 8
– – Sta Trinità dei Monti III 143
– – SS. Vincenzo ed Anastasio III 151
– – Św. Piotra III 55, 56, 57, 59, 64, 142, 147, 148, 151, 153, 164, 247, *36, 105*; IV 40, 57
– – – kolumnada III 148, *105*
– łuk Konstantyna I 31, 191, 196
– łuk Sewera I 196
– łuk Tytusa I 184, 185, 196, *168*
– Museo Barracco I *113*
– – delle Terme I 160, *107, 114, 132, 140, 149, 157, 164*
– Palazzo Barberini III 143, 144, 149, 154, 235, *110*
– – Borghese III 143

– – Colonna III 140
– – dei Conservatori I *184*
– – di Venezia III 26
– – Farnese III 120, 139
– – Poli III 133
– – Vidoni III 56
– Panteon I 186, 187, 188, 196, 199, *171*; II 13, 14, 31, 125; III 55, 148; IV 47
–. piazza Barberini III *111*
– – Navona III 143
– – del Popolo III 143, 151
– – Trevi III 143
– pomnik Wiktora Emanuela IV 115
– Schody Hiszpańskie III 143, *104*
– Świątynia Fortuny Virilis I 177, *169*
– Tempietto III 54, 55, 56, 121, 148, 165, *35*
– Termy Karakalli I 187, 188
– Villa Aldobrandini III 144, *112*
– – Borghese III 66, *117*
– – Farnesina I 157, 180, *157, 164*
– – Medici III 178, *137*
– – di Papa Giulio III 133, 134, *100*
– Watykan I *160*; III 35, 40, 52, 54, 57, 58, 61, 128, 139, 147, 234, *21, 40, 57*
– – Aldobrandyńskie wesele I 157
– – Belvedere III 57, 60
– – Kaplica Sykstyńska I 30, 39; III 40, 52, 57, 59, 62, 63, 103, 128, 130, 178, *40, 41, 42*
– – Stanze III 35, 59, 60, 152, *47*

Saint-Benoît-sur-Loire II 104, 106, *92, 93*
Saint-Denis, opactwo II 99, 127; III 117; IV 51
– nagrobki III 6, 117, *91*
Saint-Savin II 111
Sakkara I 76, 79, 81, 83, *50, 54, 55*
Sala I 20

Salisbury II 137; IV *56*
Saloniki II 17, 20, *11*
Samarkanda II 35, 39, 40, 41, *25, 26*
Samarra II 35, 41
Samotraka I 170, *145*
Sankt Gallen II 102
Sanssouci, zob. Poczdam
Sańczi II 54, 55, 56, 67, 68, *40*
Seczuan II *61*
Selinunt I 109, 128
Sergiejewo, zob. Zagorsk
Sèvres IV 17, 41
Sewilla II 42; III 162, 170, 171, 172, 173, 174, 182
Sfinks I 74, 78, 82, *46*
Shin-den, typ ogrodu japońskiego II 83
Siena II 158; III 12, 13, 22, 31, 35
Sigmaringen II *124*
Sikhara II 64
Skarbiec Ateńczyków I 114
– Atreusa I 102, 186
– Syfnijczyków I 145
Smyrna I 160
Söderala II *82*
Solesmes III 118
Spira II 107
Stanze, zob. Rzym
Stonehenge I 46
Stowe IV 32
Strasburg, katedra I 90; II 126, 137, *120*; III 104
St. Rémy I 177
Studenica II 145
Stupa II 54–57, 64, 65, 68
Stuttgart IV *47*
Sung, epoka II 76, 79, 81
Suza I 54, 55, 70, *28, 41, 42*; II 30, 45
Suzdal II 108
Sweti-Czchoweli II 144
Sykstyńska Madonna zob. Drezno
Syrakuzy I 169, *96*
Szach-i Zinda II 34
Szamasza świątynia I 60
Szantung II 71, 73, *60*
Sziraz II 48
Szrirangam II 69

Sztokholm III 209, 215

Tahull III 161
Taj, góra II 74, *64*
Tak-e Bustan II 31
Tanagra, figurki I 26, 93, 164,
    155, 156; III 66; IV 44
T'ang, epoka I 26; II 71, 72, 73,
    74, 75, 79, 81
Tarkwinia I *100*
Tarnów, Muzeum diecezjalne II
    130
Tebriz II 48
Teby I 89, *45, 69, 74*
Tegea I 153, *135*
Teheran II *37*
Tello I 57, 60, *29, 30, 31, 34*
Tempietto, zob. Rzym
Teofania III 61
Tepe Gawra I 54
Thélème, opactwo III 119
Terapontowski klasztor II 156
Termy, zob. Rzym
Tezejon, zob. Ateny, Akropol
Timgad I 184
Tiryns I 100, 101, 109
Tivoli I 177, 188, 189, *170*; III
    144, 145, 238; IV 28, 87
Tokugawa, epoka II 83, *72*
Toledo III 165, 166, 168, *136*
Toruń II *118*
Toskania III 127, 128
Tournai IV 99
Tours III 109
Tra Kie II *49*
Trapezunt II *18*
Trewir I 195
Troicko-Siergiejewska Ławra II
    153, 154
Troja I 129
Tula de Allende I *25*
Tuluza II 106
Turyn I 159
Tytusa łuk, zob. Rzym

Umbria III 7, 35, 57
Ur I 61, 64

Urbino III 35, 53, 75
Utrecht II 95, *85*; III 83, 203,
    217
Uty II 84

Val de Grâce III 229
Valencja III 182, *170*
Vaux-le-Vicomte, pałac III 242
Vézelay II 112, *101*
Vicenza III 71, 72, 73, *53, 54*
Vich III *124*
Villa dei Misteri, zob. Pompeja
Viterbo III 133

Warszawa, Muzeum Narodowe
    II *131*
Waszyngton II 67; III *1, 44*; IV
    59, *22, 41*
Watykan zob. Rzym
Wenecja III 29, 34, 37, 42, 65,
    70, 71, 72, 73, 100, 104, 128;
    IV 30, 87, *63*
- Akademia III 38, 65, 69, 70,
    132, *52*
- Cà d'Oro III *98*
- Palazzo Labia IV 30
- pałac Dożów I 14; II 138; III
    27, 71, 131, *99*
- posąg Colleoniego III *16*
- San Marco II 16, 17, 22; III
    37, 166
- Scuola di S. Marco III 37
- Sta Maria degli Frari III 67
- Sta Maria dei Miracoli III 37
- Sta Maria dell'Orto III *96*
Werona III 36, 71, *22*
Wersal I 15, 66; III 242, 243,
    244, 245, 246, 249, 250; IV 6,
    31, 35, 39, 115
- Cour de Marbre III *183*
- Grand Trianon III 246, *195*;
    IV 53
- Oranżeria III 245, 248, *190*
- park III 243, 245, 246, *191,
    199, 200*
- Petit Trianon IV 40, *27*
- wnętrze III 249; IV 26, 27, 81

Weymouth IV *55*
Whitehall, zamek III 125, 164,
    95
Wiedeń III 74, 86, 87, 100, 139;
    IV 110, 114, 115
- Albertina I *6*; III 189, 237
- kościół Karola Boromeusza III
    156
- Kunsthistorisches Museum I
    108; III 92, 177, 178, 188, *62,
    79, 80*
- Nationalbibliothek III *81*
- Österreichisches Museum für
    angewandte Kunst II *35*
Wikingów skrzynia II *81*
Windsor II 138
Winterthur III *119*; IV *118*
Witraże II 137; III 190
Włodzimiersko-suzdalskie księ-
    stwo II 148, 153
Włodzimierz II 108, 146, 148,
    149, 152, 153
- Bogurodzica II 23, 24
- cerkiew Pokrowa II 149, *136*
- sobór św. Dymitra (Deme-
    triosa) II 149, *137*
- sobór Uspieński (Koimesis)
    II 153, 158
Wollaton-Hall III 125
Wołotowo pod Nowogrodem
    II 151, 152, *142*
Wormacja II 107
Wrocław, Muzeum Śląskie II *128*
Wrota Raju, Florencja, baptyste-
    rium III *72*
Würzburg I *109*; III 98, 156; IV
    29
Wyspa Wielkanocna I 40

Yukatan I *24*

Zagorsk II 153
Zamki nad Loarą III 112
Zelandia I 48; II 192
Zen, sekta buddyjska II 76
Zincirli I 62

3

AUTORZY FOTOGRAFII:

Fotografie oryginalne: Alinari, Florencja: I, 3; I, 57; I, 97; I, 107; I, 113; I, 130; I, 140; I, 155; I, 156; I, 158; I, 160; I, 165; I, 169; I, 172; I, 176; I, 184; II, 4; III, 5; III, 6; III, 8 do III, 19; III, 23; III, 24; III, 26; III, 32; III, 33; III, 35 do III, 37; III, 40; III, 42; III, 48; III, 52 do III, 54; III, 56; III, 66; III, 102 do III, 105; III, 107; III, 110; III, 111; III, 115 do III, 117; III, 196. Amsterdam, Rijksmuseum: III, 176; III, 177. Amsterdam, Stedelijk Museum: IV, 121. Antwerpia, Musée Royal des Beaux-Arts: IV, 123. Ateny, Muzeum Narodowe: I, 79; I, 111. Bacci, Mediolan: III, 34. Baltimore, Walters Art Gallery: I, 81. Barcelona, Katalońskie Muzeum: III, 123. Bazyleja, Offentliche Kunstsammlung: III, 75; III, 76. Berlin, Deutsche Akademie der Künste: I, 17; II, 41; II, 60; II, 62; II, 66. Berlin, Ehemals Staatliche Museen, Gemäldegalerie: III, 153; III, 178. Berlin, Kunstgeschichtliche Bildstelle Humboldt-Universität: IV, 38. Berlin, Staatliche Museen: I, 1; I, 31; I, 44; I, 66 do I, 68; I, 70; I, 125; I, 141; I, 143; I, 177; II, 26; II, 32; II, 33; II, 63; II, 73; II, 112; III, 67; III, 68; III, 71; III, 73; III, 82; III, 97; III, 145; III, 149; III, 156 do III, 159; III, 164; IV, 23; IV, 82; IV, 100. G. Beyer, Weimar: II, 89; II, 121; II, 123; III, 58. Boston, Isabella Stewart Gardner Museum: III, 55. Boston, Museum of Fine Arts: I, 139, II, 53; II, 61; III, 93; IV, 113. Braun, Mulhouse: I, 100; III, 179. Bruksela, Institut Royal du Patrimoine Artistique: III, 61; III, 63; III, 65; IV, 33; IV, 87; IV, 99; IV, 122. Cambridge, Mass., Fogg Art Museum: III, 94; IV, 71. Chicago, The Art Institute: IV, 65. Colombo (Ceylon) Archeological Department: II, 55. A. Dingjan, Haga: III, 172. Djakarta, Dinas Purbakala (Department of Archeology): II, 50. Drezno, Deutsche Fotothek: I, 11; I, 22; I, 76; I, 86; I, 142; II, 87; II, 106; II, 111; III, 30; III, 51; III, 189; IV, 16. Drezno, Staatliches Museum für Völkerkunde, S. Weidel: I, 19. H. Etzoldt, Lipsk: I, 51. J. P. Exel Jr., Haarlem: III, 154. Gassilow, Leningrad: III, 141; III, 166; III, 185; IV, 3; IV, 46; IV, 54. Giraudon, Paryż: III, 198. Glasgow, Art Gallery and Museum: IV, 97. Kolekcja Gulbekian, Lizbona: III, 152. W. Hahn, Drezno: IV, 15. Hamburg, Kunsthalle: IV, 61. Wyd. Franz Hanfstaengl, Monachium: III, 1. Heraklion (Kreta), Muzeum: I, 78. Wyd. Hirmer, Monachium: I, 48; I, 52; I, 55; I, 89; I, 91 do I, 94; I, 99; I, 101; I, 102; I, 120; I, 121; I, 129; I, 132. Kaufmann, Monachium: I, 183. W. Kiewert, Frankfurt nad Menem: I, 87; I, 116; I, 180; II, 108. Kolonia, Wallraf-Richartz-Museum: III, 173. Kopenhaga, Kunstindustrimuseet: II, 46. Kraków, Muzeum Narodowe: IV, 68. L. Laniepce, Paryż: I, 33; IV, 107. Kolekcja R. Lehman, Nowy Jork: III, 188. Leyda, Rijksmuseum voor Volkenkunde: II, 54. Londyn, British Museum: III, 167; IV, 2. Londyn, Courtauld Institute of Art: IV, 115. Londyn, National Gallery: III, 69; III, 101; IV, 56. Madryt, Prado: III, 78 III, 125; III, 126; III, 132; III, 133; III, 135; III, 137 do III, 139; III, 151. Marburg, Bildarchiv: I, 35 do I, 39; I, 46; I, 47; I, 49; I, 50; I, 53; I, 59; I, 61; I, 62; I, 65; I, 85; I, 88; I, 90; I, 95; I, 104 do I, 106; I, 117; I, 119; I, 122; I, 131; I, 135 do I, 137; I, 139; I, 144; I, 147; I, 171; II, 2; II, 5; II, 9; II, 13; II, 24; II, 31; II, 76; II, 88; II, 91; II, 93; II, 95; II, 99; II, 101; II, 102; II, 105; II, 107; II, 114; II, 115; II, 119; II, 122; II, 124; II, 125; III, 59; III, 60; III, 84 do III, 89; III, 92; III, 108; III, 109; III, 120 do III, 122; III, 192; III, 194; IV, 26; IV, 85; IV, 86. Marg Publication, Bombay: II, 52. Meksyk, Inst. Nacional de Antropologia a Historia: I, 23. J. Mierzecka, Warszawa: II, 128. Monachium Archäologisches Semmar der Universität: I, 77. Monachium, Bayerische Staatsbibliothek: II, 39. Monachium, Bayerische Staatsgemäldesammlungen: III, 72; III, 127; III, 143; III, 144; III, 150; III, 165; III, 166. Monachium, Staatliche Antikensammlungen: I, 75; I, 146. J. Mortimer, Londyn: I, 8; III, 95. Neapol, Museo Nazionale: I, 178. New-Delhi, Department of Archeology: II, 40; II, 42;

II, 44; II, 45. Nowy Jork, Metropolitan Museum: III, 136; IV, 98. Ottawa, National Gallery of Canada: IV, 10. Paryż, Archives Photographiques: I, 34; I, 72; I, 110; III, 20; III, 22; III, 31; III, 70; III, 91; III, 113; III, 146; III, 175; III, 184; III, 191; III, 200; IV, 14; IV, 34 do IV, 37; IV, 41; IV, 42; IV, 52; IV, 57; IV, 58; IV, 60; IV, 77; IV, 110; IV, 119. Paryż, Bibliothèque Nationale: II, 22; II, 78; III, 83. Paryż, Musée de l'Homme: I, 21. Paryż, Musée des Arts Décoratifs: IV, 6; IV, 39; IV, 40. Paryż, Musée Rodin: IV, 109; IV, 111. Phaidon Press Ltd Londyn: I, 27; II, 56. Praga, Narodni Galerie: II, 75; IV, 79. Praga, Wydawnictwo literatury pięknej i sztuki: IV, 101. Preiss & Co., Ismaning: III, 57; III, 119; IV, 25; IV, 72; IV, 76; IV, 96. Kolekcja Rosenborg, Kopenhaga: II, 36. Rotterdam, Museum Boymans: III, 168. Wyd. Seemann, Lipsk: I, 127; III, 74; III, 80; III, 140; IV, 94. Wyd. Skira, Genewa: I, 56; IV, 49. Stanimirovitch, Paryż: II, 135. Stuttgart, Staatsgalerie: IV, 47. Turyn, Soprintendenza alle Antichità: II, 159. Utrecht, Universitätsbibliothek: II, 83. Verlag der Kunst, Drezno: IV, 1; IV, 66; IV, 69; IV, 102; IV, 117. Vich, Muzeum Episkopalne: III, 124. R. Viollet, Paryż: III, 190; IV, 7. Warszawa, Instytut Sztuki PAN: II, 117; II, 118; II, 120; II, 130; II, 131. Waszyngton, National Gallery of Art: III, 44; IV, 22. Waszyngton, Phillips Collection: IV, 59. Wiedeń, Archiv der Österreichischen Nationalbibliothek: III, 106. Wiedeń, Kunsthistorisches Museum: I, 108; III, 62. Wiedeń, Nationalbibliothek: III, 81. Wiedeń, Österreichisches Museum für angewandte Kunst: II, 35. H. Wiesner, Brema: I, 26. W. Zorn, Drezno: I, 170; III, 180; IV, 50; IV, 51.

Z archiwum autora: I, 2; I, 4 do I, 7; I, 13; I, 18; I, 20; I, 24; I, 28 do I, 30; I, 32; I, 40 do I, 43; I, 54; I, 58; I, 60; I, 63; I, 64; I, 71; I, 73; I, 80; I, 82 do I, 84; I, 96; I, 98; I, 103; I, 109; I, 112; I, 114; I, 115; I, 118; I, 123; I, 124; I, 126; I, 128; I, 134; I, 138; I, 145; I, 148 do I, 154; I, 157; I, 166 do I, 168; I, 173 do I, 175; I, 179; I, 181; I, 182; I, 185; II, 3; II, 4; II, 6 do II, 8; II, 10 do II, 12; II, 14 do II, 21; II, 23; II, 25; II, 27 do II, 30; II, 34; II, 37; II, 38; II, 43; II, 47 do II, 49; II, 51; II, 57; II, 59; II, 64; II, 65; II, 67; II, 69 do II, 72; II, 77; II, 79; II, 80; II, 84 do II, 86; II, 90; II, 92; II, 94; II, 100; II, 103; II, 104; II, 109; II, 110; II, 127; II, 132 do II, 134; II, 136 do II, 151; III, 2 do III, 4; III, 21; III, 25; III, 27 do III, 29; III, 41; III, 43; III, 45 do III, 47; III, 49; III, 64; III, 77; III, 79; III, 90; III, 96; III, 98 do III, 100; III, 112; III, 114; III, 129 do III, 131; III, 134; III, 142; III, 147; III, 148; III, 155; III, 160 do III, 163; III, 169 do III, 171; III, 174; III, 181 do III, 183; III, 187; III, 193; III, 196; III, 197; III, 199; IV, 5; IV, 8; IV, 9; IV, 11 do IV, 13; IV, 17 do IV, 21; IV, 24; IV, 27 do IV, 32; IV, 43 do IV, 45; IV, 48; IV, 53; IV, 55; IV, 62 do IV, 64; IV, 67; IV, 70; IV, 73 do IV, 75; IV, 78; IV, 80; IV, 81; IV, 83; IV, 84; IV, 88; IV, 90 do IV, 93; IV, 95; IV, 103 do IV, 106; IV, 108; IV, 112; IV, 114; IV, 116; IV, 118; IV, 120; IV, 124 do IV, 126.

Z dzieł: G. Bataille, Lascaux — Vorgeschichtliche Malerei, Genf 1955: I, 9. G. Bovini, Die Mosaiken von Ravenna, Mailand — Würzburg 1956: II, 1 z zezwoleniem A. Zettner. Champdor, Altägyptische Malerei, Leipzig 1957: I, 45; I, 69; I, 74. Deutsche Kunst, wyd. L. Roselius, Bremen — Berlin b.d.: II, 81; II, 82. Du, nr 7/58: I, 16. O. Fischer, Die Kunst Indiens, Chinas und Japans, Berlin 1928: II, 68. Forman, Kunst der Vorzeit, Prag 1956: I, 14; I, 15. L. Goldscheider, Greco, London 1949: III 128. L. Goldscheider, Ghiberti, London 1949: III, 7. L. Goldscheider, Michelangelo, 1939 – 40: III, 38; III, 39; III, 50. Hajek-Forman, Chinesische Kunst, Prag 1954: II, 58; II, 74. R. Huch, Farbenfenster grosser Kathedralen des 12. u. 13. Jahrhunderts, Leipzig 1937: II, 113. Kühn, Malerei der Eiszeit, München 1923: I, 10; I, 12. E. Kunsch, Mexiko im Bild, Nürnberg b.d.: I, 25. A. Langer, Paul Gauguin, Warszawa 1965: obwoluta IV tomu.
Ilustracje: III, 179; IV, 100 do IV, 111 za zezwoleniem SPADEM, Paryż i COSMOPRESS, Genewa.

Tłumaczyli z niemieckiego: Maria Kurecka i Witold Wirpsza
Opracowanie graficzne: Zbigniew Weiss
Redaktor: Grzegorz Kiljańczyk
Korektor techniczny: Danuta Lewińska

Książka wydana przez Wydawnictwo Arkady, Warszawa, w koprodukcji
z Wydawnictwem Tatran, Bratysława

Arkady, Warszawa, 1983. Wydanie piąte. Nakład 20 200 egzemplarzy. Skład
wykonano w Poznańskich Zakładach Graficznych im. M. Kasprzaka w Poznaniu.
Druk i oprawa wykonane w Czechosłowacji.
1225/IV/RS. M-25.   Cena tomu IV zł 380,–